光尘
LUXOPUS

白鹿原的樱桃红了

陈忠实 著

北京联合出版公司
Beijing United Publishing Co.,Ltd.

目录

第一辑

生命中深情的瞬间

第二辑

在大地的怀抱中

第三辑

我的文学生涯

第四辑

那些温热的情谊

第五辑

步履不停

第一辑

生命中深情的瞬间

无论往后的生命历程中遇到怎样的挫折、怎样的委屈、怎样的龌龊，

不要动摇，也不必辩解，走你认定了的路吧！

因为任何动摇（包括辩解），都会耗费心力、耗费时间、耗费生命，

不要耽搁了自己的行程。

晶莹的泪珠

我手里捏着一张休学申请书朝教务处走着。我要求休学一年。我写了一张要求休学的申请书。我在把书面申请交给班主任的同时，又口头申述了休学的因由，发觉口头申述因为穷而休学的理由比书面申述更加难堪。好在班主任对我口头和书面申述的同一因由表示理解，没有经历太多的询问，便在申请书下边空白的地方签写了“同意该生休学一年”的意见，自然也签上了他的名字和时间。他随之让我等一等，就拿着我写的申请书出门去了；他回来时，那申请书上就增加了校长的一行签字，比班主任的字签得少，自然也更简洁，只有“同意”二字，连姓名也简洁到只有一个姓，名字略去了。班主任对我说：“你现在到教务处去办手续，开一张休学证书。”

我敲响了教务处的门板。获准以后便推开了门，一位年轻的女先生正伏在米黄色的办公桌上，手里捉着长杆蘸水笔在一厚本表册上填写着什么，并不抬头。我知道开学报名时教务处最忙，忙就忙在许多要填写的各式表格上。我走到她的办公桌前鞠了一躬：“老师，给我开一张休学证书。”然后就把那张签着班主任和校长姓名以及他们意见的申请递放到桌子上。

她抬起头来，诧异地瞅了我一眼，拎起我的申请书来看着，长杆蘸水笔还夹在指缝之间。她很快看完了，又专注地把目光留滞在纸页下端班主任签写的一行意见和校长更为简洁的意见上面，似乎两个人连姓名在内的十来个字的意见批示，看去比我大半页的申请书还要费时更多。她终于抬起头来问：“就是你写的这些理由吗？”

“就是的。”

“不休学不行吗？”

“不行。”

“亲戚全都帮不上忙吗？”

“亲戚……也都穷。”

“可是……你休学一年，家里的经济状况也不见得能改变，一年后你怎么能保证复学呢？”

于是我就信心十足地告知我父亲安排的精确计划：待到明年我哥哥初中毕业，父亲谋划着让他投考师范学校，师范生的学杂费和伙食费全由国家供给，据说还发三块钱零花钱。那时候我就可以复学接着念初中了。我拿父亲的话给她解释，企图消除她对我能否复学的疑虑：“我伯伯说嘞，他只能供得住一个中学生。俺兄弟俩同时念中学，他供不住。”

我没有做更多的解释。我爱面子的弱点早在此前已经形成。

我不想再向任何人重复叙述我们家庭的困窘。父亲是个纯粹的农民，供着两个同时在中学念书的儿子。哥哥在距家四十多里远的县城中学，我在离家五十多里的西安一所新建的中学就读。在家里，我和哥哥可以合盖一条被子，破点旧点儿也关系不大。先是哥哥，接着是我要离家到县城和省城的寄宿学校去念中学，每人就得有一套被褥、行头，学费、杂费、伙食费和种种花销都空前增加了。实际上，轮到我考上初中时已不再是考中秀才般的荣耀和喜庆，反而变成了一团浓厚的愁云忧雾笼罩在家室屋院的上空。我的行装已不能像哥哥那样有一套新被子、新褥子和新床单，被简化到只能有一条旧被子卷成小卷儿背进城市里的学校。我的那一绺床板终日裸露着缝隙宽大的木质板面，晚上就把被子铺一半再盖上一半。我也不能像哥哥那样由父亲把一整袋面粉送交给学生灶，而只能是每周六回家来背一袋杂面馍馍到学校去，因为学校灶上的管理制度规定一律交麦子面，可我们家总是短缺麦子而苞谷面还算宽裕。这样的生活我并未意识到有什么不好。因为背馍上学的学生远远超过能搭得起灶的学生人数，每到三顿饭时，背馍的学生便在开水灶的一排供水龙头前排起五六列长队，把掰碎的各色馍块装进各自的大号搪瓷缸子里，用开水浸泡后，便三人一堆、五人一伙地围在乒乓球台的周围进餐，佐菜大都是花钱买的竹篓咸菜或家制的腌辣椒，说笑和争论的声浪甚至压制了那些从灶房领取炒菜和热饭的“贵族阶层”。

这样的念书生活终于难以为继。父亲供给两个中学生的经济支柱，一是卖粮，一是卖树，而我印象最深的还是卖树。父亲自青年时就喜欢栽树，我们家四五块滩地地头的灌渠渠沿上，是纯一色的生长最快的小叶杨树，稠密到不足一步就是一棵，粗的可作檩条，细的能当椽子。父亲卖树早已打破了先大后小、先粗后细的普通法则，一切都是随买家的需要而定，需要檩条就任其选择粗的，需要椽子就让他们砍伐细的。所得的票子全都经由哥哥和我的手交给了学校，或是换来书籍课本和作业本以及哥哥的菜票、我的开水费。

树卖掉后，父亲便迫不及待地刨挖树根，指头粗细的毛根也不轻易舍弃，把树根劈成小块晒干，然后装到两只大竹条笼里挑起来去赶集，卖给集镇上那些饭馆、药铺或供销社单位。一百斤劈柴的最高时价为 1.5 元，得来的块把钱也都经由上述的相同渠道花掉了。直到滩地上的小叶杨树在短短的三四年间全部砍伐一空，地下的树根也掏挖干净，渠岸上留下一排新插的白杨枝条或手腕粗细的小树……

我上完初一第一学期，寒假回到家中便预感到要发生重大变故。新年佳节弥漫在整个村巷里的喜庆气氛与我父亲眉宇间的那种根深蒂固的忧虑形成强烈的反差，直到大年初一刚刚过去的当天晚上，父亲便说出来谋划已久的决策：“你得休一年学，一年。”他强调了一年这个时限。我没有感到太大的惊讶。在整个学期里，我渴盼星期六回家，又惧怕星期六回家。我那年刚刚十三岁，从未出过远门，而一旦出门便是五十多里远的陌生的城市，只有星期六才能回家一趟去背馍，且不要说一个星期里一天三顿开水泡馍所造成的对一碗面条的迫切渴望了。然而每个星期六在吃罢一碗香喷喷的面条后便进入感情危机，我必须说出明天返校时要拿的钱数儿，1元班会费或5角集体买理发工具的款项。我知道一根丈五长的椽子只能卖到1.5元钱，一丈长的椽子只有8角到1元的浮动区。我往往在提出要钱数目之前就折合出来这回要扛走父亲一根或两根椽子，或者是多少斤树根劈柴。我必须在周六晚上提前提出钱数，以便父亲可以从容地去借款。每当这时，我就看见父亲顿时阴沉下来的脸色和眼神，同时，夹杂着短促的叹息。我便低了头或扭开脸不看父亲的脸。母亲的脸色同样忧愁。父亲的神色一旦成了那种样子，我就不忍对看或者不敢对看。父亲生就的是一脸的豪壮气色，高眉骨、大眼睛、统直的高鼻梁和鼻翼两边很有力度的两道弯沟，忧愁蒙结在这样一张脸上似乎就不堪一睹……我曾经不止一次地产生过这样的念头，为什么一定要念中学呢？村子里不是有许多同龄伙伴没有考取初中，仍然高高兴兴地给牛割草、给灶里拾柴吗？我为什么要给父亲那张脸上周期性地制造忧愁呢……父亲接着就讲述了他让哥哥一年后投考师范的谋略，然后可以供我复学念初中了。他怕影响一家人过年的兴头儿，所以压在心里直到过了初一才说出来。我说："休学？"父亲安慰我说："休学一年不要紧，你年龄小。"我也不以为休学一年有多么严重，因为同班的50多名男女同学中有不少人都结过婚，既有孩子的爸爸，也有做了妈妈的，这在20世纪50年代初并不奇怪，中华人民共和国成立后才获得上学机会的乡村青年不限年龄。我是班里年龄最小、个头最矮的一个，座位排在头一张课桌上。我轻松地说："过一年个子长高了，我就不坐头排头一张桌子咧——上课扭得人脖子疼……”父亲依然无奈地说：“钱的来路断咧！树卖完了。”

她放下夹在指缝间的木制长杆蘸水笔，合上一本很厚很长的登记簿，站起来说：“你等等，我就来。”我就坐在一张椅子上等待，总是止不住她出去干什么的猜想。过了一阵儿她回来了，情绪有些亢奋，也有点儿激动，一坐到她的椅子上就说：“我去找校长了……”我明白了她的去处，似乎验证了我刚才的几种猜想中的一种，心里也怦然动了一下。她没有谈她找校长说了什么，也没有说校长给她说了什么。她现在双手扶在桌沿上低垂着眼，久久不说一句话。她轻轻舒了一口气，扬起头来时我就发现，亢奋的情绪已经隐退，温柔妩媚的气色渐渐回归到眼角和眉宇里来了，似乎有一缕淡淡的无能为力的无奈。

她又轻轻舒了口气，拉开抽屉取出一本公文本并在桌子上翻开，从笔筒里抽出那支木杆蘸水笔，在墨水瓶里蘸上墨水后又停下手，问：“你家里就再想不出办法了？”我看着那双带着忧郁气色的眼睛，忽然联想到姐姐的眼神。这种眼神足以使任何被痛苦折磨着的心平静下来，足以使任何被痛苦折磨得心力交瘁的灵魂得到抚慰，足以使人沉静地忍受痛苦和劫难而不至于沉沦。我突然意识到因为我的休学致使她心情不好这个最简单的推理，而在校长、班主任和她中间，她恰好是最不应该产生这种心情的。她是教务处的一位年轻职员，平时就是在教务处做些抄抄写写的事，在黑板上写一些诸如打扫卫生的通知之类的事，我和她几乎没有说过话，甚至至今也记不住她的姓名。我便说：“老师，没关系。休学一年没啥关系，我年龄小。”“白白耽搁一年多可惜！”她说，随之又换了一种口吻说，“我知道你的名字，也认得你。每个班前三名的学生我都认识。”我的心情突然灰暗起来而没有再开口。

她终于落笔填写了公文函，取出公章在下方盖了，又在切割线上盖上一枚合缝印章，吱吱吱撕下，并不交给我，放在桌子上，然后把我的休学申请书抹上糨糊后贴在公文存根上。她做完这一切才重新拿起休学证书交给我说：“装好。明年复学时拿着来找我。”我把那张硬质纸印制的休学证书折叠了两番装进口袋。她从桌子那边绕过来，又从我的口袋里掏出来塞进我的书包里，说：“明年这阵儿你一定要来复学。”

我向她深深地鞠了躬就走出门去。我听到背后咣当一声闭门的声音，同时也听到一声“等等”。她拢了拢齐肩的整齐的头发朝我走来，和我并排在廊檐下的台阶上走着，两只手插在外套的口袋里。走过一个又一个窗户，走过一扇又一扇教室的前门和后门，校园里和教室里出出进进着男女同学，有的忙着去注册、交费，有的已经抱着一摞摞新课本、新作业本走进教室，还有从校门口刚刚进来的背着被卷馍袋的迟来者。我忽然心情很不好，在争取到了休学证后心劲松了吧？ 我很不愿意看见同班同学的熟悉的脸孔，便低了头匆匆走起来，凭感觉可以知道她也加快了脚步，几乎和我同时走出学校大门。

学校门口又涌来一拨偏远地区的学生，熟悉的同学便连连问我：“你来得早！报过名了吧？”我含糊地笑笑就走过去了，想尽快远离正在迎接新学期的洋溢着欢跃气浪的学校大门。她又喊了一声“等等”。我停住脚步。她走过来拍了拍我的书包：“甭把休学证弄丢了。”我点点头。她这时才有一句安慰我的话：“我同意你的打算，休学一年不要紧，你年龄小。”

我抬头看她，猛然看见那双眼睫毛很长的眼眶里溢出泪水来，像雨雾中正在涨溢的湖水，泪珠在眼里打着旋儿，晶莹透亮。我旋即垂下头避开目光。要是再在她的眼睛里多驻留一秒，我肯定就会号啕大哭。我低着头咬着嘴唇，脚下盲目地拨弄着一块碎瓦片来抑制情绪，感觉到有一股热辣辣的酸流从鼻腔倒灌进喉咙里去。我后来的整个生命历程中发生过多次这种酸水倒流的事，而倒流的渠道却是从十四岁刚来到的这个生命年轮上第一次疏通的。第一次疏通的倒流的酸水的渠道肯定狭窄，承受不下那么多的酸水，因而还是有一小股从眼睛里冒出来，模糊了双眼，顺手就用袖头揩掉了。我终于扬起头鼓起劲儿说：“老师……我走咧……”

她的手轻轻搭上我的肩头：“记住，明年的今天来报到复学。”

我看见两滴晶莹的泪珠从眼睫毛上滑落下来，掉在脸鼻之间的谷地上，缓缓流过一段后就在鼻翼两边挂住。我再一次虔诚地深深鞠躬，然后就转过身走掉了。

二十五年后，卖树、卖树根（劈柴）供我念书的父亲在癌病弥留之际，对坐在他身边的我说：“我有一件事对不住你……”

我惊讶得不知所措。

“我不该让你休那一年学！”

我浑身战栗，久久无言。我像被一吨烈性“梯恩梯”炸成碎块细末儿飞向天空，又似乎跌入千年冰窖而冻僵四肢、冻僵躯体，也冻僵了心脏。在我高中毕业名落孙山回到乡村的无边无际的彷徨苦闷中，我曾经猴急似的怨天尤人：“全都倒霉在休那一年学……”我1962年毕业恰逢中国经济最困难的年月，高校招生任务大大缩小，我们班里“剃了光头”，四个班也只考取了一个个位数；而在上一年的毕业生里，我们这所不属重点的学校也有50%的学生考取了大学。我如果不是休学一年，当是1961年毕业……父亲说：“错过一年……让你错过了二十年……而今你还算熬出点儿名堂了……”

我感觉到炸飞的碎块细末儿又归结成了原来的我，冻僵的四肢自如了，冻僵的躯体灵便了，冻僵的心又嗵嗵嗵跳起来的时候，猛然想起休学出门时那位女老师溢满眼眶又流挂在鼻翼上的晶莹的泪珠儿。我对已经跨进黄泉路上半步的依然向我忏悔的父亲讲了那一串泪珠的经历，我称呼伯伯的父亲便安然合上了眼睛，喃喃地说：“可你……怎么……不早点儿给我……说这女先生哩……”

我今天终于把几近四十年前的这一段经历写出来的时候，对自己算是一种虔诚祈祷。当各种欲望膨胀成一股强大的浊流冲击所有大门窗户和每一个心扉的当今，我便企望自己如女老师那种泪珠的泪泉不致堵塞，更不敢枯竭，因为那是滋养生命灵魂的泉源，也是滋润民族精神的泉源哦……

与军徽擦肩而过

进入高中最后一个学期，我的心境便进入一种慌乱，说惶惶不可终日也不为过。去向的把握不定，未来职业的艰难选择，前途的光明与黑暗，像一涡没有流向的浑浊漩流翻腾搅和在心里，根本无法理出一条清晰的流向。

我只觉得自己整个人被那股漩流冲撞翻搅得变轻了。

把书念到高中即将毕业，十二年的读书生活中经历的无法诉说的经济艰难，此时都被即将结束这种艰难的兴奋所淡漠。仅仅在春节前的高三第一学期结束时，心境还是踏实的，还是一种进入最后冲刺的单纯和自信，还没有感觉到这种既无法出手，又无法伸脚的惶惶和轻松。仅仅过罢春节，重新坐到自己的桌子前的最后一学期，我才发觉一切都乱套了。这是高考前的最后四个月，是万米长跑的最后一百米，容不得任何杂念，只需要单纯，只需要咬紧牙关，拼尽最后一丝力气，冲过那条终点线，闯进大学的校门里去。然而我乱套了，无法凝神，也难以聚力，陷入一种漩流翻搅的无法判断、无法选择，也无法驾驭自己的艰难之中。造成这种混沌心态的直接因由，竟然全都是与军徽有关的事。

刚刚开学不久，突然传达下来验招飞行员的通知。校长在应届毕业生大会上传达了上级文件，班主任接着就在本班做了动员，然后分小组讨论，均是围绕着国防建设的神圣任务和青年个人的责任为主题的。虽然千篇一律，却是真诚的表白、真实的感动和心甘情愿的迫切。想想吧，驾驶飞机的飞行员，对任何一个高中毕业生来说，简直是做梦都不敢想的好事，谁还会迟疑或说“不”呢？从切实的意义上来说，所有动员和讨论都是多余的，因为这样的好事、美差是争都争不来的。学校领导的用意却在于进行一次普遍的爱国主义教育。其实学校各级领导都知道，这几乎是一个只开花而不会结果的事。因为从本校历史上来看，每届高中毕业生都要验招飞行员，结果依旧是零的记录，从来没有从本校走出一个驾驶飞机保卫领空的学生。然而，学校领导仍然满怀热情和忠诚地层层动员，仍然满怀精忠报国的赤诚参加讨论和表白。参加验招的人选是由学校团委具体操办的。出身“地、富、反、坏、右”家庭的学生是没有任何希望可寄的，亲友关系中有海外关系的学生也是没有指望的，家庭和直系、旁系亲属中有被杀、被关、被管制过的成员的学生同样过不了政治审查这一关。这是那个绷紧着阶级斗争一根弦的年代里，学生们都已习惯接受的条例，况且，驾驶飞机太了不得了。这样审查下来，一个班能参加身体检查的学生也就是十来个人，除去女生。

更进一步也更严格的政治审查还在后头，要视身体检查的结果再定。我是这十余个经政审粗筛通过的幸运者之一，又是被大家普遍看好的几个人中的一个。我那时刚好二十岁，一年到头几乎不吃一粒药，打篮球可以连续赛完两场、打满八十分钟，一米七六的个头，肥瘦大体均匀，尤其视力仍然保持在一点五，这在高三年级里是很值得骄傲的。尽管知道飞行员要求严格，几乎是千里挑一，尽管知道本校历史上尚未出现过一个幸运儿的严峻事实，但我仍怀着一份侥幸和期望。也许，因为挑选太过严格，对所有被挑选者都是一个未知数，于是所有有资格进行测检的人反而都可以抱着侥幸心理。我的侥幸大约在第四项检查时就轻易地被粉碎了。

“脱掉衣服。”医生说。

“再脱。”医生坐在椅子上，歪过头瞅我一眼又说。

“脱光。”医生又转过脸再次命令。

我赤条条地站在房子中间。尽管医生是位男性，但毕竟是陌生人，也毕竟是紧绷着阶级斗争之弦，也紧绷着道德之弦的20世纪60年代，我浑身不自在，完全处于无助无倚的状态下，总想弯下腰去，不由自主地并拢紧夹住双腿，真想蹲下去。医生却不紧不慢地命令说：两腿叉开，站直了，双手平举。

我就照命令做出站姿。

医生从椅子上站起来，先走到我的背后，我感觉到那双眼睛在挑剔，在我的左肩胛骨下戳了戳，然后再走到我的前面，不看我的脸，却从脖颈一路看下去。

他仍然不看我，又走回桌前，坐下，就在那个体检册上写起来。我慌忙穿好衣服，站到他的面前，等待判词。他不紧不慢地说：“你不用再检查了。”

飞行员与普通兵身体检查的不同之处就在这里，某一项不合格就终止检查。我问哪儿出了问题。他说，小腿上有一块疤。这块疤不过指甲盖大，小时候碰破感染之后留下的，几乎与周边皮肤无异。我的天哪，飞行员的金身原来连这么一小块疤痕都是不能容忍的。我不甘就此终结那个寄存的希望，便解释说，这个小疤没有任何后遗症。医生说，当高空气压压迫时，就可能冒血。我吓了一跳，完全信服了医家之言，再不敢多舌，便赶回学校去，把演算本重新摊开。尽管失败了，许多同学也和我一样破灭了飞行员之梦，学校却实现了验招飞行员的零的突破，一个和我同龄的学生走进了人民解放军航空兵飞行员的队列。这个幸运儿就出在我们班里，我和他同窗整整两年半，而且联手进行班级间的乒乓球赛。他顿时成为全校师生最瞩目的人物。班主任按上级指令已经指示他停止复习功课，以保护身体，尤其是眼睛。他的两颗把上唇撑起的虎牙，现在不仅不成为缺憾，倒是平添了亮闪闪的魅力。

我的飞行员之梦破灭了，却无太大挫伤，原本就是碰碰运气的，侥幸心理罢了，而真正心里揣着较大希望的，却是炮兵。按照历届毕业生的惯例，每年都要给军事院校保送一批学生。保送就是免去考试，直奔。政治审查条例虽然和飞行员一样严格，我却并不担心；学习成绩也不是要求拔尖而只需中上水平，我自酌也是不成问题的；身体条件比招普通士兵稍微严格，却远远不及飞行员那么挑剔。比我高一级的学生，保送入军事院校的竟有十余名之多，他们中的大多数我都认识，有几个还是我的同乡，他们在各个方面的状况我是清楚的，我悄悄地把自己与他们比较。我早在验招飞行员之前就做着这个梦了，许多同学也在做着同一个梦。有人悄悄地问过班主任程老师，说还没有开始这项推荐保送军校的工作，但只是迟早的事。做着同一个梦的同学，很自然地就扎到了一堆，私下里悄悄地传递着种种有利和不利的消息。而客观的事实是，上一届军校保送学生的工作早已开始了，今年为什么迟迟不见动静？上一届保送军校的十多名同学，大都去了一所炮兵学院，据说炮兵学院院长还是我们灞桥人。传言今年仍然是对口保送，炮兵便成为一个切实的梦想，令人日夜揪着心。真应了俗谚所说的夜长梦多的话，终于等来了令我彻底丧气的消息。

程老师走进教室，匆匆的样子，神色也不好。他说校长刚传达完上边一个指示，国家正处于经济困难时期，今年高校招生的比例大减。他说到这里时，脸色顿时变青发黑了。他似乎怕同学们不能充分理解“大减”的严峻性，几乎用喊的声调警示我们说，大减就是减少的比例很大！大到……很大的程度（上级不许说那个比例）……今年考大学……可能比考举人……还难。整个教室里鸦雀无声。我已经不敢再看程老师的脸，也不敢看任何同学的脸，微低了头，眼里什么景物、人物都没有了，脑子里一片空白。程老师一只手撑着讲桌，最后又像报丧似的说，军校保送生的任务也取消了。不单陕西，整个北方省份的军校保送生都取消了。本来我们班有几位同学是完全够保送军校条件的。现在……你们得加倍用功学习……

我不知道程老师什么时候走出教室的，走出教室的脚步和脸色是什么样子的。他走了以后，教室里许久都没有人动一动，或说一句话。最早做出反应，拉开坐凳，离开课堂，走出教室的，是学习最差的几位同学，他们大约原本就没有考取高校的信心，这下反倒彻底放松了。我没有任何再去和其他同学交流的意图。程老师已经一竿子扎到人心的底层了，还有什么不明白的需要讨论吗？没有了。而停断军校保送生的决定，更是让我“蓄谋已久”的一个希望破灭。我从教室走向操场，进入乱争乱抢的篮球场子。我在走出教室时，突然想起初中课本上《最后一课》里的韩麦尔先生。程老师向我们宣布招生大减和军校停止保送生的指示的神态，有点儿类近韩麦尔先生。

后来的结果完全注释了程老师所说的招生比例大减的内容，全校四个毕业班只考取了八名大学生，我们班竟然“剃了光头”。仅仅比我们早一年的毕业生，录取比例是百分之五十，而高两级的那一届毕业生，大学录取比例达到百分之九十以上。这是1962年。这是中华人民共和国短短的历史中史称“三年困难时期”的1962年。这是我对“三年困难时期”最强烈、最深刻的记忆，远远超出对于饥饿的印象。许多年后我从捂盖已久而终于公开的资料上看到，因饥饿死亡于“三年困难时期”的人数之众，完全冲淡了我的那点儿损失，能活下来已属幸运了。

寄托于飞行员和炮兵的幻想彻底破灭了，所有捷径都被堵死，任何选择的机会都没有了，反而没有了选择的游移不定，反而粉碎了，也廓清了一切侥幸心理，很快就进入一种别无选择的沉静和单纯。明知那个比例减得“很大很大”，反而激起一种反弹，一种不堪就此完结的垂死挣扎。教室里几乎没有杂音，从早到晚都是安静的，晚自习的灯光彻夜不熄。这个时期的学习大约是我漫长的学生时代最认真、最下功夫的一段时日。

有一天，教导处通知我和班里几位同学去开会，传达上级指示，对取消保送军校的决定补发新的决定，说保送军校的工作还要继续，仅只限于“政治保送”，考试照常参加，考生一视同仁。这项被说得颇为神秘的“政治保送”的文件，在我看来，没有任何实质性的含义，因为考试分数才是关键。只要考分上线，能上军校最好，分配到地方院校也不赖，所以我依旧埋头在课桌上做着最后的拼争。

这种近乎垂死的专一心境很快又被扰乱了。本年破例在高中毕业生中征招现役军人。此前的征兵对象只是初中以下的青年，高中毕业生只作为飞行员和军校的挑选对象。道理无须解释，招生任务既然“大大削减”，正好为部队提供了选拔较高文化兵源的机遇，也为高中毕业生增加了一条新的出路。这是 1962 年“三年困难时期”，做出的任何破例的举措，都是能被接受的。又是校方传达文件。又是团支部、学生会层层动员。又是各班级里的各个学习小组分组讨论。又是人人表态统一认识。连不在征召范围的女生也一样要接受这一整套的动员过程，应召普通士兵的决定，远不及应召飞行员那么众口一词地踊跃。学生中明显地分成两种倾向，那些对高考根本不抱任何侥幸心理的同学，从一听到这个突然发生的意外消息，就表现出一种惊喜，一种无须任何动员说教的坚定，道理也很简单，这是一条提供了新的发展可能的人生之路。班里那些自恃学业优秀的学生陷入了两难之中，既想考入大学，又怕万一落榜，反而连这一条出路也丢掉了。小组讨论中虽然一样表示着“守卫边疆”的决心，眼神和语气中却无法掩饰选择中的两难心态。

我也陷入两难中。我的两难选择不是自恃学业优秀，而是纯属个人的没有普遍意义的小算盘。我在专心做着最后拼命的同时，也做好了落榜之后的准备，仿照柳青深入长安农村、深入生活的路子，回到农村自修文学，开始创作。原本确定的这“两手准备”被打乱了，我既想参加高考一试，又怕落榜而丢失了当兵的机会，在当兵与回农村自修文学的两项对比中，农村生活条件最不占优势，甚至连饭也吃不饱。那个时候诱惑农村青年当兵的一个最基本的因素，便是部队上那白花花的米饭和白生生的馒头。我在几经权衡、几度反复掂量之后，还是倾向于当兵，在与美好的高校和艰苦的农村的三项对照中，只有当兵可能是最把稳的，因为对考取高校的畏怯，因为对农村的艰苦和自修文学的不自信，自然就倾向于当兵一条路了。当兵起码可以填饱肚子，出身农村的孩子自然不会在乎吃苦，又可以穿不用钱买的军装，说不定还可以在部队干上个班长、排长什么的。唯一让我心存叽咕的事，就是整晌整天整月的立正和稍息的走步。那种机械、呆板、整齐划一的没完没了的训练，我虽说不喜欢，却终究是小事。

我很快倒向那些热心当兵的同学一族了，自然就不能专心一致地演算数理化习题了。有人打听到接兵的军官已经到达地方武装部的消息，我们便迫不及待地追到区政府所在地纺织城，十余里的路不知不觉就到了。那位军官出面接待了我们这一帮年约二十的高中生，很热情，也很客气，又显示着一种胸有成竹的矜持。我是第一次与一位军官如此近距离地对话，他的个头高挑、英武，一种完全不同于地方干部，也不同于老师的站姿和风度，令人有一种陌生的敬畏。同学们七嘴八舌地询问种种在他看来纯属于 ABC 的问题，他也不烦不躁地做着解答，遇到特别幼稚的问题，他顶多淡淡一笑，作为回答。学生们最关心的问题还是有关身体检验，诸如身高、体重、视力等最表层，也最容易被刷下来的项目。有同学突然提到沙眼，说许多人仅这一项就丧失了保卫祖国的机会，而北方的人十有八九都有不同程度的沙眼，最后直戳戳地问：究竟怎样的眼睛才算你们满意的眼睛？

军官先做解释，说北方人有沙眼是不奇怪的，关键看严重程度如何，一般有点儿沙眼并无大碍，到部队治疗一下就好了。究竟什么样的眼睛才是军人满意的眼睛呢？军官把眼光从那位发问的同学脸上移开，在围拢着他的同学之中扫巡，瞅视完前排，又扫巡后排，突然把眼睛盯向我的脸，说：这位同志的眼睛没有问题，有点儿沙眼也没关系。我在这一瞬间脑子里呈现了空白，被军官和几十位同学一齐看着，看着我的眼睛，我不知所措了。大概从来也没有被人如此近距离地注视过，大概从来也没有人称我为“同志”。我至今清楚地记得第一次被称为同志，就发生在这一次。在我缓过神来以后，我才有勇气提出了第一个问题，腿上的一块指甲盖大的疤痕能不能过关？军官笑笑说不要紧。

既然眼睛被军官看好，既然那块疤痕也不再成为大碍，我想我就不会再有麻烦了，这个兵就十拿九稳当上了。星期六回到家中，我把这个过程全盘告知父亲和母亲。父亲半天不说话，许久之后才说，即使考不上大学，回家来务农嘛！天下农民也是一层人哩！我便开始说服父亲。最基本的一个道理，如果不念高中，回乡当农民心甘情愿，念过高中再回来吆牛犁地就有点儿心不甘，部队毕竟还有比农村更多的发展机会……这种父子间的对话，与在学校小组讨论会上的表态，是我的人生中发生过的两面派的最初表现形式。公开的表态是守卫边疆的堂皇，而内心真正焦灼的是个人的人生出路。在我的解说下，父亲稍微松了口，说让他再想想，也和亲戚商量一下。我已经不太重视父亲最后的态度了，因为我已经明确告诉他，已经报过名了。

星期日返回学校之后的第三天，我在上课时发现了异常，几位和我一起报名验兵的同学的位子全部空着，便心生猜疑。好容易挨到下课，同学才告知今天体检。我直奔班主任办公室，门上挂着锁子。再问，才知班主任领着同学到医院体检去了。我不知发生了什么事，为什么单独扔下我？我便直奔十几里外的纺织城一家大医院，医生告知说我们班的几位同学已经检验完毕，跟着班主任去逛商场了。我又追到商场，果然找到了班主任，他对我只说一句话，回到学校再说。对于我急促中的种种发问，他不急不躁，却仍然不说底里，只是重复那一句话。我的热汗变成冷汗，双腿发软，口焦舌燥，迷茫不知所向，无论如何也弄不清突然取消了我体检资格的原因，甚至怀疑是否“政审”出了什么麻烦。我不知怎样走回学校的，躺到宿舍就起不了身了，迫在眉睫的高考前紧张的复习，于我都无任何刺激了。

班主任让班长通知我谈话。

班主任很坦率也很平静地告诉我，我的父亲昨天找过他。

我自然申述我的意愿，不能单听父亲的。班主任反而更诚恳地说，第一次在高中毕业生中征兵，是试验，也是困难时期的非常举措。征兵名额很少，学校的指导思想是让那些有希望考取大学的同学保证高考，把这条出路留给那些高考基本没有多少希望的同学。班主任对我的权衡是尚有一线希望，所以不要去争有限的当兵的名额。最后，班主任有点儿不屑地笑笑说，人家都争哩，你爸却挡驾，正好。

我便什么话也说不成了。

我又坐到课桌前，重新摊开课本和练习本的时候，似乎真有一种从战场上撤退回来的感觉。我顺理成章地名落孙山了，没有任何再选择的余地，没有人也不需要谁做任何思想工作，回归我的乡村。

我在大学、兵营和乡村三条人生道路中最不想去的这条乡村之路上落脚了，反而把未来人生的一切侥幸心理排除干净了，深知自修文学写作之难，却开始了。一种义无反顾的存储心底的人生理想，标志是一只用墨水瓶改装的煤油灯。

汽笛·布鞋·红腰带

一个年过五十的人，依然清晰地记得平生听到第一声火车汽笛时的情景。

他当时刚刚勒上了头一条红腰带。这是家乡人遇到本命年时避灾禳祸、乞求平安福祉的吉祥物，无论男女，无论长幼，无论尊卑都要在本命年到来的头一天早晨穿裤子时勒上腰的。那是母亲用自纺的棉线四股合成一股，经过浆洗，经过大红颜色的煮染，再经过蜂蜡的打磨，然后把经线绷在两个膝盖之间织成的，早在母亲搓棉花捻子和纺线的时候就不断念叨："娃的本命年快到了，得织一条红腰带。"在标志着一年将尽的最后一个月份——腊月——到来之前，母亲已经织好了一条红腰带，只让他试着勒了一下就藏进木板柜里，直到大年三十晚上才取了出来放在枕头旁边，叮嘱他天明起来换穿新衣、新裤时结上那根红腰带。他那时只是为了那条鲜红的线织腰带感到新奇而激动不已，却不能意识到生命历程的第二个十二年将从明天早晨开始……

半年以后，他勒在腰里的红带已经变成紫黑色的了，鲜艳的红色被汗渍尿垢以及褪色的黑裤污染得失去了原本的颜色。他依旧勒着这条“保命带”走出了家乡小学所在的小镇，到三十里外的历史名镇灞桥去投考中学。领着他的是一位四十多岁的班主任老师，姓杜；和他一起去投考的有二十多个同学，这些小学同学中有的已经结婚，那是他们在中华人民共和国成立后才迟迟获得读书机会的缘故，他是他们当中年龄最小、个头最矮的一个。

这是一次真正的人生之旅。

从小镇小学校后门走出来便踏上了公路。这是一条国道，西起西安，沿着灞河川道再进入秦岭，在秦岭山中盘旋蜿蜒一直通到湖北省内。这是他第一次走出家门三公里以远的旅行。他昨夜激动慌惧得几乎不能成眠。他肩头挎着一只书包，包里装着课本、一支毛笔和一只墨盒，还有几个学生灶发给的混面馍馍，还有一块洗脸、擦脸用的布巾，同样是母亲用织布机织下的手工布巾……口袋里却连一分钱也没有。

开始上路后，他和老师、同学相跟着走，走出十多里路也不觉得累，同学们大都是来自小镇附近的村庄，谁也没出过远门，兴致很高，心劲十足，一路说说笑笑、叽叽嘎嘎。后来的悲剧是从脚下发生的。他感觉脚后跟有点儿疼，脱下鞋来看了看，鞋底磨透了，脚后跟上磨出红色的肉丝淌着血，血浆渗湿了鞋底和鞋帮。他首先诅咒的便是砂石铺垫的国道上的砂子，全然想不到母亲纳扎的布鞋鞋底经不住砂石的磨砺，随后才意识到是一双早已磨薄了的旧布鞋的鞋底。在他没有发现鞋破、脚破之前还能撑持住往前走，而当他看到脚后跟上的血肉时便怯了，步子也慢了。

似乎不单是脚后跟上出了毛病，他全身都变得困倦无力，双腿连往前挪一步的勇气都没有了。他每一次抬脚举步，都畏怯落地之后所产生的血肉之苦。他看见杜老师在向他招手，他听见同学在前头呼叫他。他流下眼泪来，觉得再也撵不上他们了。他企望能撞见一位熟人吆赶的马车，瞬间又悲哀地想到，自己其实原来就不认识一位车把式。

他看见杜老师和一位结过婚的小学生大同学倒追过来，立即擦干了眼泪。老师和同学的关心鼓励丝毫也不能减轻脚下的痛楚和抬脚触地时引发的内心的畏怯。老师和大同学不能只等他一人而往前走了。他没有说明鞋底磨透、脚跟磨烂的事，不是出于坚强，而纯粹是因为爱面子，他怕那些穿得起耐磨的胶质球鞋的同学笑自己的穷酸。这种爱面子的心理不知何时形成的，以至影响到他后来的全部生活历程，不愿意在任何人面前哭穷。老师和大同学临走时留给他的一句话是："往前走不敢停。慢点儿不要紧，只是不敢停下。我们在前头等你。"

他已经看不见杜老师率领着的那支小小的赶考队列了。他期望在路上捡到一块烂布包住脚后跟，终于没有发现哪怕是巴掌大的一块碎布而失望了。他从路边的杨树上捋下一把树叶塞进鞋窝儿，大约只舒服了两分钟，走出不过十几米就结束了短暂的美好和幼稚。他终于下狠心从书包里摸出那块擦脸用的布巾，相当于课本的两倍大小，只能包住一只脚。洗脸擦脸已经不大重要了，撩起衣襟就可以代替布巾来使用。用布巾包住的一只脚不再直接遭受砂石的蹭磨，减轻了疼痛，况且可以使另一只脚踮起脚尖而避免脚后跟着地。他踮着一只脚尖就着往前赶，果然加快了行速。走过不知有多少路程，布巾很快又磨透了，他把布巾倒过来再包到脚上，直到那块布巾被踩磨得稀烂而毫无用处。他最后从书包里拿出课本，先是算术，后是语文，一沓一沓撕下来塞进鞋窝……只要能走进考场，他自信可以不需要翻动它们就能考中；如果万一名落孙山，这些课本无论语文或是算术就都变成毫无用处的废物了。那些课本的纸张更经不住砂石的蹭磨，很快被踩踏成碎片从鞋窝里泛出来撒落到砂石国道上，像埋葬死人时沿路抛撒的纸钱。直到课本被撕光，他几乎完全绝望了，脚跟的疼痛逐渐加剧到每一抬足都会心惊肉跳，走进考场的最后一丝勇气终于断灭了。他站起随之又坐下来，等待有一挂回程的马车，即使陌生的车夫也要乞求。他对念中学似乎也没有太明晰的目标，回家去割草拾柴也未必不好……伟大的转机就在他完全崩溃刚刚坐下的时候发生了，他听到了一声火车汽笛的嘶鸣。

他被震得从路边的土地上弹跳起来。他被惊吓得几乎又软瘫坐下。他的耳膜长久地处于一种无知觉的空白。他的胸腔随着铿锵铿锵的轮声起伏着、战栗着。他惊惧慌乱、不知所措而茫然四顾，终于看见一股射向蓝天的白烟和一列呼啸奔驰过来的火车。他能辨识出火车凭借的是语文课本上的一幅拙劣的插图。这是他平生第一次看见火车。第一次听见火车汽笛的鸣叫。隐蔽在原坡皱褶里的家乡村庄，一年四季只有人声、牛哞、狗吠、鸡鸣和鸟叫。列车从他眼前的原野上飞驰过去，绿色的车厢、绿色的窗帘和白色的玻璃，启开的窗户晃过模糊的男人或女人的脸，还有一个把手伸出窗口的男孩的脸……直到火车消失在柳林中，直到柳树梢头的蓝烟渐渐淡化为乌有，直到远处传来不再那么震慑而显得悠扬的汽笛声响，他仍然无法理解火车以及坐在火车车厢里会是一种什么滋味儿？坐在飞驰的火车上透过敞开的窗口看见的田野会是怎样的情景？坐在火车上的人瞧见一个穿着磨透了鞋底、磨烂了脚后跟的乡村娃子会是怎样的眼光？尤其是那个和他年岁相仿、已经坐着火车旅行的男孩。

天哪！这世界上有那么多人坐着火车跑哩而根本不用双腿走路！他用双脚赶路，却穿着一双磨穿了底、磨烂了脚后跟的布鞋，一步一蹭血地踯躅！一时似乎有一股无形的神力从生命的那个象征部位腾起，穿过勒着红腰带的腹部冲进胸腔又冲上脑顶，他无端地愤怒了，一切朦胧的或明晰的感觉凝结成一句，不能永远穿着没后底的破布鞋走路……他把残留在鞋窝里的烂布绺、烂树叶、烂纸屑腾光倒净，咬着牙在砂石国道上重新举步，腿上有劲了，脚后跟也还在淌血、还疼，走过一阵儿竟然奇迹般地不疼了，似乎那越磨越烂得深的脚后跟不是属于他的，而是属于另一个怯弱者、懦弱鬼、王八蛋的……在离考场的学校还有一二里远的地方，他终于追赶上了老师和同学，却依然不让他们看他惨不忍睹的两只脚后跟。

…………

在那场历时十年的大浩劫发生时，他虽未被完全打翻，却感到已经走到生命的尽头。那一年又正好是他勒上第二条红腰带开始第三轮十二年的时候。他被划进错误路线而注定了政治生命的完结，他所钟情的文学在刚刚发出处女作便夭折了，家庭的灾难也接踵而至，不是祸不单行，而是三面伏击、四面楚歌。他步入社会，尚无任何生活经验，也无丝毫的防卫能力，很快便觉得进入绝境而看不出任何希望，不止一次于深夜走到一口水井边企图结束完全行尸走肉的自己。没有促成他纵身一投的缘由，便是他在那最后一刻听到了发自生命内部的那一声汽笛的鸣叫……

在他勒上第三条红腰带开始生命年轮的第四个十二年的时候，恰好又遭遇一次重大的挫折。如果说上一次的遭遇与红腰带有无什么联系尚无意识，这一次就令他暗暗惊诧了，人类生命本身是否存在着一种神秘的周期性灾变？他不再以一个简单的无神论者的简单态度轻易去判断其有无了。这一次挫折纯粹是自作自受，不能怨天、不能怨地，更不能怨天下任何人，自己因写下一篇对生活做出简单谬误判断的小说而声名狼藉。他曾想告别政坛，也告别文学，重新回到学校做一名乡村教师，与农村孩子去交朋友。在那个人生重大抉择的重要关头，他不仅又一次听到了那声汽笛，而且想到了那双磨透了鞋底、磨烂了脚跟的布鞋。有什么可畏惧的呢？本来就是穿着磨透鞋底的布鞋走进社会的，最终最糟失掉的大不了也就是又一双破烂布鞋……他走进图书馆，把莫泊桑和契诃夫的小说抱回住屋，昼夜与这两个欧洲人拥抱在一起。

他后来成为一个作家，但不是著名的，却终归算一个作家。这个作家已过“知天命”的年岁，回顾整个生命历程的时候，所有经过的欢乐已不再成为欢乐，所有经历的灾难挫折引起的痛苦也不再是痛苦，变成了只有自己可以理解的生命体验，剩下的还有一声储存于生命磁带上的汽笛鸣叫和一双透了鞋底的布鞋。

他想给进入花季刚刚勒上头一条或第二条红腰带的朋友致以祝贺，无论往后的生命历程中遇到怎样的挫折、怎样的委屈、怎样的龌龊，不要动摇，也不必辩解，走你认定了的路吧！因为任何动摇（包括辩解），都会耗费心力、耗费时间、耗费生命，不要耽搁了自己的行程。

皮鞋·鳝丝·花点衬衫

第一次到上海是 1984 年，大概是 5 月。上海文艺出版社举办“《小说界》第一届文学奖”颁奖活动，我的第一部中篇小说《康家小院》荣幸获奖，便得到走进这座大都市的机缘，心里踊跃着、兴奋着。整整二十年过去，尽管后来我又几次到上海，想来竟然还是第一次留下的琐细的记忆最为经久、最耐咀嚼，面对后来上海魔术般的变化，常常有一种感动，更多一缕感慨。

第一次到上海，在我有两件人生的第一次生活命题被突破。

我买的第一双皮鞋就是那次在上海的城隍庙购买的。说到皮鞋，我有过两次经历，都不大美好，曾经暗生过今生再不穿皮鞋的想法。大约是在中华人民共和国成立前夕，西安城里纷传解放军要攻城，自然免不了有关战争的恐慌。我的一位表姐领着两个孩子躲到乡下我家，姐夫安排好他们母子就匆匆赶回城里去了。据说姐夫有一个皮货铺子，自然放心不下。表姐给我们兄妹三人各带来一双皮鞋。父亲和母亲让我试穿一下。我在屋子里走了几步就脱下来，夹脚夹得生疼，皮子又很硬，磨蹭脚后跟，走路都跷不开脚了。大约就试穿了这一次，便永远收藏在母亲那个装衣服的大板柜的底层。直到20世纪70年代初，我已经在家乡的公社里工作，仍然穿着农民夫人手工做的布鞋。

我家乡的这个公社辖区，一半是灞河南岸的川道，另一半是地理上的白鹿原的北坡。干部下乡或责任分管，年龄大的干部多被分到川道里的村子，我当时属年轻干部，十有八九都奔跑在原坡上某个坪某个沟某个湾的村子里，费劲吃苦倒不在乎，关键是骑不成自行车，全凭腿脚功夫，自然就费脚上的布鞋了。一双扎得密密实实的布鞋底子，不过一月就磨透了，后来就咬牙花四毛钱钉一页用废弃轮胎做的后掌，鞋面破了妻子可以再补。在这种穿鞋比穿衣还麻烦的情况下，妻弟把工厂发的一双劳保皮鞋送给我了。那是一双翻毛皮鞋。

我冬夏春秋四季都穿在脚上，上坡下川，翻沟蹚滩，都穿着它。既不用擦油，也不必打光，乡村人那时候完全顾不得别人的衣饰审美，男女老少的最大兴奋点都敏感在粮食上，尤其是春天的救济粮发放份额的多少。这双翻毛皮鞋穿了好几年，鞋后掌换过一回或两回，鞋面开裂修补过不知多少回，仍舍不得丢掉，几年里不知省下多少做布鞋的鞋面布和锥鞋底的麻绳儿和鞋底布，做鞋花费的工夫且不论了。到我和家庭经济可以不再斤斤计较一双布鞋的原料价值的时候，我却下决心再不穿皮鞋，尤其是翻毛皮鞋了。体验刻骨铭心，双脚的脚掌和十个脚趾多次被磨出血泡，血泡干了变成厚茧，最糟糕的还有鸡眼。

这回到上海买皮鞋，原是动身之前就与妻子议定了的重大家事。首先当然是家庭经济改善了，有了额外的稿酬收入，也有额内工资的提升；再是亲戚朋友的善言好心，说我总算熬出来，成为有点儿名气的作家了，走南闯北去开会，再穿着家里做的灯芯绒布鞋就有失面子了。我因为对两次穿皮鞋的切肤记忆体会深切，倒想着面子确实也得顾及，不过还是不用皮鞋而选择其他式样的鞋穿着舒服，不能光彩了面子而让双脚暗里受折磨。这样，我就多年也未动过买皮鞋的念头。“买双皮鞋。”临行前妻子说，“好皮鞋不磨脚。上海货好。”于是就决定买皮鞋了。“上海货好。”上海什么货都好，包括皮鞋。这是北方人的总体印象，连我的农民妻子都形成并且固定着这个印象。那天是一位青年作家领我逛城隍庙的。在他的热情而又内行的指导下，我买了一双当时比较高价的皮鞋，宽大而显得气派，圆形的鞋头，明光锃亮的皮子细腻柔软，断定不会让脚趾受罪，就买下来了。买下这双皮鞋的那一刻，心里就有一种感觉，我进入穿皮鞋的阶层了，类似进了城的陈奂生的感受。

回到西安近郊的乡村，妻子也很满意，感叹着以后出门再不会为穿什么鞋子发愁犯难了。这双皮鞋，只有我到西安或别的城市开会办事才穿，回到乡下就换上平时习惯穿的布鞋。这样，这双皮鞋似乎是为了给城里的体面人看而穿的，自然也为了我的面子。另外，乡村里黄土飞扬，穿这皮鞋需得天天擦油打磨，太费事了；在整个乡村还都顾不上讲究穿戴的农民中间，穿一双油光闪亮的皮鞋东走西逛，未免太扎眼……这双皮鞋就穿得很省，有七八年寿命，直到20世纪90年代初才换了一双新式样的。此时，我居住的乡村的男女青年的脚上，各色皮鞋开始普及。

我第一次吃鳝鱼，也是那次上海之行时突破的。关中人，尤其是乡下人基本不吃鱼，这成为外省人，尤其是南方人惊诧乃至讥笑的蠢事。这是事实。这样的事实居然传到胡耀邦耳朵里，他到陕西视察时在一次会议上问道："听说陕西人不吃鱼？"其实秦岭南边的陕南人是有吃鱼传统的，确凿不吃鱼的只是关中人和陕北人。我家门前的灞河里有几种野生鱼，有两条长须不长鳞甲的鲇鱼，还有鲫鱼，稻田里的黄鳝不被当地人看作鱼类，而视为蛇的变种。灞河发洪水的时候，我看到过成堆成堆的鱼被冲上河岸，晒死在苞谷地里，发臭变腐，没有谁捡拾回去尝鲜。直到20世纪50年代中期国家第一个"五年计划"实施时，西安拥来了许多东北和上海老工业区的技术人员和熟练工人，这些人因为买不到鱼而生怨气，就自制钓竿到西安周围的河里去钓鱼。我和伙伴们常常围着那些操着陌生口音的钓鱼者看稀罕。当地乡民却讥讽这些吃鱼的外省人：南蛮子是脏熊，连腥气烘烘的鱼都吃！我后来尽管也吃鱼了，却几乎没有想过要吃黄鳝。在稻田里我曾像躲避毒蛇一样躲避黄鳝，那黑黢黢的皮色，不敢想象入口会是一种什么感觉。

那天在上海郊区参观之后，晚饭就在当地一家餐馆吃。点菜时，《小说界》编辑、现任副主编的魏心宏突然兴奋地叫起来："啊呀，这儿有红烧鳝丝！来一盘，来一盘鳝丝。"还歪过头问我，你吃不吃鳝丝，就是鳝鱼丝。我只说我没吃过。当一盘红烧鳝丝端上餐桌时，我看见一堆紫黑色的肉丝，就浮出在稻田里踩着滑溜的黄鳝时的那种恐惧。魏心宏动了筷子，连连赞叹味道真好、做得真好。随之就煽动我，忠实你尝一下嘛，可好吃啦，在上海市内也很少能吃到这么好的鳝丝。我就用筷子夹了一撮鳝丝放入口里，倒也没有多少冒险的惊恐，无非是耿耿于黄鳝丑陋形态的印象罢了。吃了一口，味道挺好，接着又吃了，都在加深着从未品尝过的截然不同于猪、牛、羊、鸡肉的新鲜感觉。盛着鳝丝的盘子几乎是一扫而光，是餐桌上第一盘被吃光掠净的菜，似乎魏心宏的筷子出手最频繁。多年以后，西安稍上档次的餐馆也都有鳝丝、鳝段供食客选择了，我常常偏重点一盘鳝丝。每当此时，朋友往往会侧头看我一眼，那眼神里的诧异和好奇是不言而喻的。

还有两把小勺子，也是此行在上海城隍庙买的，不锈钢做的，把儿是扁的。从造型到拿在手里的感觉，都特别好，不知在什么时候弄丢了一把，现在仅剩一把，依然光亮如初，更不要说锈痕了。有时出远门图得自便，我就带着这把勺子，至今竟然整整二十年了。

还有一个细节，颇有点儿刻骨铭心的意味。

还是那位年轻作家陪我逛街。我们随意走着，我已记不得那是条什么街什么弄了，只记得街道两边多是小店铺。陪我的青年作家随意介绍着传统风情和市井传闻，我也很难一遍记住，尽管听得颇有趣味。突然看见一个十分拥挤的场面，便停住脚步。一家小店仅一间窄小的门面，塞满了顾客，往里硬挤的人在门外拥聚成偌大的一堆。从里头往外挤的人，几乎是从对着脸拥挤的人的肩膀上爬出来，绝大多数为男性青年，亦有少数女性夹在其中，肌肤之紧密接触也不忌讳了。往外挤着的人，手里高扬着一种白底碎花的衬衫，不用解释，正是抢购这种白底上点缀着蓝的、红的、黄的、橙的小花点的衬衫。

1984 年春末夏初，上海青年男女最时髦、最新潮的审美兴奋点，是白底花点的衬衫。

十余年后，我接连两三次到上海。朋友们领我先登东方明珠电视塔，再逛浦东新区，令我眼花缭乱，目不暇接，新的景观和创造新景观的奇迹般的故事，从眼睛和耳朵里都溢出来了。我在宝钢的轧钢车间走了一个全过程，入口处看见的橙红色的钢板大约有两块砖头那么厚，到出口处的钢材已经自动卷成等量的整捆，厚薄类近厚一点儿的白纸，最常见的用途是做易拉罐。车间里几乎看不见一个工人，我也初识了什么叫全自动化操作。技术性的术语我都忘记了，只记住了讲解员所讲的一个事实：这个钢厂结束了中国钢铁业不能生产精钢的历史，改变了精钢完全依赖进口的局面。尽管是外行，这样的事实我不仅能听懂，而且很敏感，似乎属于本能性地特别留意，在于百年以来留下的心理亏虚太多了。

从小学生时代直到进入老龄的现在，我都在完成着这种从祖先遗传下来的先天性心理亏空的填垫和补偿过程。我们的第一台名为“解放牌”的汽车出厂了。我们有了自己生产的“红旗牌”轿车。我们的第一颗原子弹爆炸成功。我们的卫星上天了，飞船也进入太空了。我们有了国产彩色电视、国产空调、国产电脑和国产什么什么产品。这样的消息，每一次都是对那个心理亏虚的填垫和补偿，增加一分骄傲和自信，包括制造易拉罐的这种钢材对进口依赖的打破，也属同感。我便想到，什么时候让欧美人发出一条他们也能“国产”中国的某种独门技术的产品的消息的时候，我的这种填垫、补偿心理亏空的想法，才能得到一个根本性的转折。

告别布鞋换皮鞋的过程发生在上海。吃第一口黄鳝的食品革命也始发于上海。这些让我的孩子听来可笑到怀疑虚实的小事，却是我这一代人体验“换了人间”这个词儿的难以轻易抹去的记忆。还有历历在目的上海青年抢购白底花点衬衫的场景，与我上述的皮鞋和黄鳝的故事差不了多少。在南方和北方、东部和西部都被灰色、黑色和蓝色的中山服、红卫服覆盖着的国家里，一双皮鞋、一餐鳝鱼丝和一件白底花点衬衫，留给人的镂刻般的记忆，记忆里的可笑和庆幸，肯定不只属于我一个人。

原下的日子

一

新世纪到来的第一个农历春节过后，我买了二十多袋无烟煤和吃食，回到乡村祖居的老屋。我站在门口对着送我回来的妻女挥手告别，看着汽车转过沟口那座塌檐倾壁、残颓不堪的关帝庙，折回身走进大门，进入刚刚清扫过隔年落叶的小院，心里竟然有点儿酸酸的感觉。已经摸上六十岁的人了，何苦又回到这个空寂了近十年的老窝里来。

从窗框伸出的铁皮烟筒悠悠地冒出一缕缕淡灰的煤烟，火炉正在烘除屋子里一整个冬天积攒的寒气。我从前院穿过前屋过堂走到小院，南窗前的丁香和东西围墙根下的三株枣树苗子，枝头尚不见任何动静，倒是三五丛月季的枝梢上暴出小小的紫红的芽苞，显然是春天的讯息。然而整个小院里太过沉寂、太过阴冷的气氛，还是让我很难转换出回归乡土的欢愉来。

我站在院子里，抽我的雪茄。东邻的屋院差不多成了一个荒园，兄弟两个都选了新宅基地建了新房，搬出许多年了。西邻曾经是这个村子有名的八家院，拥挤如同鸡笼，先后也都搬迁到村子里新辟的宅基地上安居了。我的这个屋院，曾经是父亲和两位堂弟三分天下的“三国”，最鼎盛的年月，有祖孙三代十六人进进出出在七八个或宽或窄的门洞里。在我尚属朦胧混沌的生命区段里，看着村人把装着奶奶和被叫作厦屋爷的黑色棺材，先后抬出这个屋院，再在街门外用粗大的抬杠捆绑起来，在儿孙们此起彼伏的哭号声浪里抬出村子，抬上原坡，沉入刚刚挖好的墓坑。我后来也沿袭这种大致相同的仪程，亲手操办我的父亲和母亲从屋院到墓地这个最后驿站的归结过程。许多年来，无论有怎样紧要的事项，我都没有缺席由堂弟们操办的两位叔父、一位婶娘最终走出屋院、走出村子、走进原坡某个角落的墓坑的过程。现在，我的兄弟姊妹和堂弟堂妹及我的儿女，相继走出这个屋院，或在天之一方，或在村子的另一个角落，以各自的方式过着自己的日子。眼下的景象是，这个给我留下拥挤，也留下热闹印象的祖居的小院，只有我一个人站着。原坡上漫下来寒冷的风。从未有过的空旷，从未有过的空落，从未有过的空洞。

我的脚下是祖宗们反复踩踏过的土地。我现在又站在这方小小的留着许多代人脚印的小院里。我不会问自己，也不会向谁解释又为了什么重新回来，因为这已经是行为之前的决计了。丰富的汉语言文字里有一个词儿叫龌龊。我在一段时日里充分地体味到这个词儿的不尽的内蕴。

我听见架在火炉上的水壶发出“噗噗噗”的响声。我沏下一杯上好的陕南绿茶。我坐在曾经坐过近二十年的那把藤条已经变灰的藤椅上，抿一口清香的茶水，瞅着火炉炉膛里炽红的炭块，耳际似乎萦绕着见过面乃至根本未见过面的老祖宗们的声音：嗨！你早该回来了。

第二天微明，我搞不清是被鸟叫声惊醒的，还是醒来后听到了一种鸟的叫声。我的第一反应是斑鸠。这肯定是鸟类庞大的族群里最单调、最平实的叫声，却也是我生命磁带上最敏感的叫声。我慌忙披衣坐起，隔着窗玻璃望去，后屋屋脊上有两只灰褐色的斑鸠。在清晨凛冽的寒风里，一只斑鸠围着另一只斑鸠团团转悠，一点头，一翘尾，发出连续的“咕咕咕……咕咕咕”的叫声。哦！催发生命运动的春的旋律，在严寒依然裹盖着的斑鸠的躁动中传达出来了。

我竟然泪眼模糊。

二

傍晚时分，我走上灞河长堤。堤上是经过雨雪浸淫沤泡变成黑色的枯蒿、枯草。沉落到西原坡顶的蛋黄似的太阳绵软无力。对岸成片的白杨树林，在蒙蒙灰雾里依然不失其肃然和庄重。河水清澈到令人忍不住又不忍心用手撩拨。一只雪白的鹭鸶，从下游悠悠然飘落在我眼前的浅水边。我无意间发现，斜对岸的那片沙地上，有个男子挑着两只装满石头的铁丝笼走出一个偌大的沙坑，把笼里的石头倒在石头垛子上，又挑起空笼走回那个低陷的沙坑。那儿用三脚架撑着一张钢丝箩筛。他把刨下的沙石一锨一锨地抛向箩筛，发出连续不断、千篇一律的声响，石头和沙子就在箩筛两边分流了。

我久久地站在河堤上，看着那个男子走出沙坑又返回沙坑。这儿距离西安不足三十公里。都市里的霓虹此刻该当缤纷，各种休闲娱乐的场合开始进入兴奋期。暮霭渐渐四合的沙滩上，那个男子还在沙坑与石头垛子之间来回往返。这个男子以这样的姿态存在于世界的这个角落。

我突发联想，印成一格一框的稿纸如同那张箩筛。他在他的箩筛上筛出的是一粒一粒石子。我在我的“箩筛”上筛出的是一个一个方块汉字。现行的稿酬标准无论高了、低了、贵了、贱了，肯定是那位农民男子的石子无法比对的。我自觉尚未无聊到滥生矫情，不过是较为透彻地意识到构成社会总体坐标的这一极。这一极与另外一极的粗细强弱的差异。

这是新世纪的第一个早春。这是我回到原下祖屋的第二天傍晚。这是我的家乡那条曾为无数诗家墨客提供柳枝，却总也寄托不尽情思离愁的灞河河滩。此刻，三十公里外的西安城里的霓虹灯，与灞河两岸或大或小村庄里隐现的窗户亮光；豪华或普通轿车壅塞的街道，与田间小道上悠悠移动的架子车；出入大饭店、小酒吧的俊男靓女打蜡的头发、涂红（或紫）的嘴唇，与拽着牛羊缰绳背着柴火的乡村男女；全自动或半自动化的生产流水线，与那个在沙坑、在箩筛前挑战贫穷的男子……构成当代社会的大坐标。我知道我不会再回到挖沙筛石这一极中去，却在这个坐标中找到了心理平衡的支点，也无法从这一极上移开眼睛。

三

村庄背靠白鹿原北坡。遍布原坡的大大小小的沟梁奇形怪状。在一条阴沟里该是最后一坨尚未化释的残雪下，有三两株露头的绿色，淡淡的绿，嫩嫩的黄，那是茵陈，长高了就是蒿草，或卑称臭蒿子。嫩黄淡绿的茵陈，不在乎那坨既残又脏、经年未化的雪，宣示了春天的气象。

桃花开了，原坡上和河川里，这儿、那儿浮起一片一片粉红的似乎流动的云。杏花接着开了，那儿、这儿又变幻出似走似住的粉白的云。泡桐花开了，无论大村小庄都被骤然暴出的紫红的花帐笼罩起来了。洋槐花开的时候，首先闻到的是一种令人总也忍不住深呼吸的香味，然后惊异庄前屋后和坡坎上已经敷了一层白雪似的脂粉。小麦扬花时节，原坡和河川铺天盖地的青葱葱的麦子，把来自土地最诱人的香味，释放到整个乡村的田野和村庄，灌进庄稼院的围墙和窗户。椿树的花儿在庞大的树冠和浓密的枝叶里，只能看到绣成一团一串的粉黄，毫不起眼，几乎没有任何观赏价值，然而香味令人久久难以忘怀。中国槐大约是乡村树族中最晚开花的一家，时令已进入伏天，燥热难耐的热浪里，闻一缕中国槐花的香气，顿然会使焦躁的心绪沉静下来。从农历二月二龙抬头迎春花开伊始，直到大雪漫地，村庄、原坡和河川里的花儿便接连开放，各种奇异的香味便一拨迭过一拨。且不说那些红的、黄的、白的、紫的各色野草和野花，以及秋来整个原坡都覆盖着的金黄灿亮的野菊。

5 月是最好的时月，这当然是指景致。整个河川和原坡都被麦子的深绿装扮起来，几乎看不到巴掌大一块裸露的土地。一夜之间，那令人沉迷的绿野变成满眼金黄，如同一只魔掌在翻手之瞬间创造出来神奇。一年里最红火、最繁忙的麦收开始了，把从去年秋末以来的缓慢悠闲的乡村节奏骤然改变了。红苕是秋收的最后一料庄稼，通常是待头一场浓霜降至，苕叶变黑之后才开挖。湿漉漉的新鲜泥土的垄畦里，排列着一行行刚刚出土的红艳艳的红苕，常常使我的心发生悸动。被文人们称为弱柳的叶子，居然在这河川里最后卸下盛装，居然是最耐得霜冷的树。柳叶由绿变青，由青渐变浅黄，直到几番浓霜击打，通身变成灿灿金黄，张扬在河堤上、河湾里，或一片或一株，令人钦佩生命的顽强和生命的尊严。小雪从灰蒙蒙的天空飘下来时，我在乡间感觉不到严冬的来临，却体味到一缕圣洁的温柔，本能地仰起脸来，让雪片在脸颊上、鼻梁上、眼窝里飘落、融化，周围是雾霭迷茫的素净的田野。

直到某一日大雪降至，原坡和河川都变成一抹银白的时候，我抑止不住某种神秘的诱惑，在黎明的浅淡光色里走出门去，在连一只兽蹄、鸟爪的痕迹也难觅踪的雪野里，踏出一行脚印，听脚下的雪发出“铮铮铮”的脆响。

我常常在上述这些情景里，由衷地咏叹，我原下的乡村。

四

漫长的夏天。

夜幕迟迟降下来。我在小院里支开躺椅，一杯茶或一瓶啤酒，一支烟自然不可或缺。夜里依然有不泯的天光，也许是繁密的星星散发的。白鹿原刀裁一样的平顶的轮廓，恰如一张简洁到只有深墨和淡墨的木刻画。我索性关掉屋子里所有的电灯，感受天光和地脉的亲和，偶尔可以看到一缕鬼火飘飘忽忽地掠过。

有细月或圆月的夜晚，那景象就迷人了。我坐在躺椅上，看圆圆的月亮浮到东原头上，然后渐渐升高，平静地一步一步向我面前移来，幻如一个轻摇莲步的仙女，再一步一步向原坡的西部挪步，直到消失在西边的屋脊背后。

某个晚上，瞅着月色下迷迷蒙蒙的原坡，我却替两千年前的刘邦操起闲心来。他从鸿门宴上脱身以后，是抄哪条捷径便道逃回我眼前这个原上的营垒的？“沛公军灞上”。灞上即指灞陵原。汉文帝就葬在白鹿原北坡坡畔，距我的村子不过十六七里路。文帝陵史称灞陵，分明是依着灞水而命名。这个地处长安东郊自周代就以白鹿得名的原，渐渐被“灞陵原”“灞陵”“灞上”取代了。刘邦驻军在这个原上，遥遥相对灞水北岸面山脚下的鸿门，我的祖居的小村庄恰在当间。也许从那个千钧一发、命悬一线的宴会逃跑出来，在风高月黑的那个恐怖之夜，刘邦慌不择路翻过骊山、涉过灞河，从我的村头某家的猪圈旁爬上原坡直到原顶，才嘘出一口气来。无论这逃跑如何狼狈，并不影响他后来打造汉家天下。

大唐诗人王昌龄，原为西安城里人，出道前隐居白鹿原上滋阳村，亦称芷阳村。下原到灞河钓鱼，提镰在菜畦里割韭菜，与来访的文朋诗友饮酒赋诗，多以此原和原下的灞水为叙事抒情的背景。我曾查阅资料，企图求证滋阳村村址，毫无踪影。

我在读到一本《历代诗人咏灞桥》的诗集时，大为惊讶，除了人皆共知的“年年柳色，灞陵伤别”所指的灞桥，灞河这条水，白鹿（或灞陵）这道原，竟有数以百计的诗圣、诗王、诗魁都留了绝唱和独唱。

宠辱忧欢不到情，任他朝市自营营。
独寻秋景城东去，白虎原头信马行。

这是白居易的一首七绝。是诸多以此原和原下的灞水为题的诗作中的一首。是最坦率的一首，也是最通俗易记的一首。一目了然可知白诗人在长安官场被蝇营狗苟的龌龊惹烦了，闹得腻了，倒胃口了，想呕吐了，却终于说不出口、呕不出喉，或许是不屑于说或吐，干脆骑马到白鹿原头逛去。

还有什么龌龊能淹没脏污这个以白鹿命名的原呢，断定不会有。我在这原下的祖屋生活了两年。自己烧水沏茶。把夫人在城里擀好切碎的面条煮熟。夏日一把躺椅，冬天一抱火炉。傍晚到灞河沙滩或原坡草地去散步。一觉睡到自来醒。当然，每有一个短篇小说或一篇散文写成，那种愉悦，相信比白居易纵马原上的心境差不了多少。正是原下这两年的日子，是我近八年以来写作字数最多的年份，且不说优劣。

我愈加固执一点，在原下进入写作，便进入我生命运动的最佳气场。

三九的雨

这是我村与邻村之间一片不大的空旷的台地。只有一畛地宽的平台南头开始起坡，就是白鹿原北坡根的基础了。平台往北下一道浅浅的坡塄，就是灞河河滩了。我脚下踏着的平台上的这条沙石大路，穿过一个个大大小小的村庄，通往西安。

天明时雨止歇了。天阴沉着，云并不浓厚，淡灰的颜色，估计一时半刻挤拧不出雨水来。空气很清新，湿润润的，山坡上的麦子绿莹莹的，河川里的麦子也是莹莹的绿色。原坡上沟坎里枯干的荒草被雨浇成了褐黑色，却有一种湿润的柔软。河川北岸是骊山的南麓，清晰可辨一株树、一道坡、一条沟，直至山岭重叠的极处。四野宁静到令人耳朵自生出纤细的音响来。

前日落了雨。小雨。通常是开春三月才有的那种“随风潜入夜，润物细无声”的春雨。腊月初二（2002 年 1 月 14 日）下起，断断续续、稀稀拉拉地下到今天天明，让整个村子的男女惊诧不已，该当滴水成冰冻破砖头的“三九”时月，居然是小雨缠绵。太过反常的天气给农人心里一种不祥的妖孽氛征。这是我半生里仅见的一次“三九”的雨，以及不仅不冻，反而松软如酥的土地。

我脚下这条颇为宽绰的沙石大路是1977年冬天动工拓宽的。与这条大路同时开工的是灞河河堤水利工程，由我任副总指挥具体实施的。那时，我完成这项家乡的水利工程的心态，与我后来写作长篇小说《白鹿原》时的心境基本类同，就是尽力做成一件事。

我第一次背着馍口袋从这条路走出村子、走进西安的中学时，这条路大约也就一步宽，架子车是无法通行的。我背着一周的干粮走出村子时的心情是雀跃而又高涨的，然而也是完全模糊的。我只是想念书，想上城里的中学去念书，念书干什么等抱负之类的事，完全没有。我再三追寻记忆，充其量只会有当个工人之类的宏愿，而且这主要是父母供儿女上学的原始动机。在乡村人的眼睛里，挣工资吃商品粮的工人是世界上最幸福的人。我在初中二年级却喜欢文学了，这不仅大大出乎父母的意料，连我自己也感到奇怪。通常情况下，爱好文学是被视为浪漫而又富于诗意的事情，怎么会发生在一个穿粗布衣服、吃开水泡馍的人身上呢？许多年后，我把自己的这种现象归结为一根对文字敏感的神经——文学的兴趣由此而发端。书香门第以及会讲故事、会唱歌谣的奶奶们的熏陶，只能对具备文字敏感神经的儿孙起反应作用，反之讲了也是白讲，唱了也是白唱。

背着馍口袋出村，夹着空口袋回村，在这条小路上走了十二年，我完成了高中学业。我记忆中最深的是十六岁那年遇到过狼。天微明时，我已走出村子五里的一条深沟的顶头，做伴壮胆的父亲突然叫了一声“狼”！就在身旁不过二十步远的齐摆着谷穗的地边上，有一只狼。稍远一点儿，还有一只。我没有感觉到丝毫的害怕，尽管是我第一次看见这种吓人的动物，不是我胆大，而是身旁跟着父亲。我第一次感受父亲的力量和父亲的含义，就是面对两只成年狼的时候，竟然没有产生恐惧。我成了一个父亲的时候，又在这条几经拓宽的乡村公路上接送我的三个念书的孩子。我比父亲优裕的是有了一辆自行车，孩子后来也有了，比当年父亲步行送我要快捷多了。我和孩子再也没有遭遇狼的惊险故事。狼已经成为大家怀念的珍稀宝贝了。

我的一生其实都粘连在这条已经宽敞起来的沙石路上。我在专业创作之前的二十年基层农村工作里，没有离开这条路；我在取得专业创作条件之后的第一个决断，索性重新回到这条路起头的村子——我的老家。我窝在这里的本能的心理需求，就是想认真实现自己少年时代就产生的作家之梦。从 1982 年冬天得到专业写作的最佳生存状态到 1992 年春天写完《白鹿原》，我在祖居的原下的老屋里写作和读书，整整十年。这应该是我最沉静最自在的十年。

我现在又回到原下祖居的老屋了。老屋是一种心理蕴藏。新房子在老房子原来的基础上盖成的，也是一种心理因素吧。这个祖居的屋院只有我一个人住着。父亲和他的两个堂弟共居一院的时代早已终结了。父亲一辈的男人先后都已离开这个村子，在村庄后面白鹿原北坡的坡地上安息有年了。我住在这个过去三家共有的屋院里，可以想见其宽敞和清爽了。我在读着欧美那些作家的书页里，偶尔竟会显现出爷爷或父亲或叔父的脸孔来，且不止一次。夜深人静时，我坐在小院里看着月亮从东原移向西原的无边无际的静谧里，耳畔会传来一两声沉重而又舒坦的呻吟。那是只有像牛马拽犁拉车一样劳作之后歇息下来的人才会发出的生命的呻唤。我在小小年纪的时候就接受着这种生命乐曲的反复熏陶，有父亲的，有叔父的，还有祖父的。他们早已在原坡上化作泥土。他们在深夜熟睡时的呻吟萦绕在这个屋院里，依然在熏陶着我。

这是一个不可思议的冬天。我站在我村和邻村之间的旷野里。从我第一次走出这个村子到城里念书的时候，父亲和母亲每每送我出家门时的眼神，都给我一个永远不变的警示：怎么出去还怎么回来，不要把龌龊带回村子、带回屋院。在我变换种种社会角色的几十年里，每逢周日回家，父亲迎接我的眼睛里仍然是那种神色，根本不在乎我干成了什么事、干错了什么事，升了或降了，根本不在乎我比他实际上丰富得多的社会阅历和完全超出他的文化水平。那是作为一个父亲的独具禀赋的眼神，这个古老屋院的主宰者的不可侵扰的眼神，依然朝我警示着，别把龌龊带回这个屋院来。

北京丰台。我从大礼堂走出来。《西安晚报》记者王亚田第一个打来电话。选举刚刚结束。他问我当选中国作家协会副主席后首先想的是什么。

我脱口而出：作为一个作家，应该始终把智慧投入写作。他又问：还有什么呢？

我再答：自然还有责任和义务。

我站在我村与邻村之间空旷的台地上，看“三九”的雨淋湿了的原坡和河川，绿莹莹的麦苗和褐黑色的柔软的荒草，从我身旁匆匆驶过的农用拖拉机和放学回家的娃娃。粘连在这条路上倚靠着原坡的我，获得的是沉静，自然不会在意“三九”的雨有什么祥与不祥的猜疑了。

拥有一方绿荫

农历十月初一是家乡的鬼节，活着的人要给死去的亲人烧纸送钱，好让他们在冬季到来之前备置防寒的衣物。在这种事情上，我一直是处于理智和情感的分离状态，结果却是一次又一次顺从了情感的驱使，便匆匆赶回乡下老家，去为我的那位终生都在为吃饭穿衣愁肠百结的父亲烧一匝纸钱，让他在冥冥之域不再饥寒交困。

转过村里那座濒临倒塌的关帝庙，便瞅见我的家园。那株法桐撑开偌大的三角形树冠，昂昂扬扬侍立在大门前不过十米的街路边。每一次回归家园第一眼瞅见这株法桐，我的心里就会涌出"我的树"的欣然浩叹。原因再简单不过，这株法桐是我栽的。父亲在世时喜欢栽树，我们家的房前屋后现在还蓬勃着他老先生栽植的树群，场塄上的那株白椿树已经有一搂粗了。然而我每一次回乡看见自己栽下的树都要比看见父亲栽的树更亲切，说穿了不过是栽树的人对那株幼苗当初所寄托的希冀将实现。是的，当我看见自己掘坑挖栽下的那株不过指头粗细的幼苗终于雄壮起来，屹立在村巷里，在浩渺的天空撑起一片绿盖的时候，我的那种感觉颇近似阅读自己刚刚写完的一部小说。

十二年前的这个月，我调进陕西作协专业创作组。我那时的唯一感觉便是开始进入最理想的人生状态，专业创作对我来说的实质性含义只有一点，所有时间可以由我自由支配，再不要听命于谁对我的指派了。压力也同时俱来，生活、学习、创作既然全由自己支配，那么再写不出像样的作品，也就没有任何托词可以替自己遮盖了。

我几乎同时决定回归老巢。回归我父亲、我爷爷、我老太爷一脉相承的家园。不是因为他们都死了，需得由我来承继，纯粹是为了图得一个耳根清净的环境，可以平心静气地坐下来读书，思考一些不单是艺术，也包括艺术的问题。深知自己知识残缺不全，而生活演进的步伐又如此疾骤，好多好多问题太需要沉心静气地想一想了。

住在乡间真是令人心旷神怡，所有的骚扰和诱惑都自然排除。每每在清静到令人寂寞的时候我便走出大门，和村巷里随意相遇的任何一个人拉拉闲话，哪怕逗小孩玩也觉得十分快活。夏天暴日当头时，走出门来就招架不住炎炎烈日的烤炙，暴晒后我的头顶和手臂就生出一层红红的小米粒似的斑点，奇痒难支，医生说那叫日光性皮炎。我便畏惧已构成暴力的太阳，于是便想到应该有一方绿荫做庇护。出得大门站在浓厚而清凉的树荫下和农人闲谝、抽烟那真是太惬意了……便想到栽两株树。

首先是树种的选择。我要栽两株法桐。几近四十年前我读初中，看过一场中国和法国合拍的儿童电影《风筝》，巴黎街道上那高大的街树令我记忆特深，我在家乡没有见过这种树。又过了二十年，我才知道这种树叫法桐，中国的许多城市的公路两边已经形成风景，家乡的一些农家屋院也栽植起来。

动手写那部长篇小说那年的早春，我托村子里一位青年从庙会上买回两株法桐，一株一块钱。树买到了自然很遂心愿，只是遗憾着它太小、太细了，只有食指那么粗。天哪！想要乘它的荫凉，想要拥有一方绿荫，得等多少年啊！

我仍然毫不犹豫地挖了坑，给坑底垫下土肥，把它栽下了；栽下了它，也就把一种对绿荫的期盼坚定地埋下了。我拄着铁锨把儿抹着脸上的汗水，欣赏着只及我胸脯高的幼株，一缕忧虑产生了，猪可以拱断它，小孩随手可以掐折它，它太弱小了嘛！于是我便扛着镢头上山坡，挖回一捆酸枣棵子，插在幼株周围，把它严严密密地保护起来。

令我失望的是，几乎所有树木的嫩叶都变成了绿叶，我的两株法桐依然叶苞不动。我拨开酸枣棵子在那树干上掐破表皮，发现已经是干死的褐色。我想把它拔起来扔掉，就在我拽住树干准备用力的一瞬，奇迹发生了，挨近地皮的地方露出来一点嫩黄的幼芽，我的心就由惊喜而微微颤抖了。这是从法桐的根部冒出的新芽，证明树根还活着。树根活着就会发出新的幼芽，生命多么顽强又多么伟大啊！那是一个尚看不出叶形的粗壮的锥形幼芽，刚刚拱破地皮而崭露头角，嫩黄中有淡淡的嫩绿，估计也就只经受过一两回春天阳光的沐浴吧。我久久地蹲在那里而舍不得离开，庆祝一个新的生命的诞生。我把扒掉的酸枣棵子重新插好，这幼芽不仅经不起车碾马踏、人踩猪拱，鸡爪子只要一下就会轻而易举地把它刨断、把它摧毁。

我一日不下八次地看那幼芽。它蹿起来了。它由嫩黄变成嫩绿了。它终于伸出一片绿叶了。它又抽出一片新叶了。它终于冒过围护着它的酸枣棵子，以一身勃勃的绿叶挺立起来，那么欢实，那么挺拔地向着天空……唯其丝毫不敢松懈，每年春天挖一捆酸枣棵子加固防护的围障。它依然还弱小，依然经不起意外的或有意的伤害。

它长到我的胳膊粗的时候，我终于享受到它的绿荫了。那树荫投射到地面上，有筛子般大小，我站在树的荫凉下，接受它的庇护。它的尚不雄壮的枝干和尚不宽厚的绿叶，毕竟具备遮挡烈日烈焰的能力，我想拥有的一方绿荫的愿望实现了。那一年年底，我也终于完成了历时四年的长篇小说写作工程，回城里去了。临走之前，我仍然给它的周围加固一层酸枣棵子。

去年夏天我回去，发现那树干已经长到小碗那么粗了，不知哪家的孩子用小刀在树干上刻写下我的名字，刻刀的印迹已经愈合，颜色却是褐红色的，在树皮的灰白色中十分显眼。从去年到这次回归，我发现那树干急遽加粗，我的名字的那俩字也在长大。树下已经有偌大一片绿荫了。

法桐已经成为一株真正的树挺立在那里，巨大的伞状树冠撑持在天空。父亲在世时给我说过，树冠在天空有多大，树根在地下就会延伸多么远；树干有多粗，树的主根也就有多粗；树枝在空中往上、往前伸长一尺一寸，树根在地下也就往下、往周围延伸一尺一寸。我至今无法判断父亲这话有多少科学的可靠性，但确凿相信，这树的根已经扎得很深了，即使往坏处想到极点，譬如说突然被过往的汽车撞断了，或者被几十年不遇而在某一天却遇到了雷劈电击，这自然都无法预防，但这根是不会被撞毁劈断的。它会重新冒出新芽，它的生命还会重新开始。真的发生这种情况，我将无怨无悔地再去挖酸枣棵子，重新开始对我的法桐新芽的围护。

我久久地伫立在我的法桐树旁，欣赏着那已经变形却依然清晰可辨的我的名字，那刻下我名字的淘气鬼也该和这树一样长高、长壮了吧？天空飘落着零星小雨，日头隐没了，虽然看不到树荫，却也毫无遗憾。到明年三伏那燥热难熬的时候，我就回家园，享受暴日烈焰下的我的那一方绿荫。

一九八三年秋天在灞河

秋收秋播时节，我住在丰饶的渭河平原东南边沿的塬坡地区——灞河川道里，沿着河川公路走过去，穿过一个个稠密的大大小小的村庄，走到哪里都能看到，满树满墙吊挂着剥光了衣壳的黄灿灿、白生生的苞谷棒子。一座座庄稼院的檐墙和背墙上，木橛上挂着一串串苞谷；前院和后院的白杨树、榆树和椿树的树杈上，围垒着或悬吊着苞谷棒子；在邻近两棵树杈间横架一根木椽，苞谷棒子像珠帘一样凌空垂吊着，构成一幅奇致的蔚为壮观的景象。

这是庄稼人储藏刚刚收获回来而尚未干透的苞谷的临时措施，倒像是搞苞谷丰收展览似的。无论如何，这种景象在我是稀罕的。农民对于粮食的珍惜之情已经远远超越了爱物的范围，而作为一种道德的规范了。一家农户储藏粮食的数量，作为一种家庭秘密，大约不亚于任何军事情报，任何人很难准确探知谁家究竟有多少粮食储存。这是以往的乡村生活给我留下的印记。1983

年的秋末，我走进任何一个熟悉的村庄，不用打问，一家农户的苞谷储存数量，就展示在墙上和树杈上，随意去估计好了，对于粮食储存量的秘密自然地打破了，农家也没有必要闪烁其词，用时兴的话说，农民不怕“冒富”“露富”。

我到塬坡上的一个小村庄去。道路泥泞，砍倒的苞谷秆摊摆在坡地上，被雨水淋得变成灰黑色。阴雨绵绵，河口刚露出一抹云霞，又被云雾笼罩着，看来一时晴不了。

我记起这样一件事来——

我在这个公社工作的时候，有一年秋后，到了唐家村，坐在中年队长家的两间厦屋里，隔着一张方桌，坐着说话。他递给我一缸开水，并不介意地说：“没有茶叶。”我喝着开水，和他聊着冬季农田水利建设的事，无意间一抬头，看见厦屋的木楼上，架放着一堆苞谷秆。像苞谷秆子这样的柴火，庄稼人在掰过苞谷棒子以后，从地里尽快地清理干净，堆放到地头的渠沿上，摞靠在树棵周围，待到冬天干透了，再拉回场院里，当作柴火，烧饭或者煨炕，也有当作粗饲料粉碎以后喂猪的，并不是什么值得珍惜的宝物。这位队长把苞谷秆子藏在楼上，我觉得奇怪而且有点儿好笑了。

“这些苞谷秆子，你也把它藏到楼上，不怕劳神吗？”我笑着问。

“喂猪哩！”他挺认真地说，“放到露天，雨淋雪捂，就霉坏咧！”

“那……你这一间小楼上，能存多少嘛！”

"嗨！说起来你不信，这是我今年秋里分下的全部柴火。"他咂着旱烟袋，不好意思地笑笑，难为情地说，"就这一点儿，不敢糟蹋，才放到楼上，凭它喂猪哩……"

少得令人难以置信，我的心在微微战栗。这样的木楼，是关中农民传统的囤放小麦的地方，并不是堆放柴火的，现在只能储存苞谷秆子了。可以料想我们的农民缸里能有多少粮食储备。

为了这个不能抹掉的记忆，我今天专门来寻访他，不巧，他赶集卖羊去了。站在他家门外的场塄上，可以看见庄前屋后的树杈上，挂满了苞谷串子；小山似的苞谷秆子，堆放在猪圈旁边。他的女人担水回来了，几年不见，自然显得老了一些，招呼打过，就说起家常来。

"吃是吃不完了，能吃多少呢。"她笑着说，"一年到头，纯一色的麦面，不吃苞谷了，只喝苞谷糁糁。"

我并不惊奇，却不由得瞅瞅那储藏过苞谷秆子的木楼，现在摆着一排瓷瓮和瓦缸，她说那里全都装着麦子。厦屋里靠墙栽着四只废旧的铁皮汽油桶，也是装着麦子。木柜、瓦瓮、铁桶，全都被麦子装满了，苞谷没有存放的器具，只好挂到墙上和树杈上去。

"一年四季，尽吃麦子，咱而今比地主的生活还高咧！""白馍夹油辣子"，是这里的农民对理想中的生活水准的形象化描绘。这样的生活，理应在人民获得政权以后早该享受到了，由于人为的或自然的诸种因素，使我们的庄稼人忍受了不该忍受的饥苦。"一年四季，尽吃麦子"，就是这个地区 1983 年秋天的农民的生活水平。这个水平，不算太高，较之牛奶加面包还有相当一段距离，可是农民已经十分满意了。

我在河川里的一个较大的村子里，遇见一位熟识的队长。他神秘地问我：“你在粮店有认识的熟人没有？我想卖超购粮，粮店不收！”

超购粮比一般购粮价格高百分之四十，他想为社员多卖点儿钱。粮店因为储藏设备有限，不予收购，于是就出现了卖超购粮要找熟人“走后门”的现象。

“要是能成，我们队卖十万斤。”他口大气粗地说，随之嘿嘿嘿笑了，“那年为求一千斤苞谷，你跟我谈了三个晚上……”

他倒记着且提起这件事来。那一年，上级给公社追加了超购粮任务，公社咬着牙接受了，几经商讨，给他的小队分配了一千多斤苞谷超购任务。我找到他的时候，他蹲在初冬的田埂上，甩着手，扭着脖子，四方脸上满是为难的神色：“一千来斤苞谷，论起不算啥大事，给社员不好交代咯！社员要骂我。”

就为这一千来斤苞谷，我跑了三次，说服、劝解，费了九牛二虎之力。

“啊哈！我现在才信了你那年说的话……”

“我说过什么话？”

“你说，在美国，人家把苞谷只当作饲料……”

噢！那一年，就是为那一千斤苞谷，我和他闲谝起在粮食已经过关的国家里，苞谷这种杂粮已经不作为人的口粮，而只当作饲料用。他带着决然不能相信的神情说：“那多可惜呀！怎能这样糟蹋粮食呢？”他怎能相信呢？当时在农民之间悄悄进行着的粮食交易，苞谷价格已经涨到三毛一斤了！

“咱们村里，现在也是用苞谷喂鸡，给猪追膘，真个只当饲料咧！”他咧着大嘴笑着，很天真的一副得意的神气，“我才信了你说的话。”

生动活泼的生活现实，浅显不过地解决了理论上长期争论不休的问题。

我无法满足他的要求。他有点儿失望，抱怨说：“国家多建几个粮库怕啥？苞谷挂在树上，雨淋老鼠咬……”

渭河平原，连续四十多天阴雨，据说是气象史上百年不遇的天气。灞河川道里，黑蒙蒙的云雾终日遮罩着南塬和北岭，空气里弥漫着霉腐的气味。灞河流淌着黄色的泥水，塬坡上的梯田溶水达到饱和状态，许多地方出现了滑坡，田堰垮塌了；到处冒水，糊汤一样的稠泥水从坡沟间倾泻下来，淹泡了河川里的田地，灾情严重。

麦子播不进地里去，而农时节令眼看要耽误了，连阴雨还在淅淅沥沥地下着。塬坡上，河川里，在一踩一陷脚的田地里，农民在冒雨播种小麦。大小机具无法施展威力，全部变成了双手操劳。随处可以看到夫妻、父子，以及放秋假回乡的中学生、家眷在农村的国家职工，一人抱一把镢头，在挖泥种麦；有牲畜的农户，勉强用铁犁在泥泞黏糊的田地里划出一道道沟垄，撒下种子。没有办法，自然灾害所致，无法讲求播种的质量了，只要不违节令农时，如期播下种子，冬里和明春加强管理，仍然可以弥补播种的粗放。劳动是沉重的，在这样糟糕的雨季里就更加沉重，但庄稼人的心劲是高涨的，把希望的种子终于埋进土地里去了。

在这条熟悉的河川里，走到哪里，我都感到充实和振奋。无须只把眼光盯着为数不多的“万元户”，以为只有他们才能说明我国农村经济变革的意义，也无须因为仍有一些新出现的问题而摇头摆手。生活毕竟发生了深刻的变化，生活前进了。

父亲的树

又有两个多月没有回原下的老家了。离城不过五十里的路程，不足一小时的行车时间，想回一趟家，往往要超过月里四十的时日，想来也为自己都记不清的烦乱事而丧气。终于有了回家的机会，也有了回家的轻松，更兼着昨夜一阵小雨，把燥热浮尘洗净，也把心头的腻洗去。

进门放下挎包，先蹲到院子拔草。这是我近年间每次回到原下老家必修的功课，或者说，是每次回家事由里不可或缺的一条。春天、夏天拔除院子里的杂草，给自栽的枣树、柿树和花草浇水；秋末扫落叶，冬天铲除积雪，每一回都弄得满身汗水、灰尘，手染满草的绿汁。温习少年时期割草以及后来从事农活儿的感受，我常常获得一种单纯和坦然，甚至连肢体的困倦都是另一番滋味的舒悦。

前院的草已铺盖了砖地，无疑都是从砖缝里冒出来的。

两月前回家已拔得干干净净，现在又罩满了，有叶子宽大的草，有秆子颇高的草，有顺地扯蔓的草，吓得孙子旦旦不敢下脚，只怕有蛇。他生在城里，至今尚未见过在乡村土地上爬行的蛇，只是在电视上看过。他已经吓得这个样子，却不断问我打过蛇没有，被蛇咬过没有。乡村里比他小的孩子，恐怕没有谁没见过蛇的，更不会有这样可笑的问题。我的哥哥进门来，也顺势蹲下拔草，和我间间断断地说着家里无关紧要的话。我们兄弟向来就是这样，见面没有夸张的语言行为，也没有亲热的动作，平平淡淡里甚至会让生人产生其他猜想，其实大半生里连一句伤害的话从来都没有说过，更谈不到脸红脖子粗的事了。世间兄弟姊妹有种种相处的方式，我们却是于不自觉里形成这种习惯性的状态。说话间不觉拔完了草，堆起偌大一堆，我用竹笼纳了五笼，倒在门前的场塄下，之后便坐在雨篷下说闲话，懒得烧水，幸好还有几瓶啤酒，当着茶饮，想到什么人、什么事，有一搭没一搭地聊着。还有一位村子里的兄弟，也在一起喝着，扯头闲话。从雨篷下透过围墙上方往外望去，大门外场塄上的椿树直撑到天空。记不清谁先说到这棵树，是说这椿树当属村子里现存的少数几棵最大的树，却引发了我的记忆，当即脱口而出，这是咱伯栽的树。这话既是对哥说的，也是对那位弟说的。按当地习俗，兄弟多的家族，同一辈分的老大，被下辈的儿女称伯，老二被称爸，老三、老四等被称大。有的同一门族的人丁超常兴旺，竟有大伯二伯三伯大爸二爸三爸和大二大三大到八大的排列。这里的乡俗很不一般，对长辈的称呼只有一个字，伯、爸、大、叔、妈、娘、姨、舅、爷等，绝对没有伯伯、爸爸、大大、妈妈、娘娘、姨姨、爷爷、舅舅等的重复啰唆……我至今也仍然按家乡习惯称父亲为伯。父亲在他那一辈本门三兄弟里为老大，我和同辈兄弟姐妹都叫一个字：伯。如此说来，这文章的标题该当是：伯的树。

我便说起这棵椿树的由来。大约是“三年困难时期”最困难的 1960 年或是 1961 年，我正上高中，周日回到家，父亲从生产队出早工回来，肩上扛着镢头，手里攥着一株小树苗。我在门口看见，搭眼就认出是一株椿树苗子。坡地里这种野生的椿树苗子到处都有。椿树结的荚角随风飘落，在有水分的土壤里萌芽生根，一年就可以长成半人高的树秧子。这种树秧如长在梯田塄坎的草丛中，又有幸不被砍去当柴烧，就可能长成一棵大椿树；如若生长在坡地梯田里，肯定会被连根挖除晒干当作好柴火，怕其占地影响麦子生长。父亲手里攥着的这株椿树苗子是一个幸运者，它遇到父亲，不是被扔在门前的场地上晒干了当柴烧，而是要郑重地栽植，正经当作一棵望其成材的树了，进入郑重的保护禁区了；也自这一刻起，它虽是普通不过、平凡不过的一种树，却已经有主了，就是父亲。父亲给我吩咐，你去担水。他说着就在我家门前的场塄边上挖坑。树只是个秧儿，无须大坑，三镢头、两铁锨就已告成，我也就没有替父亲动手，而是按他的指令去担水。那时候我们村里吃的是泉水，从村子背后的白鹿原北坡的东沟流下来，清凌凌的，干净无染。泉水在村子最东头，我家在村子顶西边，我挑一回水，最快也需半小时。待我挑水回来，父亲早已挖好坑儿，坐在场塄边儿上抽旱烟。他把树苗置入一个在我看来过大的土坑里。我用铁锨铲土填进坑里，他把虚土踩踏一遍，让我再填，他再踩踏。他教我在土坑外沿围一圈高出地面的土梁，再倒进水去。我遵嘱一一做好，看着土坑里的水一层一层低下去，渗入新填的新鲜土坑里，树苗成活肯定毫无一丝疑义。父亲又指示我，用酸枣刺棵子顺着那个小坑围成一圈栽起来，再用铁丝围拢固定，恰如篱笆，保护小椿树秧子，防止猪拱、牛踩、羊啃、娃娃掐折。我从场边的柴堆上挑选出一根一根较高的业已晒干的酸枣棵子（这是父亲平时挖坡顺手捡回来的），做着这项防护措施。父亲坐在地上抽烟，看着我做。我却想到，现在属于父亲领地的，除了住房的庄基，就是这块附属于庄基地门前的这一小片场地了，充其量有二厘地。下了这个场塄，就是统归集体的土地了。父亲要在他可以自主掌控的二厘场地上，栽种一棵椿树。

我对父亲的一个尤为突出的记忆，就是他一生爱栽树。他是个农民，种玉米、种麦子、务弄棉花是他的本职主业自不必说，而业余爱好就是栽树。我家在河川的几块水地，地头的水渠沿上都长着一排小叶杨树。水渠里大半年都流淌着从灞河里引来的自流水，杨树、柳树得了沃土好水的滋养，迎着风如手提般长粗、长高。随意从杨树或柳树上折一根枝条，插到渠沿的湿泥里，当年就长得冒过人头了，正如民间说的“三年一根椽，五年长成檩”的速度。20 世纪 50 年代中期以前，我的父亲就指靠着他在地头渠沿培植的这些杨树，供给先后考上高小、初中的哥和我的学杂费用。那时在小学高年级，我是住宿搭灶的学生。父亲把杨树齐根斫下来，卖了椽子，七八毛钱一根，再把树根刨出来，剁成小块，晒干，用两只大老笼装了，挑过灞河，到对岸的油坊镇上去卖，每百斤可卖一块至一块两毛钱。我至死都不会忘记20世纪50年代中期的这两项货物——椽子和木柴的市场价格。无须解释原因，它关涉我能否在高小和初中的课堂上继续坐下去。父亲在斫了树干、刨了树根的渠沿上，当即就会移栽或插下新的杨树秧或树枝，期待三年后再斫下一根椽子卖钱。父亲卖椽、卖柴供两个儿子念书的举动无意间传开，竟成为影响范围很宽的事。直到现在，我偶尔遇到一些同里乡党，他们还要感叹几句我父亲当年的这种劳动，甚至说“你伯总算没有白卖树、卖柴”的话。不久，农村实行合作化，土地归集体，父亲也无树根可刨了。我就是在那一年休了学，初中刚念了一个学期。不过，我那时并不以为休学有多么严重，不过晚一年毕业而已，比起班上有些结婚和得了儿女的同学，我是年龄最小的一个。这是中华人民共和国成立后才获得念书机会的乡村学生的真实情况，结婚和生孩子做父母的初一学生每个班都有几个，不足为奇。

我在每个夏天的周日从学校回到家中，便要给父亲的那棵椿树秧子浇一桶水。这树秧长得很好，新发出的嫩枝竟然比原来的杆子还粗，肯定是水肥充足的缘由。某一个周六下午我回家走到门口，一眼望见椿树苗新冒出的嫩枝折断了头，不禁一惊，有一种心疼的惋惜，猜想是被谁撞折了，或被哪个孩子掐折了。晚上父亲收工回来吃晚饭时，说是一个七八岁的骚娃（调皮捣蛋的娃）用弹弓折断的。父亲说，娃嘛！就是个骚娃咯，用弹弓要哩瞄准哩，也不好说他啥。后来就在断折处，从东西两边发出两枝新芽来，渐渐长起来。我曾建议父亲，小树不该过早分杈，应该去掉一枝，留下一枝才能长高、长直。父亲说，先不急，都让长着，万一哪个骚娃再折掉一枝，还有一枝。父亲给骚娃们留下了再破坏的余地，我就不仅仅是听从了，还有某点儿感动。再说这椿树秧子刚冒出来便遭拦头折断的打击，似乎憋了气，硬是非要长出一番模样来，从侧旁发出的两根新芽更见茁壮，眼见着拔高，竞相比赛一般生机勃勃。父亲怕那细杆负载不起茂盛的叶子，一旦刮风就可能折断，便给树干捆绑一根立竿，帮扶着它撑立不倒不折。这椿树便站立住了。无意间几年过去，我高考名落孙山回乡当了民办教师，为生活、为前程多所波折，似乎也不太在意它了，这椿树已长得小碗粗了。小碗粗的椿树已经在天空展开枝杈和伞状的树冠，却仍然是两根分枝，父亲竟没有除掉任何一根，他说越长越不忍心砍那多余的一根分枝了，就任其自由生长。这椿树得了父亲的宽容和心软，双枝分杈的形态就保持下来，直到现在都合抱不拢的大树，依然是对称平衡的双枝撑立在天空，成为一道风景，甚至成为一种标志。有找我的人向村人问路，最明了的回答就是，门口场塄有一棵双杈椿树。

到 20 世纪 80 年代初，生活已发生巨大转机，吃饱穿暖已不再成为一个问题。好光景到来时，我已筹备拆掉老朽不堪的旧房换盖新房了，不料父亲患了绝症。他似乎在交代后事，对我说，场塄上那棵椿树，可以伐倒做门窗料。我知道椿树性硬却也质脆，不宜做檩当梁，做门窗或桌椅却是上好木材。父亲感慨地说，我栽了一辈子树，一根椽子都没给自家房子用过，都卖给旁人盖房子了，把这椿树伐下来，给咱的新房用上一回。我听了竟说不出话，喉头发哽。缓解一阵后，我对父亲说，门窗料我会想办法购买（那时木材属统购物资），让椿树长着。我说不出口的一句话是，父亲留给我的活物，就只剩下这一棵椿树了。不久，父亲去世了，椿树依然蓬勃在门外的场塄上。20 世纪 80 年代初，我随之获得专业写作的机会，索性回到原下老家图得清静，读书写作，还住在遇到阴雨便摆满盆盆罐罐接漏的老屋里，还继续筹备盖房。某一天，有两三个生人到村子里来寻买合适的树，一眼便瞅中了我父亲的这棵椿树，向村人打听树的主人。村人告诉说，那主家自己准备盖房都舍不得伐它，你恐怕也难买到手。买家说可以多掏一些钱，随之找到我，说椿树做家具是好材料，盖房未必好，可以多给一些钱，让我去选购松木这些上好的盖房材料，并说明他们是做家具卖的生意人。我自然谢绝了。这是绝无商议余地的事。我即使再不济，也不能把父亲留给我的最后一棵树砍了。这椿树就一直长着，直到现在。每隔一段时日抽空回到老家，到门口第一眼看到的就是这棵椿树，父亲就站在我的眼前、树下或门口。我便没有任何孤独空虚，没有任何烦恼，没有任何腌臜的事能够把人腻死……

我和我哥坐在雨篷下聊着这棵椿树的由来。他那时候在青海工作，尚不清楚我帮父亲栽树的过程。他在“大跃进”的头一年应招到青海去了，高中只学了一年就等不得毕业了，想参加工作挣钱了。

其实，还是父亲在这时候供给着两个中学生，可以想见其艰难。我是依靠着每月 8 元的助学金在读书，这成为我一生铭记国家恩情的事。“大跃进”很快转变为灾难，青海兴建的厂矿和学校纷纷下马关门，哥和许多陕西青年一样无可选择，又回到老家来，生产队新添一个社员。哥听了我的介绍，却纠正我说，这椿树还不是最老的树，父亲栽的最老的要算上场里地角边的皂荚树。那是刚刚解放的 20 世纪 50 年代初，我们家诸事不顺，我身后的两三个弟妹早夭，有一个刚生下六天得一种“四六风症”死去，有一个妹妹和一个弟弟都长到三四岁了，先后都夭亡了。家养一头黄牛，也在一场畜类流行瘟疫里死了。父亲惶恐中请来一位阴阳先生，看看哪儿出了毛病。那阴阳先生果然神奇，说你家上场祖坟那块地的西北角太空了，空了就聚不住“气”，邪气就乘虚而入了。父亲吓得不知如何是好，急问如何应对、如何弥补。阴阳先生说，栽一棵皂荚树，并且解释，皂荚树的皂荚可以除污去垢，而且树身上长满一串串又粗又硬的尖刺，更可以当守护坟园的卫士。父亲满心诚服，到半坡的亲戚家挖来一株皂荚树秧子，栽到上场祖坟那块地的西北角上，成活了，也长大了，每年都结着迎风撞响的皂角儿。这皂荚树其实弥补得了多少空缺是很难说的，因为后来家里也还出过几次病灾，任谁都不会再和阴阳先生去验证较真了。这儿却留下一棵皂荚树，父亲的树，至今还长着，仍然是一年一树繁密的皂角，却无人摘折了，农民已经不用皂角洗涤衣服，早已用上肥皂、洗衣粉了。哥说的父亲的这棵皂荚树，我隐约有印象，不如他清楚，我那时不太在心，也太小。现在，在祖居的宅院里，两个年过花甲的兄弟，坐在雨篷下，不说官场商场，不议谁肥谁瘦，也不涉水涨潮落，却于无意中很自然地说起父亲的两棵树。父亲去世已经整整二十五年，他经手盖的厦屋和他承继的祖宗的老房都因朽木蚀瓦而难以为继，被我拆掉换盖成水泥楼板结构的新房了，只留下他亲手栽的两棵树还生机勃勃，一棵满枝尖锐硬刺儿的皂荚树，守护着祖宗的坟墓陵园；一棵期望成材做门窗的椿树，成为一种心灵感应的象征，撑立在家院门口，也撑立在儿子们心里。

每到农历六月，麦收之后的暑天酷热，这椿树便放出一种令人停留贪吸的清香花味，满枝上都绣集着一团团比米粒稍大的白花儿，招得半天蜜蜂，从清早直到天黑都嗡嗡嘤嘤的一片蜂鸣，把一片祥和轻柔的吟唱撒向村庄，也把清香的花味弥漫到整个村庄的街道和屋院。每年都在有机缘回老家时，闻到椿树花开的清香，陶醉一番，回味一回，温习一回父亲。今年却因这事、那事把花期错过了，便想，明年一定要赶在椿树花开的时日回到原下，弥补今年的亏空和缺欠。那是父亲留给这个世界，也留给我的椿树，以及花的清香。

旦旦记趣

外孙取名旦旦，已经长到两岁半，常有“惊人”之语。每每听到，先是猝不及防，随之便捧腹，或忍不住而喷饭，且不能忘。

他很贪玩，几乎没有片刻的闲静，即使吃饭，仍然是手不闲，脚亦不停。这时候，我便哄他说，你不好好吃饭，屁股上都没肉啦！顺手便捏一捏他的小屁股，再鼓励一番，好好吃肉，屁股上就长肉啦。他便真听了话，张口接住他妈妈递到嘴边的一块肉，刚嚼了两下，估计还未嚼碎，便急忙咽下，跑过来，背过身，撅起小屁股：“爷爷你再摸一下，看看长肉了没有？”在一家人的哄笑声中，我只好将错就错：“长了长了！再吃再长！”我亦忍不住笑，这才叫立竿见影！

旦旦吃了一块豆腐，蹦过来，转过身，又一次撅起小屁股，认真地说：“爷爷你再摸一下，看看屁股上长豆腐了没？”

哇！一家人全部放下碗，停住筷子，笑得前仰后合。

然后就没完没了。一次连一次地重复如前的动作和姿势，一次比一次更加认真地问：爷爷你再摸一下，屁股上长蘑菇了没？爷爷你再摸一下，屁股上长木耳了没？

我已经再没劲儿笑了，无可奈何地对他说，旦旦的屁股成了副食超市了。

有一天，我要上班了，照例先和旦旦说再见，然后就走到门口。旦旦却急了，从沙发上跳下来，鞋也顾不得穿，光着脚跑过来，边跑边喊，爷爷别走，爷爷别走。我就站住安慰他。他却盯着我喊：爷爷，我送你。我也就释然，还以为他缠住我不让出门呢。我拉开门，他先蹦了出去，站在楼梯口，伸出一只小手来。我尚弄不明白他要做什么，就牵住他的手引他进门回屋。小家伙抽回手去，甩了几下，又伸到我面前。我女儿终于明白了，提示我说，他要跟你握手送别呢。我恍然醒悟，随即弯下腰伸出手去，攥住他的小手。他却当即跳着、蹦着，另一只手像翅膀一样上下扇着扇着，嘴里连续丢出一串话来："再见拜拜巴尼哈！那就这。"

我对于这突如其来的发挥毫无心理准备。旦旦表演完毕，向我摇摇手，又跑回屋里沙发上去了。我走下楼梯，走过楼院，走出住宅区的大门，心里还一直在想着。"再见"和再见的英语口语"拜拜"他早都会说了，自然是他爸爸妈妈教的。

"巴尼哈"是维吾尔语"再见"的意思，肯定是奶奶教给他的。

我和老伴今年夏天去了一趟新疆，就学会了这么一句维吾尔语的“再见”。这些当然都不足为奇，奇就奇在“那就这”从何而来，谁教给他的?

想想也不难破译。家里来了人，说完了事，送客人出门，握手告别时我常习惯说“那就这”。意思是我们说过的事就这样了。不仅如此，打完电话时，我也习惯说一句“那就这，再见”。这娃娃不知观察了多少次我的举动和说话，终于和我要来表演一回了。

从这天开始，这样的握手告别仪式就成为必不可缺的铁定的程序，我一天出几次门，就有几次这样的表演仪式，地点也必须是门外的楼梯口。有一次因事急，我匆匆开门出去，走到楼下，从窗户里传出旦旦的哭声，哭声不仅大而强烈，且很悲伤，我感到了一种他被轻视了的伤心，我犹豫一下，还是反身回家，补行了那个握手告别的仪式。他的脸蛋上挂着泪珠，仍然把小手递到我手里，蹦着、跳着，左胳膊还是小鸟翅膀一样上下扇动着，哽咽着却一字不漏地说完“再见……拜拜……巴尼哈……那就这”。

旦旦学骑小三轮车几乎无师自通，哪怕是车子可以擦轴而过的狭窄过道，他都可以骑过去。旦旦对我说：“爷爷，我到北京去了。”说罢便踩动车轮钻进另一间屋子去了。不一会儿，旦旦又转回来：“爷爷，我到上海去了。”说罢又钻入第三间屋子。我的三室住房加上厨房，不时变幻着中国十几个城市的名字，大都是我或家人出差去过的城市。因为去某个城市的时间和回来之后的一段日子，家人总是说那些城市的见闻和观感，旦旦便在谁也不留意他的时候记住了这些城市的名字，而且被他骑车一日几次地往返了。

旦旦睡觉了，家里便恢复了安静。他的一双小鞋却丢在我的房间的床边。我总是在看见那一双小鞋时忍不住怦然心动。我说不清什么原因，似乎也没有什么关于鞋的往事的参照或触发，反正看见那双脱下的小鞋时心里就怦然一动，甚至比看见他穿着鞋跑来跑去更加富于诱惑。

回到家里，迎上前来打招呼的总是旦旦。这时候，无论什么不顺心的事和烦恼的事，甚至令人窝火的事，全都在旦旦的无序的话语里化解了，说宠辱皆忘，说心静如水似乎都不大确切，只是觉得自己就是一个爷爷了。

秋收过后，我带着旦旦回到老家乡村。今年夏天雨水好，秋粮得到了近来少有的好收成，村巷里的椿树、槐树、皂荚树树杈上，架着一串串剥光了皮壳的玉米棒子，橙黄鲜亮的，这虽然是我自小就看惯了的家乡的最亮丽、最惹眼的风景，依然抑制不住对于丰收果实的那种诗意的感受。旦旦也激动起来，扬起两条小胳膊，睁大惊异的眼睛欢呼起来：啊呀！这么多的香蕉呀……

旦旦的惊人之语引来哄然大笑。他奶奶、他妈妈和周围的乡亲都笑了。我笑过之后，便不由得感慨。这孩子生在城里，长在城里，两岁半了，第一次看见玉米棒子，把形状类似的香蕉就联想起来混淆一起了。我的三个儿女，包括旦旦的妈妈，都是生长在这祖传的乡间老屋里，她们生在“文革”的非常时期，也是我的生活最困窘的时期，香蕉无异于天国的神果，她们正好可能把香蕉当作玉米棒子。香蕉在现时的乡村，已经不是什么稀奇的水果，乡村小镇和马路边的小店散摊，都摆着一堆堆零售的香蕉，肯定不会有农村孩子再把它当作玉米棒子的笑话发生了。无论大人们怎样开心地调笑，旦旦却早跑到树下，仰起脸盯着树杈上的玉米棒子，跳着、叫着要摘下“香蕉”来。

两岁半的旦旦，大约正处于人生的混沌状态，什么都要问，却什么也懂不了；什么都感觉新鲜，过眼之后便兴味索然；什么人的什么话都可以不听，一味固执于自己当时的兴趣；什么行动和动作都想去模仿，结果是毫不在意地又丢弃了。我可以看到一个人成长过程中两岁半这个年龄区段里的全部可爱，混沌的可爱。不必做任何意义上的猜想和推测，两岁半的混沌形态容不得意义，因为它本身属于无意义的自然形态。

这个年龄区段的混沌可能很短暂。因为在两岁的时候，旦旦还不是这样的形态。半岁的变化有点儿急骤，两岁时说不出的浑话和做不出的动作，到两岁半时就都发生了。那么我就猜想，再过半岁呢？到了三岁时，该是从混沌状态走出来而踏入半混沌、半清明的状态了吗？他在蜕却一半混沌的同时，还能保持那一份憨态的可爱吗？

猜测那混沌状态的可能消失，依恋着那混沌状态的全部可爱，我便打算笔记下来。我的记性已经很差，无疑是老年的生理特征的显现。想到生命的衰落、生命的勃兴从来都是这样的首尾接续着，我便泰然而乐。

家之脉

女儿和女婿在墙壁上贴着几张识字图画，不满三岁的小外孙按图索文，给我表演：白菜、茄子、汽车、火车、解放军、农民……

1950 年春节过后的一天晚上，在那盏祖传的清油灯下，父亲把一支毛笔和一沓黄色仿纸交到我手里。“你明日早起去上学。”我拔掉竹筒笔帽儿，是一撮黑里透黄的动物毛做成的笔头。父亲又说，“你跟你哥合用一只砚台。”

我的三个孩子的上学日，是我们家的庆典日。在我看来，孩子走进学校的第一步，认识的第一个字，用铅笔写成的汉字第一画，才是孩子生命中光明的开启。他们从这一刻开始告别黑暗，走向智慧人类的途程。

我们家木楼上有一只破旧的大木箱，乱扔着一堆书。我看着那些发黄的纸页和一行行栗子大的字问父亲：“是你读过的书吗？”父亲说是他读过的，随之加重语气解释说：“那是你爷爷用毛笔抄写的。”我大为惊讶，原以为是石印的，毛笔字怎么会写到和我的课本上的字一样规矩呢？父亲说：“你爷爷是先生，当先生先得写好字，字是人的门脸。”在我出生之前已谢世的爷爷会写一手好字，我最初的崇拜产生了。

父亲的毛笔字显然比不得爷爷，然而父亲会写字。大年三十的后晌，村人夹着一卷红纸走进院来，父亲磨墨、裁纸，为乡亲写好一副副新春对联，摊在明厅里的地上晾干。我瞅着那些大字不识一个的村人围观父亲舞笔弄墨的情景，隐隐看到了一种难以言说的自豪。

多年以后，我从城市躲回祖居的老屋，在准备和写作《白鹿原》的六年时间里，每到春节的前一天后晌，为村人继续写迎春对联。每当造房上大梁或办婚丧大事，村人就来找我写对联。这当儿我就想起父亲写春联的情景，也想到爷爷手抄给父亲的那一厚册课本。

我的儿女都读过大学，学历比我高了，更比我的父亲和爷爷高了（他们都没有任何文凭，我只有高中毕业）。然而儿女唯一不及父辈和爷辈的便是写字，他们一律提不起毛笔来。村人们再不会夹着红纸走进我家屋院了。

周五晚上一场大雪，足足下了一尺厚。第二天上课心里都在发慌，怎么回家去背馍呢？五十余里路程，步行，我十三岁。最后一节课上完，我走出教室门时就愣住了，父亲披一身一头的雪迎着我走过来，肩头扛着一口袋馍馍，笑吟吟地说：“我给你把干粮送来了，这个星期你不要回家了，你走不动，雪太厚了……”

二女儿因为误读俄语，补习只好赶到高陵县一所开设俄语班的中学去。每到周日下午，我用自行车带着女儿走七八里土路赶到汽车站，一同乘公共汽车到西安东郊的纺织城，再换乘通高陵县的公共汽车，看着女儿坐好位子随车而去，我再原路返回蒋村——正在写作《白鹿原》的祖屋。我没有劳累的感觉，反而感觉到了时代的进步和生活的幸福，比我父亲冒雪步行五十里为我送干粮方便得多了。

我不止一次劝告女儿和女婿，别太着急了，孩子三岁还不到，你教他认什么字嘛！他现在就应该吃饭、玩耍甚至捣蛋，才符合天性。女儿和女婿便说现在人对孩子智商如何如何开发，及至胎儿。我便把自己赌上去："你爸爸八岁才上学识字，现在不光写小说当作家，写毛笔字偶尔还赚点儿润笔费哩！"

父亲是一位地道的农民，比村子里的农民多了会写字、会打算盘的本事，在下雨天不能下地劳作的空闲里，躺在祖屋的炕上读古典小说和秦腔戏本。他注重孩子念书学文化，他卖粮、卖树、卖柴，供我和哥哥读中学，至今依然在家乡传为佳话。

我供三个孩子上学的过程虽然也颇不轻松，比父亲当年的艰难却相去甚远。从私塾先生爷爷到我的孙儿这五代人中，父亲是最艰难的。他已经没有了私塾先生爷爷的地位和经济，作为一个农民也失去了对土地和牲畜的创造权利，而且心强气盛地要拼死供两个儿子读书。他的耐劳、勤俭、耿直和左邻右舍的村人并无多大差别，他的文化意识才是我们家里最可称道的东西，却绝非书香门第之类。

这才是我们家几代人传承不断的脉。

动心一刻

下班了就有松懈和慵懒，悠悠地走在回家的小巷里，整个上午对几茬子来人说过什么话大都忘记了，如此而已。

突然听到背后有人连声叫着“爷爷”，想到自己尚不可能有在街巷里跑着、玩着的孙子，便放心地继续优哉游哉地移步前行。未几，真有一个孙子抢到我前边挡住去路，喘着小气说：“陈爷爷，听说新办公楼盖好了，要买新乒乓球案子？”

我随口答道：“是的。会买的。”

他竟然发出挑战：“那咱们比赛一场？”

我略有迟疑，随之反问：“你为啥要找我比赛？你的同学伙伴不是很多吗？”

他也略有迟疑，稍现羞涩，还是坦陈出原委：“因为我输给你了……”

我心里一动，真是始料不及，正为白捡来的这么一个俊气的孙子得意，不料却是要求“复仇”，而且当面送来挑战书的“敌手”。正应了一则民间笑话，一个农夫捡到一盒包装整齐的点心喜不自禁，打开来却是一只刺猬……我看看这位挑战者，白净的脸膛，睫毛很长的眼睛，俊气而漂亮，瞅着瞅着竟发觉有点儿面熟，也想在“决战”前先了解一下“敌手”来自何方、姓甚名谁。我刚一发问，他便答道：“我是 ××× 的孙子。”我便明白了，××× 是另一家协会的老编辑，已经退休，就住在我们单位的另一座住宅楼上。其实这个小家伙也不是生人，常在机关下班后，和一伙孩子乘虚而入，爬梨树、捉迷藏，把楼梯上宽大的水泥护栏当作溜溜板爬上溜下，我却根本搞不清这一伙孩子是谁家的儿女或孙儿、孙女。我说：“好哇，趁着我现在还可以上乒乓球场子，你来试试。”小家伙满脸欢悦地说着“谢谢陈爷爷”，临走还给我鞠了一个九十度的大躬。我竟很感动。多么文明的一位挑战者！

××× 教养出来这么可爱的一个孙子！

我继续优哉游哉地走过小巷，渐渐记起来，前几年机关买了一台乒乓球案子，因为没有房子安置，就支在露天院子里。男女工作人员和编辑们常在工间休息和工余时打一阵乒乓球，常常为胜负而耍孩子气，常常打得大汗淋漓、红颜浮现，以“坐”为职业特征的机关院里便有了一股活气和生气。我也是乒乓爱好者，球技平平却有几十年的挥拍球史。正经比赛和一般玩耍或打球，自然都要分个胜负，得胜的小小得意和失败的小小不快都发生过，一旦离开乒乓球桌便自动消解。我隐隐记得可能与这个小孩子打过一次或两次，胜负早已不存记录了。然而这孩子却记着。

这将是一个无须判断结局的比赛。可以设想即将到来的这场比赛他又输了，按他的这种优良的不服输的个性，肯定还会向我发出挑战书的……直到他取得胜利。这里存在一个不可逆转，更不可论比的条件，便是年龄：他处于少年，而我已跨入老年；他训练球技的时日太富裕，而我早已不在这方面下功夫了。他肯定是总体上的胜利者，这是无须判断，也无须等视的结局。我倒是另有心动的一面，如果这个孩子规规矩矩地走到我面前说：爷爷你打得好，我打得不好，我很服你，请你教我打球吧！我肯定赞赏他的谦逊和礼貌，也会在相遇的球场机缘里帮他练点儿基本功，然而肯定不会引发心动，不会感到某种咄咄逼人的挑战和少年壮气的冲击。

这个马路上“捡”来的孙子发出的挑战，使我泛起相仿年纪里我的美妙记忆：背一周的干粮（馍）走五十里路进入西安，一日三餐都是开水泡软的玉米面馍馍，竟然在爱上文学的同时也迷上了乒乓球，常常是一边啃着发硬的馍馍，一边抢占乒乓球台子。文学创作后来成为我毕生难舍的职业，乒乓球也断断续续地伴着我成为名副其实的业余玩具。

经历过生活的演变，也经历过人生的坎坷之后，常常容易感慨，容易以当下发生的事与过去发生过的事互为参照，容易发生由今日之事勾连起往昔里那些尘封沉寂的琐事屐痕，往往令自己心里一动，陷入一种陈年佳酿般的迷醉。人生无论从事什么职业，无论崇尚何种理想，可贵在那么一股不服输的气（这气当然不是赌气，此气非彼气）。输是正常的，失败也是正常的，输十次、失败十次甚至更多都是正常的，关键在于去争取第十一次的赢或成功时的气还足否。如果输不起也失败不起，因而撒了那一股气，便永远消失了赢和成功的机会和可能。

这个“捡”来的孙子的可爱不单在那一张俊秀的脸膛，而在那一股不服输的气。我便想了，他在赢我之后，应把下一个对手瞅到刘国梁或瓦尔德内尔身上，那是乒乓世界的顶点标志。目标远了、高了、大了，气会蕴积得更壮，无论对他个人和这个民族的未来都特别珍贵，乒乓球不过是一个喻体而已。

动心的一瞬之后反躬自省，尽管有了这样的年纪，那个底气还应不断蕴蓄，以备新的行程。这个马路上“捡”来的孙子肯定只想着赢我这样一个业余水平的老球员，却不会料及他的行为本身给我的人生警示。快哉善哉。

生命之雨

一个年过五十的人，某天傍晚突然警悟，他的生命中最敏感的竟然是雨。

秋日。傍晚。细雨如丝如缕如烟，无穷无尽的前方和已经穷尽的身后都是这种雨丝，飘飘洒洒却无声无息。他沿着家乡的河水在沙滩上走着。一旦有雨或雪降下，他就有一种迎接雨雪的骚动而必须刻不容缓地走向雨雪迷蒙的田野。

他的腋下挟着一把黑色雨伞，除非雨点变得粗疾起来才准备打开。沙滩上的野苇子的茸毛已经飘落，蒿草的绿色无可挽救地变得灰黑而苍老了。他看见河的远处有人在涉水过河，辨不清过河的是男人还是女人，雨雾把雄性和雌性的外部特征模糊起来了。走过滩柳丛生的一道沙梁，一个看去和他年龄相仿的女人伫立在沙地上，看守着七八只羊。女人的右手攥着一根新鲜的柳枝儿，无疑是用来警示她的羊的武器；她的左腋下挟着一只金黄色的草帽，而让头发也淋着雨。她的生命中也敏感雨而渴盼细雨的浇灌和滋润么？

女人满脸皱纹，皮肤黢黑而粗糙，骨骼粗硬而显示着棱角；她挽着黑色的裤脚，露出小腿如同庄稼汉一样坚硬的筋骨的轮廓。他瞅着她，又瞅着她的羊，瞅过去是七只，倒瞅过来却成了八只；数过了羊又瞅着她。他瞅着数着羊是潜意识的行为，避免死呆呆地瞅着她而引起反感。瞅了瞅，她又去数羊，这回数过去是八只，再数过来又成了七只。

她却只瞅着自己的羊，或者根本就没有瞅羊。她也不瞅他。他想，在她说不清是呆滞或是不屑的眼神里，他不过也是一只羊吧！他便走开了，踏上高踞沙滩的河堤。

母亲说生他的时候正是三伏天。母亲强调说他落地的时辰是三伏天的午时。母亲对他落地后的记忆十分清晰，落地后不过半个时辰，全身就潮起了痱子，从头顶到每一根脚指头，都覆盖着一层密密麻麻的热痱子。只有两片嘴唇例外地侥幸，却爆起苞谷粒大的燎泡。母亲说整整一个夏天里，他身上的热痱子一茬尚未完全干壳，新的一茬便迫不及待地又冒了出来，褪掉的干皮每天都可以撕下小半碗。母亲说她在月子里就只是替他从头到脚撕揭干壳了的痱子皮……母亲对已经成年了的他遭遇灾难时便说："你落生的时辰太焦躁了。那天能遇着下雨就好了。"

他后来得知，他与父亲同一个属相：马。这根本不用奇怪，家族中两代人和同代人之中同一属相的现象屡见不鲜，这完全正常。奇异的是，他和父亲同月同日生，而且时辰都是午时。只是没有人说得清，父亲出生时潮没潮起那么厉害的热痱子，父亲出生时是否侥幸遇到了三伏天的雨。

他便猜疑，在他来到这个世界时便领受到的如煎如煮的酷热焦躁，在父亲来说早已领受过了。从而并不以为什么了不起。

关于他的父亲，他想写篇小文章来悼念那位如草芥一样无声无响度过一生又悄然死去的农民，然而终于没有形成文字。原因在于，那个念头刚一产生，如潮的记忆便把他齐头盖脑地淹没了。他喘息着又合上了钢笔。父亲是一本书，不是一篇小文章。

现在，他只能说一句话，在这个世界上，他最熟悉、最了解的是他的父亲，而最难理解的也是他的父亲。他深深地懊悔，直到父亲离开这个世界时，才发觉自己从来没有太在意过父亲。起初他剖析造成这种懊悔心理的因素，是他既不可能对父亲寄托稍大点儿的依赖，更不可能发现以至研究他有什么伟大和不平凡之处。后来随着生命体验的不断加深，终于有一天警悟过来，便是从来也没有想到过对父亲的心理设防，是一种绝对的心理安全的天然依赖，反倒不太在意了。

父亲死亡的情景永难忘记。一个自身生长的异物堵死了食道，直到连一滴水也不能通过，那具庞大的躯体日渐一日地萎缩成一株干枯的死树……

哦！生命中的雨啊！

他一个人坐在家乡的河边，天上洒下旱季里少见的细雨。他刚刚二十岁，开始了永远的没有限期的暑假，从学校走向社会了。他半是豪勇，半是惶惑，怀着宏大的文学梦却又怀疑自己是否具备文学的天赋，自信与自卑五十对五十地折磨着他，便有了一种孤自散步的欲望，尤其是在雨雾迷茫之中。这条河不大却闻名于遥远悠久的历史，河有多长，河边的柳林就有多长。骚客文人折柳赠别也抛撒离愁思怨的诗句，成为一代又一代文化人寄托情怀的佳作。他坐在水边，一个琴瑟般的声音不期而至：“大哥哥你饿吗？”他转过头就看见了一只小仙鹤，是的，这个大约不过十岁的女孩像河滩草地上偶然降至的仙鹤。他苦笑一下摇摇头。处于整个民族的大饥饿年代，小孩子看世界的眼睛也是饥饿。他笑笑说：“我渴。”河堤上传下来一声笑，他看见那儿站着一位干部，这是一家大企业的党的领导干部，据说是一位出身富贾而又背叛了所在阶级的老革命，革命胜利后他已成为企业领导，却依然需要下放乡村锻炼改造……他很忠诚，不仅自己老老实实地在农民中间生活，而且还利用暑假把小女儿也领到这炼狱里来改造了。

几十年后，在一次全国性的文学集会上，有一位中年女人向他走来：

“你现在是饿，还是渴？”

“还是渴。”

“还是渴？”

“是渴……生命之雨。”

她说她后来随父亲到北方一个城市，又转过四五个城市。她现在在一家报纸主持着一个《婚姻与家庭》的专栏。她在年轻男女中名声显赫，几乎家喻户晓，当然是她坦率而又真诚地解答过来自全国各地青年男女关于爱的困惑，并因此而很自信：“你比我写的书多，我比你写的信多；你只是在文学圈子里有名声，而我却在青年人心中是知音。”她的佐证是多年来收到和回复青年人的书信数以万计。她说她读过他的全部作品，当然不是因为作品好不好，亦不是要研究他的创作，主要是因为在他未成名之前，她见过他一面，那时她不足十岁。她说：“我至少给青年朋友写过两万多封信，而你的小说最多发行五千册。”

他很尴尬，随之反诘：“我也来请你解答一个过去的问题，有一对年轻夫妇在‘文革’中分属对立的两派组织，妻子向自己一派的造反队司令报告了丈夫的行踪，丈夫被抓去打断了一条腿。这位现在走路还颠着、跛着的丈夫仍然和那位告密的妻子生活在一起。他向你写过信没有？如果他有一天写信给你要求解释困惑，你怎么回答他？”她张了张口，却摇摇头笑了，竟是一副不屑回答的神气。

半年以后，他接到她从千里之外的城市打来的长途电话，说她今天收到一封信，信中所表述的精神痛苦使她陷入深沉的无言以对的心境之中，那人的遭遇与他所说的“文革”夫妇的故事大同小异，关键在于他们的故事一直延续到今天，而且还有发展，类似于被打断腿的这个跛子丈夫，居然投靠那个抓他施刑的造反队头儿的门庭挣钱去了。造反队头儿受过几年冷落之后，现在是一位腰里别着大哥大的公司老板了……现在反倒是类似于那个告密妻子的妻子陷入痛苦境地，据说是丈夫现在跟着那个不计前嫌的老板北上南下、东闯西骗，出入星级宾馆、酒楼、歌舞厅，既卡拉 OK，又桑拿浴……她在电话中向他复述了这个故事，情绪很沉静，似乎没有了她写过两万余封回信的那种自信与得意，很真诚地说："上次你讲的那对'文革'夫妇的故事我没有回答，我觉得那是你们上一代人的故事和困惑；你们上一代人所处的那个时代是一个不正常的时代，用今天正常人的思维是无法理解也无法解释的，因为他和她都是不正常生活里的不正常的人所演绎的不正常故事。现在，当他和她在今天正常的社会里继续演绎不正常的故事时，我竟然第一次感觉到自己的肤浅，无法回答那个类似告密妻子的新的苦恼……"他反而宽厚地安慰她说："是的，你不可能解除所有痛苦着的心灵痛苦，也不可能拯救所有沉沦的灵魂。"她说："我总得给她回信呀！情急之下，我用了你的一句话回复了她，就是'生命之雨'。"

他说："这话太……"

她说："我就想起你的这句话……恰当不恰当都不管了，上帝！"

纤纤细雨依然。依然是如丝如缕如烟。依然是飘飘洒洒、无声无响。他已经走到这一段河堤的尽头，河堤朝南拐弯伸展过去，顶头和南岸的山崖接住了。那一段河堤从山崖下开始延伸到雨雾迷茫的无穷无尽的上游。人生其实也类似这河堤，分作一段一段的，这一段到头了，下一段又从这儿开始，一直延伸成为一个生命的河流。河堤拐弯的内堤里，就圈住了好大一片滩地。滩地里有一幢孤零零的土坯房，房子的南墙和西墙上苫着一层长长的稻草，那是防止西风和南边的下山风卷来的骤雨对泥皮土坯的冲刷的，就像一位插秧的农夫身披的蓑衣。房前有一片偌大的打谷场，场角靠近房子的地方有一个黄色的麦秸垛。他猜测这是一个土地承包经营者仓促建筑的房子，从那简陋的建筑判断，主人完全是出于一种临时的考虑，不愿投注更多的钱财给这幢远离村庄的建筑。

一个男人吆喝着拉犁的牛在翻耕打谷场。打谷场已完成了夏季打麦、秋季打谷的用场，现在翻耕以恢复土地的疏松和绵软，然后撒下早熟的青稞或者油菜籽，赶明年收割小麦之前先收获了青稞或油菜，再把这块土地碾压瓷实作打谷场。男人悠悠地吆喝着牛、扶着犁，没有戴草帽，一任细雨淋着。一个女人站在麦秸垛下撕扯麦草，扯下一把便弯下腰放到一只大竹条笼里，动作也是悠悠的不急不忙的样子。只是那一件红色的衣衫像一簇火焰在迷茫的河滩上闪耀。

一男一女、一低一高两个小孩在场地上追逐，他们从土屋里奔出来时就是互相追逐着的，大约是男孩抢走了、霸占了女孩的吃食或玩具，争执便发生了。女孩追着男孩显然力不从心，在滑溜的打谷场上摔倒了，顺势在场地上打滚而且号啕起来。那女人扔下柴火笼飞跑过去，在滑溜的打麦场上跑起来闪动着两只胳膊，像是一种舞蹈。她没有扶起倒地打滚的女孩，一直冲到男孩跟前，一巴掌抽过去就把男孩打翻在地了。她随后转身走过来抱起女孩，另一只胳膊挎上柴火笼走进土屋里去了。

他竟然大声喊起来，愚蠢你愚蠢！你是个愚蠢的妈妈！男人喝住牛插住犁，慢腾腾地走过去抱起男孩，也走进那间土屋里去了。

一头在套的牛站在打麦场上甩着尾巴。

土屋房顶的烟囱有灰色的烟冒出来。

他依然站在河堤上。几十年后，那个扯柴火打男孩、抱女孩的愚蠢的女人，肯定就变成那个放牧着七八只羊的粗硬的老女人了吧？那个受宠的女孩会不会成长为如那个写过两万多封信的专栏主持人？

那土屋里爆起激烈的吵闹声，浑厚的男声和尖锐的女声。肯定那是关于应不应该打倒男孩的争执。他忽然想到她，如果把这幢远离人群的河滩土屋里的争论提到她的专栏上，她还会用他的"生命之雨"这话来解释给这一对乡野夫妻吗？

六十岁说

四十五年前读初中二年级时，我在作文课上写下平生的第一篇短篇小说。这篇大约三千字的小说习作是第一次文学创作，不再属于此前作文的意义。我对文学创作的兴趣由此萌发。这种兴趣持续了四十五年。至今依旧新鲜而恭敬。即使“文革”扫荡一切作品和作家的时候，这种兴趣仍然没有转移或消亡，转变为一种隐蔽性的阅读。我说过自己的人生的有幸和不幸，正是从在作文本上写作第一篇小说起始的；正是这一次完全出于兴趣性的写作，奠定了文学在我人生历程中的主题词。

近年来，多种媒体和多路记者几乎无一不问及我的人生感悟和文学创作的感悟。我也几乎无一例外地首先向他们解释，我不大使用感悟、悟道一类词，我喜欢启示。即人生历程中得到的启示，文学创作中思想和艺术的启示。正是这些启示，提升着我对历史和现实的思想穿透能力，也提升着我对文学和艺术本真的体验，完成一次又一次创造理想。在这个漫长的艺术探索过程和人生历程中，有两次自我把握和两次反省成为关键性的选择和转折。

一次是在 1978 年之初，当中国文学复兴的春潮涌动的时候，我正在灞河水利工地任副总指挥。我在完成了家乡的这个工程之后离开了，调入文化馆。我那时候对自己的把握是，文学创作可以当作事业来干的时代终于出现了。第二次把握是 1982 年。这一年我从业余写作进入专业写作。我曾在一篇文章中写到过当时直接而唯一的感觉，即进入自己的人生最佳生存状态。我几乎在得到专业创作条件的同时，决定回归老家。一是静下心来回嚼二十年的乡村工作和生活，进入写作；二是基于对自己知识的残缺性的估计，需要广泛读书、需要充实，更需要不断更新，这都需要一个可以避免纷扰的安静环境来实现。我选择了老家农村。直到《白鹿原》一书完成，正好十年。这两次把握，一次是人生轨道的转换，一次纯粹属于自身生存环境的选择。

两次反省。一次是 1978 年秋天。当新时期文学如雨后春笋般从解冻的文坛发生时，我很受鼓舞，也很冷静。冷静是出于对自身具体情况的判断。我以为排除“文革”中那些极“左”思想不难，而要荡涤自有阅读能力以来所接受的极“左”的非文学的观念不易。我选择了读书，借来了一些世界经典作家的经典作品，以真正的文学来摒弃思维和意识中的非文学观念，目的只有一点，进入文学的本真。这次反省大约持续四个月，到 1979 年春天，我获得了文学创作和艺术表现的强烈欲望。

我把文学当作事业来干的行程开始了。

第二次反省发生在20世纪80年代中后期，即《白鹿原》写作的准备阶段。我那个时候的思维是最活跃的一段，尤其是文学创作理论中的人物心理结构学说，引发了我对自己以往创作的颠覆。自我的不满意以至自我否定，同时就孕育着、膨胀着一种新的艺术创造理想。这种痛苦的反省完全是自发的。发生在《白鹿原》的准备和后来的整个写作过程中，对我来说是一个关键。

多年以后的今天回过头来看，在人生的两个重要阶段上，我把握了自己，主要是以自身的实际做出的选择。在艺术追求的漫长历程中，在两个重要的创作阶段，进行两次反省，对我不断进入文学本真是关键性的。如果说创作有两次重要突破，首先都是以反省获得的。可以说，我的创作进步的实现，都是从关键阶段的几近残酷的自我否定、自我反省中获得了力量，我后来把这个过程称作心灵和艺术体验剥离。没有秘密，也没有神话，创造的理想和创造的力量，都是经过自我反省来获取、完成的。

仅仅在半个月之前的一个上午，我完成一篇五千字的散文，在原下老家一个人兴奋不已。仅仅在十天前一个晚上，读完畅广元教授的一本文化文学批评专著，进入一种最欣慰的愉悦。四天前的那个下午，我写完一篇万余字的短篇小说，竟然兴奋不已。两天前的晚上，在杨凌参加杨凌文联成立的会场里，见到残疾人作家贺绪林，听说他的一部三十万字的长篇即将由人民文学出版社出版，我感动而又感奋，同样愉悦。这样，我几十年来不断重复验证自己，文学创作才是我生存的最佳气场。

直到我走进朋友们营造的这个隆重而又温馨的场合，我依然不能切实理解六十这个年龄的特殊含义，然而六十岁毕竟是人生的一个最重要的年龄区段。按照我们传统文化和传统习俗的意思，是耳顺，是感悟，是悟道，是忆旧的年龄。这也许是前人归纳的生命本身的规律性特征。我不可能违抗生命规律。但我现在最明确的一点是，力戒这些传统和习俗中可能导致平庸乃至消极的东西。我比任何年龄区段上更强烈、更清醒的意识是，对新的知识的追问，对正在发生着的生活运动的关注。这既是作为一个作家的生命意义所在，也是我这个具体作家最容易触发心灵中的那根敏感神经的颤动的。

我唯一恳求上帝的，是给我一个清醒的大脑。而今天所有前来聚会的朋友和我的亲人，就是怀着上帝的意愿来和我握手的。

第二辑

在大地的怀抱中

人可以直面威胁，可以蔑视阴谋，

可以踩过肮脏的泥泞，可以对叽叽咕咕保持沉默，

可以对丑恶闭上眼睛，

然而在面对美的精灵时却是一种怯弱。

俏了西安

西安俏了。俏得让那些老西安人常常发出喟叹：噢、噢、噢，这条大街就是早先那个鸡肠子似的巷子嘛！啥时候修得这么宽敞……人们在新的城市格局的每一个路口或每一座新的建筑物面前，总是忍不住钩沉昨天的记忆，这种喟叹便浸润着生活进步、社会变迁的历史性韵味了。

急骤的变化仅仅是十余年间的事。

我是 20 世纪 80 年代初从灞桥区调入省作家协会的，作协所在的建国路还算得上一条比较宽大的街道，那时候隔五六分钟才过一辆卡车或小车，行人可以悠闲地在街道上晃荡，孩子在马路中间嬉戏，甚至有人在街道中间打羽毛球。而今要横过马路需得左顾右盼以至焦灼等待，几乎首尾相接的机动车从早一直流到深夜。

当年，整条建国路上只有一家食堂，在西南十字路街口，市商业系统下属的一家国营食堂，卖素面和肉面，还卖羊血泡馍，啤酒是散装的，两毛钱一碗，碗是粗瓷黄釉的大号老碗。

已是专业作家的我仍住在乡下，每逢奉召回作协开会，中午便在这里花两毛钱买一碗羊血，一毛钱买两个烧饼，奢侈时再加一碗啤酒，五毛钱下了一回馆子，心满而意足。那时候的工资是五六十块钱，收入和消费正好合适。几年间，这条街上高档酒店和风味小吃店竞相开张，门面也越换越新，灯光亦越换越亮，价钱自然也是越换越高，然而食客仍然涌现不断。那家卖羊血泡馍的低矮的食堂作坊早已被高楼所代替，刘家兄弟开了家令人忍不住冒险欲望的蝎子酒宴。民航售票处、证券交易厅门前，如涨潮和退潮的人群标示着股票行情和股民的忧欢……无论如何，在我喝着大碗啤酒、嚼着大碗羊血泡馍的那几年里，无法料知蝎子会作为美味佳馔摆上餐桌，更无法料知股票会在我们的社会生活中牵扯人们的忧欢。

如果再沿着记忆之河溯流而上，我记得20世纪70年代中期以前的西安四条大街上，骡马拉的大车畅行其道，只要求每匹牲畜的屁股下设置一只接纳粪便的布兜，而尿是可以任意撒的。再追溯到20世纪50年代中期，我在东关读初中的头年冬天，每到傍晚，铺天盖地的乌鸦在天空盘旋，凄丧的叫声令人毛骨悚然，蹲在操场上晚餐的学生们，常常会被从天而降的排泄物所击中，或头上或身上或饭碗菜碟里。这些乌鸦夜栖在东门城楼层叠的木檐下，天明又飞到城外去觅食了。那时候的东门城楼漆彩剥蚀、塌檐断瓦，像一个风烛残年衣履残破的老人。

我现在的住地就在东门内，看着这门楼重新抖出威风、重新焕发新姿、重新现出昔日（始建时）的雍容和气度，往往忍不住感慨：十余年间西安人做了多少大事，50 年本来又应该做成多少大事。正在发展的生活和已经逝去的历史才是透视一切的镜子。

大约是十年前，我在西安出的一家报纸上看到过一篇北京一位作家写的西安印象的文章，有一个令我吃惊的观点。他看到西安端南正北、端东正西，以钟楼为中心的四条大街，以及西安“井”字形的街路布局，便大发感慨，说端直的道路客观上造成了西安人的思维的简单，直戳端出不会拐弯亦不会多向思维，是西安包括经济、文化等诸方面滞后的原因。

就我有限的阅历，中国的城市凡是建筑在平原上的，无论古都还是新城，大都是“井”字交叉的大街或小巷，似乎没有哪个城市的创始者为了表示思维的多维性和多向性，故意把大街或巷道多拐几道弯儿。贵阳、重庆那样的山城受地貌的限制自不能做佐证，上海和天津的弯曲街路多是租界地里的洋人们按照自己的势力范围制造的畸形，是中国人的不大愉快的一块旧疤，恐怕也很难牵强到多向思维这个话题上头来。

我便和朋友调侃，以西安端直的街路而判定西安人属端直思维的人，其思维的简单和端直正好应该和西安的街道一样。

西安保存下来全国唯一一圈完整的古城墙，不仅对西安，而且对这个泱泱大国的古代文明来说，正好留下一个完整的标志，一道不可复原、复制的古代城池的标本，弥足珍贵。开放的西安获得了自己的发展，终于有财力修复残缺破损的城墙，终于完成了城墙的“点亮”工程。入夜，美丽的古城的轮廓可以使我们笑慰古人，亦可骄傲地指点给海内外的朋友。

又是前几年，我在一家报纸上看到一篇嘲讽西安人的文章，说西安人思想保守、观念落后的象征便是这城墙，城墙是一个封闭的思想象征。我在此便先抬杠，秦岭山区和边疆草原，没有任何墙作为封闭的障碍，事实是那里至今仍然是要扶贫脱贫的最落后的地区。那里到处都是弯曲的小路，而人们的思维却看不到多维与多向。

在开放的中国和中国的西安，在即将进入 21 世纪的临界线上，一座明代的古城墙怎么能封闭现代西安人的思维和西安人的观念？现代高科技、现代网络信息、现代新的知识，难道依靠马车和云梯翻越城墙、闯入城门洞么？

作为一个西安市民，我真是感激那些为保存西安城墙的完整和完美而表现出远见卓识的人们，这是一种悠长的历史和深沉的文化意识。我也同时期望着，这座古都曾经在国家和民族的漫长的历史长河中的独有的辉煌，在现代西安人的手里得以重现。

永远的骡马市

头一回听到骡马市，竟然很惊讶。原因很直白，城里怎么会有以骡马命名的地方呢？问父亲，父亲说不清，只说人家就都那么叫着。问村里大人，进过骡马市或没去过骡马市的人也都说不清渊源，也如父亲一样回答，自古就这么叫着，甚至责怪我多问了不该问的事。

我便记住了骡马市。这肯定是我在尚未进入西安之前，记住的第一条街道的名字。作为古城西安的象征性、标志性建筑钟楼和鼓楼，我听大人们神秘地描述过多少次，依然是无法实现具体想象的事，还有许多街巷的名字，听过多遍也不见记住，唯独这个骡马市，听一回就记住了。如果谁要考问我幼年关于西安的知识，除了钟鼓楼，就是骡马市了。这个道理很简单，生在西安郊区的我，只看见各种树木和野草，各种庄稼的禾苗也辨认无误，还有一座挨着一座的破旧厦屋，一院连着一院的土打围墙，怎么想象钟楼和鼓楼的雄伟奇观呢？晴天铺满黄土，雨天满路泥泞，如何想象西安大街小巷的繁华，以及那些稀奇古怪乃至拗口的名字呢？只有骡子和马，让我无须费力、无须想象就能有一个十分具体的形象。我在惊讶城市怎么会有以骡马命名的街区的同时，首先感到的是这座神秘城市与我的生存形态的亲近感，骡子和马，便一遍成记。

我第一次走进西安也走进了骡马市，那是20世纪50年代中期，我进城念初中的事。骡马市离钟楼不远，父亲领我观看了令人目眩的钟楼之后，就走进了骡马市。一街两边都是小铺、小店、小饭馆，卖什么杂货都已无记，也不大在意。只记得在乡下人口边说得最多的戏园子“三意社”那个门楼。父亲是个戏迷，在那儿徘徊良久，还看了看午场演出的戏牌，终于舍不得掏二毛钱的站票钱，引我坐在旁边一家卖大碗茶的地摊前，花四分钱买了两大碗沙果叶茶水，吃了自家带的馍，走时还继续给我兴致勃勃地说着大名角苏育民主演《滚钉板》时，怎样脱光上衣在倒钉着钉子的木板上翻身打滚，吓得我毛骨悚然。

还有关于骡马市的一次记忆，说来有点儿惊心动魄。史称“三年困难时期”之后的第一年，即1963年冬天，我已是乡村小学教师，期考完毕，工会犒赏教师，到西安做一天一夜旅行。先天后晌坐公交车进城，在骡马市“三意社”看一场秦腔，仍然是最便宜的站票。夜住骡马市口西安最豪华的西北旅社，洗一次澡，第二天参观两个景点，吃一碗羊肉泡馍，大家就充分感受了作为人民教师的光荣和幸福了。唯一令我不愉快乃至惊心动魄的记忆发生在次日早晨。走出西北旅社走到骡马市口，有一个人推着人力车、载着用棉布包裹保温的大号铁锅，叫卖甑糕。数九天的清早，街上只有零星来往的人走动。我已经闻到那铁锅弥漫到空气里的甑糕的香气儿，那是被激活了的久违的极其美好的味觉记忆。我的腿就停住了，几乎同时就下定决心，吃甑糕，哪怕日后挨一顿饿也在所不惜。我交了钱，也交了粮票。主人用一个精巧晶亮的小切刀——切甑糕的专用刀——很熟练地操作起来，小切刀在他手里像是舞蹈动作，一刀从锅边切下一片，一刀从锅心削下一片，一刀切下来糯米，又一刀刮来紫色的枣泥，全都叠加堆积在一张花斑的苇叶上。一手交给我的同时，另一只手送上来筷子。我刚刚把包着甑糕的苇叶接到手中，尚未动筷子，满嘴里都渗出口水来。正当此时，“啪”的一声，我尚弄不清发生了什么，苇叶上的甑糕一扫而光，眼见一个半大孩子双手掬着甑糕窜逃而去。我吓得腿都软了，才想到刚才那一瞬间所发生的迅捷动作，一只手从苇叶刮过去，另一只手就接住了刮下来的甑糕。动作之熟练之准确之干净利索，非久练不能做到。我把刚接到手的筷子还给主人，把那张苇叶也交给他回收，谢绝了卖主要我再买一份的好意，离开了。卖主毫不惊奇，大约早已司空见惯。关于“三年困难时期”的诸多至今依然不泯的生活记忆里，吃甑糕的这一幕尤为鲜活。

朋友李建宁把一册装潢精美的《骡马市商业步行街图像》给我打开，看着主街次街内街外街回廊街漂亮的景观，一座座既有汉唐风韵，又兼欧美风味的建筑，令我耳目一新、心旷神怡、心向往之。

西安在变。其速度和规模虽然比不得沿海经济发达的大城市，然而西安确实在变化，愈变愈美。一条大街、一条小巷，老城区与新开发区，老建筑物的修复和新建筑群的崛起，一行花树、一块草皮、一种新颖的街灯，都使这座同这个民族古老文明血脉相承的城市逐渐呈现出独有的风姿。作为这个城市终身的市民，我难得排除地域性的亲近感和对它变化的欣然。骡马市几乎是脱胎换骨的变化，是古老西安从汉唐承继下来的无数街区坊巷变化的一个缩影。我最感动的是“骡马市”这个名字，从明朝形成延续到清朝，都在繁荣着从事骡马交易的特殊街坊，把农业文明时代的城市和乡村的脐带式关系，以一个骡马市融会贯通了。

无论西安日后会靓丽到何种状态，无论这个骡马市会靓丽到何种形态，只要保存这个名字，就保存了一种历史的意蕴，一种历史演进过程中独有的风情和韵味，而没有谁会较真，真要牵出一头骡子或一匹马来。

哦！骡马市。永远的骡马市。

麦　饭

按照当今已经注意营养分析的人们的观点，麦饭是属于真正的绿色食物。

我自小就有幸享用这种绿色食物。不过不是具备科学的超前消费的意识，恰恰是贫穷导致的以野菜代粮食的果腹本能。

早春里，山坡背阴处的积雪尚未退尽消去，向阳坡地上的苜蓿已经从地皮上努出嫩芽来。我掐苜蓿，常和同龄的男女孩子结伙，从山坡上的这一块苜蓿地奔到另一块苜蓿地，这是幼年记忆里最愉快的劳动。

苜蓿芽儿用水淘了，拌上面粉，揉、搅、搓、抖均匀，摊在木屉上，放在锅里蒸熟。出锅后，用熟油拌了，便用碗盛着，整碗整碗地吃，拌着一碗玉米糁子熬煮的稀饭，可以省下一两个馍来。母亲似乎从我有记忆能力时就擅长麦饭技艺。她做得从容不迫，干、湿、软、硬总是恰到好处。我最关心的是，拌到苜蓿里的面粉是麦子面儿，还是玉米面儿。麦子面儿俗称白面儿，拌就的麦饭软绵可口，玉米面拌成的麦饭就相去甚远了。母亲往往会说，白面断顿了，得用玉米面儿拌；你甭不高兴，我会多浇点儿熟油。我从解知人言便开始习惯粗食淡饭，从来不敢，也不会有奢望寄予；从来不会要吃什么或想吃什么，而是习惯于母亲做什么就吃什么，没有道理，也没有解释，贫穷造就的吃食的贫乏和单调是不容选择或挑剔的，也不宽容、娇气和任性。

麦子面拌就的头茬苜蓿蒸成的麦饭，再拌进熟油，那种绵长的香味的记忆是无法泯灭的。

按照家乡的风俗禁忌，清明是掐摘苜蓿的终结之日。清明之前，任何人家种植的苜蓿，尽可以由人去掐去摘，主人均是一种宽容和大度。清明一过，便不能再去任何人家的苜蓿地采掐了，苜蓿要作为饲草生长了。

苜蓿之后，我们便盼着槐花。山坡和场边的槐花放白的时候，我便用早已备齐的木钩挑着竹笼去采捋槐花了。

槐花开放的时候，村巷屋院都是香气充溢着。槐花蒸成的麦饭，另有一番香味，似乎比苜蓿麦饭更可口。这个季节往往很短暂，家家男女端到街巷里来的饭碗里，多是槐花麦饭。

按照今天已经开始青睐绿色食品的先行者们的现代营养意识，我便可以耍一把阿 Q 式的骄傲，我们祖宗比你阔多了，他们早早都以苜蓿、槐花为食了。

到了难忘的 20 世纪 60 年代，家乡的原坡和河川里一切不含毒汁的野菜、野草，包括某些树叶，通通都被大人小孩挖、掐、拔、摘、捋回家去，拌以少许面粉或麸皮，蒸了、食了，已经无油可拌。这样的麦饭已成为主食，成为填充肚腹的坐庄食物。男人、女人、老人、小孩都别无选择，漂亮的脸蛋儿和丑陋的黑脸也无法挑剔，都只能赖此物充饥，延续生命。老人脸黄了、肿了，年轻人也黄了、肿了，小孩子黄了、肿了，漂亮的脸蛋儿黄了、肿了时尤为令人叹惋。看来，这种纯粹以绿色野菜野草为食物的实践，却显示出残酷的结果，提醒今天那些以绿色食物为时尚、为时髦的先生、太太们切勿矫枉过正，以免损害贵体。

近日和朋友到西安大雁塔下的一家陕北风味饭馆就餐，一道“洋芋叉叉”的菜令人费解。吃了一口便尝出味来，便大胆探问，可是洋芋麦饭？延安籍的女老板笑答，对。关中叫麦饭，陕北叫洋芋叉叉。把洋芋擦成丝，拌以上等白面，蒸熟、拌油，仍然沿袭民间如我母亲一样的农家主妇的操作规程。陕北盛产洋芋，用洋芋做成麦饭，原也是以菜代粮，变换一种花样，和关中的麦饭无本质差别。不过，现在由服务生用瓷盘端到餐桌上来的洋芋叉叉或者说洋芋麦饭，却是一道菜、一种商品、一种卖价不低的绿色食品，城里人乐于掏腰包并赞赏不绝的超前保健食品了。

家乡的原野上，苜蓿种植已经大大减少。已经稀罕的苜蓿地，不容许任何人涉足动手掐采。传统的乡俗已经断止。主人一茬接着一茬掐采下苜蓿芽来，用袋装了，用车载了，送到城里的蔬菜市场，卖一把好钱。乡俗断止了，日子好过了，这是现代生活法则。

母亲的苜蓿麦饭、槐花麦饭已经成为遥远而又温馨的记忆。

搅　团

家乡灞河川道自古盛产苞谷。由苞谷面儿做的搅团便应运而生，历久不衰，绵延至今。

把新磨下的苞谷面儿，在滚开的铁锅里撒，一边撒着，一边用木勺搅动。顺时针搅一阵子，再逆时针搅一阵子。苞谷面儿要一把一把均匀地撒下去，不匀则容易结成搅不开的干面疙瘩。灶锅底下的火不能灭断，灶下大火烧着，锅里撒着、搅着，紧张而又热烈，一般均需夫妻二人同时搭手默契配合，才能打出一锅好搅团。搅团这种饭食的操作过程，常常可以看到农家夫妻的温情和爱意。夫妻间闹了气儿，男方或女方企图结束冷战状态，便会提议打搅团。在灶下和锅台上近在咫尺的夫妻紧密配合中，搅团打成了，夫妻关系也重修旧好了。

这种搅团，说白了，不过是一锅糨糊。然而，绝对区别于一般的糨糊。一锅用苞谷面打成的糨糊。

一般的糨糊，必须用麦子面打成才黏。苞谷面黏力不足，即使农家主妇双手抱着木柄大勺搅动，那搅团只增加筋道却不甚黏糊。所以，地道的搅团必以苞谷面为原料。麦子面打出的反而真成了糨糊。

苞谷面搅团千家万户的锅里打出来的大同小异，区别在于臊子。最简单的是用好醋、好酱调汤，伴以葱花、蒜泥佐味，有香油滴入自然更好。复杂一点儿的是用臊子浇汤。用荠菜做汤浇到搅团碗里，野味鲜味俱佳。最复杂的臊子，在关中东府如同臊子面的臊子做法一样，肉丁、红白萝卜丁、黄花、木耳等烩成臊子，浇到搅团之上，那是超常享受了。以上均为热搅团。

搅团凉吃亦很别致。用勺舀到可以下漏的竹篮里，轻压、轻挤，搅团便像一条条小鱼或更像蝌蚪一样漏进盛水的盆里。再捞出来，调进酸辣调味品，口感好极了，怀娃娃的孕妇尤好此食。再把搅团凉在案板上，摊平，冷却后切成小块，调了油盐酱醋，作为喝稀饭的佐菜。一边是热烫的苞谷糁子稀饭，一边是冰凉可口的搅团，男女皆好此一热一冷的刺激。还有烩搅团，不再赘述。

无论热吃、凉吃、烩了吃，谁都明白，只是把苞谷这种粗粮变一个花样以图好进口罢了。

少年和青年时期，粗粮为主，苞谷坐庄。苞谷稀饭、苞谷馍馍，一天三顿均为黄颜色的苞谷做成的饭食，民间戏谑：早上苞谷吃，晌午苞谷喝，晚上苞谷把皮脱。搅团便是把难吃的苞谷面儿变一种饭食花样。农村孩子，没有谁能逃躲苞谷饭食的，自然也逃躲不了搅团。

搅团又被乡人戏称“哄上坡”，说它耐不得饥，易消化。肚子吃得膨胀，干活去走到坡上就又饿了。我曾经发过誓，如果能有福分不吃搅团，我将永远不再想它。

当我和乡民都以白面为主食的日子到来时，过了几年，却想吃搅团了，真是不曾料到。随着年岁递增，对这种曾经厌腻透了的饭食更多一层回味与依恋。

到渭南市，作家李康美约我到他家吃饭，我首选搅团。李夫人买来新磨的苞谷面儿，味道真是好极了。

到咸阳市，作家文兰约我吃饭，我仍然首推搅团。文兰又约来作家叶广芩，说她已早有约求，待有搅团吃时一定相告。叶广芩为清室皇家血统，想品尝关中民间饭食，自然除了新鲜，还有体验民情之美意。不料，我等吃得满头大汗、口香腹胀仍不想丢碗筷，叶氏广芩却一脸茫然，感叹：我就一种感觉——猫吃糨子嘛！

陕西作家协会院内有一家搅团专业户，便是文学评论家李星，平均每周至少打一次搅团，从春吃到夏，吃到秋再吃到冬，全以时令蔬菜做汤伴着。我等想吃搅团，便先告知一声，多撒一把苞谷面儿，或是在楼下闻到搅团锅底烧着了的香味，便直接上楼去讨一碗吃。人说，李星写了大半辈子文学评论，打了半辈子搅团。

搅团而今也被开发、被提升到大小饭店的食谱上，卖得一把好价，真是大出我半生之意料，惊疑今天富裕了的人疯了。

火晶柿子

我喜欢柿树。柿子好吃，这是最主要的因由。柿树不招虫害，任何害虫病菌都难以近身，大约是柿树特有的那种涩味构成了内在的天然抗拒，于是便省去了防虫治病的麻烦，也不担心农药残留的后患。柿树又很坚韧，几乎与榆槐等柴树无异，既不要求肥力和水分，也不需要任何稍微特殊的呵护。庭院里可以栽植，水肥优良的平川地里可以茁壮，土瘠水缺的干旱的山坡上、塄畔上同样蓬蓬勃勃，甚至一般柴树也畏怯的红石坡梁上，柿树仍可长到合抱粗。按照习惯或者说传统，几乎没有给柿树施肥浇水的说法。然而果实柿子不失其甘美。

在柿树家族里，种类颇多。最大个儿的叫虎柿，大到可称出半斤。虎柿必须用慢火、温水浸泡，拔去涩味儿，才香甜可口。然慢火的火功和温水的温度要随机变换，极难把握，稍有不当就会温出一锅僵涩的死柿子，甭说上市卖钱，白送人也送不出去。再说这种虎柿还有一个致命的弱点，不能存放，温熟之后即卖即食，隔三天两日尚可，再长就坏了，属于典型的时令性水果。还有一种民间称为义生的柿子，个头也比较大，果实变红时摘下，搁置月余即软化熟透，味道十分香甜。麻烦的是软化后便需尽快出手，或卖钱或送亲友或自家享受，稍长时间便皮儿崩裂、柿汁流出，不可收拾，长途运送都是比较难以解决的问题。再有一种名曰火罐的柿子，果实较小，一般不超过半两，尽管味道与火晶柿子无甚差异，却多核儿，成为重大的弹嫌之弊，所以不被钟爱，几乎遭到淘汰而绝种，反正我已多年不见此物了。只有火晶柿子，在柿树家族中逐渐显出优长来，已经成为独秀柿族的王牌品种了。

火晶，真是一个热烈而又令人富于想象的名字。火是这种柿子的色彩，单一的红，红的程度真可以用“红彤彤”来形容、喻示。我在骊山南麓的岭坡上见到过那种堪称红彤彤的景观，一棵一棵大到合抱粗的柿树，叶子已经落光掉净了，枝枝丫丫上挂满繁密的柿子，红溜溜或红彤彤的，蔚为壮观，像一片自燃的火树。“火晶”名字中的“火”字大约由此而产生，“晶”也就无须阐释或猜想了。把“火”的色彩与“晶”字联结起来，便成为民间命名的高雅一种，恐怕只有民间的智者才会创造出这样一个雅俗共赏的柿子的名字来。

火晶柿子比虎柿比义生柿子小，比火罐柿子大，个重两余，无核。在树上长到通体变成橙黄时摘下来，存放月余便软化熟透，尤其耐得存放，保管得法的农户甚至可以保存到春节以后，仍不失其新鲜甘美的原味。食时一手捏把儿，一手轻轻掐破薄皮儿，一撕一揭，那薄皮儿便利索地完整地去掉了，现出鲜红鲜红的肉汁，软如蛋黄，却不流，吞到口里，无丝无核儿，有一缕蜂蜜的香味儿。乡间小贩摆卖火晶柿子的摊位上，常见蜜蜂“嗡嗡”盘绕不去，可见其诱惑。

关中盛产柿子，尤以骊山为代表的临潼的火晶柿子最负盛名。一种名果的品质决定于水土，这是无法改变的常识。我家居骊山之南，白鹿原原坡之北，中间流着一条倒淌河灞水，形成一条狭窄的川道，俗称灞川，逆水而上经蓝田约五十里进入王维的辋川。由我祖居的老屋涉过灞水走过平川登上骊山南麓的坡道，大约也就半个小时。水土和气候无大差异，火晶柿子的品质也难分上下，然而形成气候、形成品牌的仍然是临潼。

大约是“文革”后期，诺罗敦·西哈努克亲王携妻引子到西安时，参观兵马俑往来的路上，王子发现路边有农民摆的火晶柿子小摊，问及此果，陪随人员告之。回到西安下榻处，有心的接待人员已经摆放好一盘经过精心挑选的火晶柿子，并说明吃法。王子生长在热带，未见过亦未吃过北方柿子并不足怪，恰是这种中国关中的火晶柿子令其赞赏不绝，直到把一盘火晶柿子吃完，仍然还要，不管斯文且不说了，连陪随人员的劝告（食多伤胃）也任性不顾。果然，塞了满肚子火晶柿子的王子到晚上闹起肚子来，引起各方紧张，直接报告北京有关领导，弄出一场虚惊。王子虽然经历了一个难受的夜晚，离开西安时仍不忘要带走一篮火晶柿子。

这个真实的传闻流传颇广。在关中普通到不能再普通的柿子，竟然上了招待外宾的果盘，而且是高贵的王子，确实令当地人始料不及。想来也不足奇，向来都是物以稀为贵的。20 世纪

80 年代中期，我到与临潼连界的蓝田县查阅县志时发现，清末某年，关中奇冷，柿树竟然死绝了。我得到一个基本常识，柿树原来耐不得严寒的。但那年究竟“奇冷”到怎样的程度，却是无法判断的，那时怕是连一根温度计也没有。到 20 世纪 90 年代头上，我在原下的祖屋写作《白鹿原》的时候，这年冬天冻死了一批柿树，我至今记得这年冬天的最低温度为零下十四摄氏度，持续了半个月左右，这是几十年来西安最冷的一个冬天。村子里许多农户刚刚挂果的葡萄通通冻死了，好多柿树到春末夏初还不发芽，人们才惊呼柿树被冻死了。我也便明白，清末冻死柿树的那年冬天“奇冷”的程度，不过是零下十几摄氏度而已。

编志人在叙述“奇冷”造成的灾害时，加了一句颇带怜悯情调的话，曰：柿可当食。我便推想，平素当作水果的柿子，到了饥馑的年月里，就成为养生活命的吃食了。确凿把柿子顶做粮食的事发生在 20 世纪 60 年代初的“三年困难”时期，及十年“文革”之中，临潼山上的山民从生产队分回柿子，五斤顶算一斤粮食。想想吧，作为口福消遣的柿子是一种调节和品尝，而作为一日三餐的主食，未免就有点儿残酷。然而，我又胡乱联想起来，被当地山民作为粮食充饥的柿子，在西哈努克王子那里却成为珍果，可见人的舌头原本是没有什么天生贵贱的。想到近年某些弄得一点儿名堂的人，硬要做派出贵族状，硬要做派出龙种凤胎的不凡气象，我便担心这其中说不准会潜伏着类似火晶柿子的滑稽。

我在祖居的屋院里盖起了一幢新房，这是 20 世纪 80 年代中期的事，当时真有点儿“李顺大造屋”的感受。又修起了围墙，立了小门楼，街门和新房之间便有了一个小小的庭院。我便想到栽一株柿树，一株可以收获火晶柿子的柿树。

我的左邻右舍及至村子里的家家家户，都有一棵两棵火晶柿树，或院里或院外；每年十月初，由绿色转为橙黄的柿子便从墨绿的树叶中脱颖而出，十分耀眼，不说吃吧，单是在屋院里外撑起的这一方风景就够惹眼了。我找到内侄儿，让他给我移栽一棵火晶柿子树。内侄慷慨应允，他承包着半条沟的柿园。这样，一株棒槌粗的柿树便植栽于小院东边的前墙根下，这是秋末冬初最好的植树时月里做成的事。

这株柿树栽下以后，整个前院便生动起来。走出屋门，一眼便瞅见高出院墙沐着冬日阳光的树干和树枝，我的心里便有了动感。新芽冒出来，树叶日渐长大了，金黄色的柿花开放了，从小草帽一样的花萼里托出一枚枚小青果，直到缀满枝丫的红灯笼一样的火晶柿子在墙头上显耀……期待和祈祷的心境伴我进入漫长的冬天。

20 世纪 50 年代初我读小学时，后屋和厦房之间窄窄的过道里有一株火晶柿树，若小碗口粗，每年都有一树红亮亮的柿子撑在厦房房瓦上空。我于大人不在家时，便用竹竿偷偷打下两三个来，已经变成橙黄的柿子仍然涩涩的，涩味里却有不易舍弃的甜香。母亲总是会发现我的行为，总是一次又一次斥责，你就等不到摘下搁软了熟了吗？直到某一年，我放学回家，突然发现院里的光线有点儿异样，抬头一看，罩在过道上空的柿树的伞盖没有了，院子里一下子豁亮了。柿树被齐根锯断了。断茬上敷着一层细土。从断茬处渗出的树汁浸湿了那一层细土，像树的泪，也似树的血。我气呼呼问母亲。母亲也阴郁着脸，告诉我，是一位神汉告诫的。那几年我家灾祸连连，我的一个小妹夭折了，一个小弟也在长到四五岁时夭亡了，又死了一头牛。父亲便请来一个神汉，从前院到后院观察审视一番，最终瞅住过道里的柿树说：把这树去掉。父亲读过许多演义类小说，于这类事比较敏感，不用神汉阐释，便悟出其中玄机，“柿”即“事”。父亲便以一种泰然的口吻对我说，柿树栽在家院里，容易生“事”惹“事”。去掉柿树，也就不会出“事”了。我的心里便怯怯的了，看那锯断的柿树茬子，竟感到了一股鬼气妖氛的恐惧。

没有什么人现在还相信神汉巫师装神弄鬼的事了，起码在“柿”与“事”的咒符是如此。因为我的村子里几乎家家户户的院里门外都有一株或几株柿树。人在灾变连连打击下便联想到神的惩罚和鬼的作祟，这种心理趋势由来已久，也并非只是科学滞后的中国乡村人独有，许多民族，包括科学已很发达的民族也颇类同，神与鬼是人性软弱的不可避免的存在。我在前院栽下这棵柿树，早已驱除了“柿”与“事”的文字游戏式的咒语，而要欣赏红柿出墙的景致了。漫长的冬天过去了。春风日渐一日温暖起来。我栽的柿树迟迟不肯发芽。

直到春末夏初，枝梢上终于努出绿芽来。我兴奋不已，证明它活着。只要活着就是成功，就有希望。大约两个月之后，进入伏天，我终于发觉不妙，那仅仅长到三四寸长的幼芽开始萎缩。无论我怎样浇水、疏松土壤，还是无可挽回地枯死了。

这是很少有的现象，我喜欢栽树，不敢说百分之百成活，这样的情况确实极少发生。这株火晶柿子树是我尤为用心栽植的一棵树，它却死了。我久久找不出死亡的原因，树根并无大伤害，树的阴阳面也按原来的方向定位，水也及时适度浇过，怎么竟死了呢。问过内侄儿，他淡淡地说，柿树是很难移栽的，成活率极低。我原是知道这个常识的，却自信土命的我会栽活它。我犯了急功近利、轻易求取成功的毛病，急于看到一棵成景的柿树。于是便只好回归到最老实之点，先栽软枣苗子，然后嫁接火晶柿子。

一种被当地人称作软枣的苗子，是各种柿树嫁接的唯一的砧木。软枣生长十分泼势，随便甚至可以说马马虎虎栽下就活了。我便在小院的西北角栽下一株软枣，一年便长到齐墙的高度。第二年夏初，请来一位嫁接果树的巧手用俗称热粘皮的芽接法一次成功，当年冒出的正儿八经的火晶柿子的新枝，同样蹿起一人高。叶子大得超过我的巴掌，新出的绿色的杆儿竟有食指粗，那蓬勃的劲头真正让我时时感知初生生命的活力。为了防止暴风折断它的尚为绿色的嫩杆，我为它立了一根木杆，绑扶在一起，一旦这嫩杆变成褐黑色，显示它已完全木质化了，就尽可放心了。我于兴奋鼓舞里独自兴叹，看来栽成树走捷径还是不行的。这个火晶柿子树的起根发苗的全过程完成了，我也就留下了一棵树的生命的完整印象，至今难以忘怀。

这株火晶柿树后来就没有故事了。没有虫害病菌侵害，在院里也避免了牛马猪羊的骚扰，对水呀肥呀也不讲究，呼呼啦啦就长起来了，分枝分杈了，长过墙头了，形成一株青春活力的柿树了。这年冬天到来时，我离开久居的祖屋老院迁进城里去，一年难得回来几次。有一年回来正遇着它开花，四方卷沿的米黄色小花令人心动，我忍不住摘下两朵在嘴里嚼着咽下，一股带涩的甜味儿，竟然回味起背着父母用竹竿偷打下来的生柿子的感觉。

今年春节一过，我终于下定决心回归老家，争取获得一个安静吃草、安静回嚼的环境。我的屋檐上时有一对追逐着求偶的“咕咕咕”叫着的斑鸠。小院里的树枝和花丛中常常栖息着一群或一对色彩各异的鸟儿。隔墙能听到乡友们议论天气和庄稼施肥浇水的农声。也有小牛或羊羔蹿进我忘了关闭的大门。看着一个个忙着农事、忙着赶集售物的男人、女人毫不注意修饰的衣着，我常常想起那些高级宾馆车水马龙、衣冠楚楚、口红眼影的景象。这是乡村，那是城市，大家都忙着，大家都在争取自己的明天。

我的柿树已有碗口粗了。我今年才看到了它出芽、开花、坐果到成熟的完整的生命过程。十月初，柿子日渐一日变得黄亮了，从浓密的柿树叶子里显现出来，在我的墙头上方，造成一幅美丽的风景。我此时去了一趟滇西，回来时，妻子已经让人摘卸了柿子。

装在纸箱里的火晶柿子开始软化。眼见得由橙黄日渐一日转变为红亮。有朋自城里来，我使用竹篮盛上，忍不住说明：这是自家树上的产物。多路客人无论长幼、无论男女，无不惊叹这火晶柿子的醇香，更兼着一种自家种植收获的乡韵。看着客人吃得快活，我就想起一件有关火晶柿子的逸事。某年参加一个笔会，与一位作家朋友聊天，他说某年到陕西参观兵马俑的路上品尝了火晶柿子，尤感甘美，临走时又特意买了一小篮，带回去给尚未尝过此物的南方籍的夫人。这种软化熟透的火晶柿子稍碰即破，当地农民用剥去了粗皮的柳条编织的小篮儿装着，一层一层倒是避免了挤压。他一路汽车、火车，此物不能装箱，就那么拎着进了家门，便满怀爱心献给了亲爱的夫人。揭开柳条小篮，取出上边一层红亮亮的柿子，顿觉情况不妙，下边两层却变成了石头。可以想象他的懊丧和生气之状了。事过多年和我相遇聊起此事，仍然火气难抑，末了竟冲我说，人说你们陕西人老实，怎么这样恶劣作假？几个柿子倒不值多少钱，关键是让我几千里路拎着它，却拎回去一篮子石头，你说气人不气人？这在谁都会是懊丧气恼的，我却调侃道，假导弹、假飞船没准儿都弄出来了，陕西农民给柿篮子里塞几块石头，在造假行业里，只能算是启蒙生或初级水平，你应该为我的乡党的开化而庆祝。朋友也就笑了。我随之自我调侃，你知道我们陕西人总结经济发展滞后的原因是什么吗？不急不躁，不跑不跳，不吵不闹，不叫不到，不给不要，所谓关中人的“十不”特性。所以说，一个兵马俑式的农民用当地称作料姜石（此石特轻）的石头冒充火晶柿子，把诸如我所钦敬的大城市里的名作家哄了、骗了、涮了一回，多掏了他几枚铜子，真应该庆祝他们脑瓜里开始安上了一根转轴儿，灵动起来了。

玩笑说过也就风吹雨打散了。我却总想着那些往柳条编的小篮里塞进冒充火晶柿子的石头的农民乡党，会是怎样一种小小的得意……

娲氏庄杏黄

蓝田朋友老曾打电话来，说岭上杏黄了，约我去摘杏吃杏。听这话时，心里已沁出酸水来，因为手头事情太多，一时难以确定成行与否，只好把话说到活处。隔几日，老曾又打电话来，杏熟正到洪期，过三几日该清园了。我终于经不住记忆里的大银杏的诱惑，决定上岭去，又有酸水沁出来，完全是生理反应。

村子后背的崖坡上，东头有一株粗大的银杏树，西头也有一株。从杏儿在刚刚萎干的杏花里形成如小拇指大小，绣着一层茸茸细毛，我和伙伴就开始偷摘了，咬一口就酸得龇牙咧嘴、睁不开眼睛，仍然还是要偷摘；在树的女主人尖锐的叫骂声中，迅即逃遁到坡沟里隐蔽起来，嘻嘻哈哈品尝那酸过醋精的小杏儿。到我成年后成为基层干部，有年夏天到盛产杏子的一个村子去帮助收麦子，生产队长曾领我到一棵最好的杏树下，几乎吃饱了肚子，实在忍不住这大银杏清香绵甜味道的引诱，中午饭都免吃了。三十多年过去，留在味觉记忆里的香味，再也没有重得享用的机会。

大清早起来，空气都是燥热的。城里燥热，家乡的田野里也燥热，毕竟是接近夏天了。汽车在我最熟悉不过，也亲近不过的灞河川道里疾驰，满眼扑来绿树和绿草，以及刚刚割过麦子在阳光下闪闪泛着亮光的麦茬地，怎么看都觉得舒服。这种舒悦是潜存在生命深层的每一根神经里。除了父母和医院，我睁开眼睛看到世间的第一道风景，就是割过麦子后留在土地上的麦茬子，被夏天的太阳晒得闪闪发亮，还有河川灌渠上一排排优雅傲然的白杨树。几十年里年年都重新温习、反复观赏这河川和岭坡上的景致，在心灵深处铸成一种永久的油画，只是近年间隔断了。今日又触及了，搞不清是眼前的景致融汇到心底，还是心底的那幅油画铺展到眼前的天和地之间，我却是陶醉了，发亮的无边际的麦茬和碧绿的白杨树，引发的是久违的生命本能的舒悦。乡情何止一杯酒所能比拟。

车子拐上岭坡通直的乡间公路。在遇到第一个村子时又拐向西。村子里一幢幢红砖红瓦的新房子，还有两层小楼，迎面的墙壁多用白色和橘红色瓷片装饰，在庄前屋后的椿树、槐树、桐树和杏树的绿荫里，看去煞是鲜艳、煞是清爽。在新房和小楼背后的黄土崖下，面对那层层叠叠的岭坡环抱的谷地，吸着弥漫在温热的空气里的杏花的清香，席地而坐，打开了啤酒瓶。那是我最温馨的一次春游。我那时就想到这漫坡满岭杏黄的时节，再来尝一回刚刚摘下的杏子，不料几十年过去，到今天才成行了。我走进了盛产大银杏的娲氏庄。

娲氏庄在红河谷延伸过来的谷地的南岸。娲氏庄以女娲名字得名，现在无人能说得清是从哪朝哪代启用这个村名的。村子的西北是开阔的谷地，四面再大的暴风刮到这谷地时，都会减弱其暴力而温柔起来，确属一块天然的风水宝地，七八千年前的女娲选择这块地盘，哺养她繁衍的和用泥土抟造的儿女是有道理的。这方岭坡地带整个都弥漫着人类始祖的美丽神话。下了谷底，上了对岸的岭坡，一直向北走，不过三十里地就是闻名天下的骊山下的秦始皇陵墓了，我现在摘杏的娲氏庄，是骊山南麓的边缘，整个骊山浑然一体无所间断。

北边的山顶上有“人祖庙”，是秦汉以前始建的女娲祠，每年农历七月十五,四面八方的乡民都来朝拜，多为成年女性，依然向这位抟土繁衍了华夏民族的女神乞求一个大胖大壮的儿子。人们广泛知晓骊山下杨贵妃沐浴的香池，也知道周幽王烽火戏诸侯丢失江山的典故，更知晓杨虎城和张学良在这儿扣蒋发动西安事变的故事，却忽略了女娲氏在这方山地岭坡上抟土造人和炼石补天的神话。我到女娲的村庄里摘杏来了，我踩踏的村巷和坡地上的黄土小路，我走进的杏园里的松软的土地，肯定是这位老奶奶无数次奔走踩踏过了的。还有比这更幽远更神秘的岭坡吗?

得了山水地脉独有的优势，娲氏庄的大银杏是口味最好的杏子，左右的或对面岭上坡下的村庄，不过三五里或几十里，都是铺天盖地的杏林，为何娲氏庄的银杏远近传出了名声？据说还是土地和地下水的差异，还有光照的差别，再就是沾着女娲氏的神韵仙气了。娲氏庄银杏出名，不是商业宣传的效应，而是早已名声远播，起码在我小小年纪就听说了，早已有口皆碑了。眼目所到之处，尽是大大小小的杏树，岭坡被层层叠叠的杏树覆盖着；屋院内外都是杏树，金黄的杏子在绿叶里显露出来；墙外的杏树把枝条伸进院子，院里的杏树的枝条又逸出墙头来，枝条上都串结着半黄的和金黄了的杏子。

走出村子，下一道坡坎，沿一条铺满青草的小径走过，草木的清香和杏子的香味在微风里掠过。小路上有男人和女人推着用大竹笼装满银杏的独轮车走过，汗涔涔的脸上堆满真诚的笑，大声爽气地礼让我和朋友吃杏。几经转弯，走到一棵大杏树下，树冠遮盖了至少一分多地的山坡，树干已有空洞，枝叶却依旧茂盛，壮气而又精神，不显一丝衰老气象。老人说这棵杏树已超过百年，记不清是哪代先人栽植的了。我相信他的话，两人合抱的树干就摆在这里。我惊讶的是这株杏树的活力。杏子已经黄了、熟了。主人颇为遗憾地说，他刚刚摘掉树顶上的杏子，只剩下中下部树股树枝上尚未熟透的杏子。杏子是从树梢往下逐渐成熟的。我坐在杏树下，浓密的树叶遮挡着六月的阳光，一片让人可以享受树荫的凉爽。你可以在这个世界上接受诸多的现代享受，也可以获得前人想象不出的快意乐趣，却难得这种原始的树叶遮盖下的一方阴凉儿的享受。远处是不尽的群山岭坡，眼前是随着地势起伏着的杏园里的绿叶，坡坎上正竞相开放着的野萝卜、野豆荚的白色和紫色的花。我坐在一棵百年大银杏树荫下，享受山野里大太阳下的一种清凉，似乎回到我青壮年以前的天地里的生活方式和歇息方式。我没有拒绝现代文明生活的矫情，却在重温以往的那种生活形态里除了苦涩，只留下简单的温馨和单纯。我已经很久没有在山野里的树荫下独坐和吸烟的那一份纯净到简单的心境了。

主人攀上一架梯子，从树上摘下几个杏子来。我捏在手里，凭感觉就知道它熟透了，通体金黄，轻轻掰开，就是鲜黄近红的杏肉，略停片刻，凹心里便沁出一汪杏汁来，用舌尖舔一点儿，那种清香的甜味真是无可形容、无可比拟，因为它是独有的唯一的银杏的香味，何况又是久负盛名的娲氏庄大银杏。只觉得清凌凌的蜜一样的水汁，和着杏肉，入到口里，已渗入到心肝脾脏里去了。主人在骄傲地宣扬他的杏，干净无染，尽可以放心吃。我完全相信，杏树无病虫害，四季不洒任何化学成分的药物。况且这岭坡山洼，没有一家工厂，不见任何有害气体和煤烟，甚至连尘土也很难飞扬。我贪婪地连续吃着，大约把多年以来的亏欠一次性补偿了。

这位拥有百年大树的主人是一位智者，又是一位热心公众利益的富于威望的老者，他把村子里的农民联合起来，组织了一个果农协会，扩大宣传，统一包装，吸引来不少客商，不用推车挑担到城里沿街串巷去叫卖，城里的果品商人开着汽车到村里来收购。还有大批的城里人结伴来摘杏买杏，既体验了自摘鲜杏的情趣，也到山野里怡悦性情。一位年轻干部悄悄告诉我，经过挑选分类，再经过印刷精美的盒子包装，银杏的价值成倍提升，村民自然高兴了。华胥镇政府几年来在岭坡地带搞银杏基地建设，娲氏庄银杏已打出名声，农民见着实惠，仅留一点儿土地种植粮食作物作为自食，绝大多数土地都栽植大银杏树了。据说他们近年来一亩地杏树的收入，抵得上十亩麦子的价值。真应了乡村自古就流传着的谚语：一亩园，十亩田。娲氏庄和岭上的乡民，真没料想到指靠杏子可以过上舒坦的日子。

朋友老曾约我明年再来。我便开玩笑说，我明年到岭上来种植杏园，你帮我物色一块好地，把写作重置于业余。

回家折枣

在巷子的水果摊上看到红枣摆上来，自然想到又到枣月了，也自然想到该回家折枣了。妻子肯定也知道了枣子开始上市，催促我说，抽空回家折枣。在关中乡村，一般不说“摘”字，凡用“摘”字的地方，大多数时候用“折”，譬如折豆荚、折桑叶、折棉花等，摘一切水果都说“折”。

“在我的后园，可以看见墙外有两株树，一株是枣树，还有一株也是枣树。”这是鲁迅《秋夜》开篇的绝句。我已记不得什么年纪读的，却记得是一遍成诵，自此便把一缕无尽的意味绵延到现在，也把一种文字的魅力绵延到现在。在我的前院、中院和后院，栽了七八种树，有南方和北方的两种白玉兰、粉红色的紫薇、黄色的蜡梅、紫荆花树有红白两株、石榴树、火晶柿子树，还有三株枣树，都是我十余年间先后栽植的。几种花树依着各自的习性在不同季节开花，柿树和枣树也都挂果。每当花开或果熟时月，得空回到原下老屋小院，或尝花闻香，或攀枝折果，都是一种难以表达的清爽和愉悦。今天又要回家折枣了。虽然都是面对自家院子里的枣树，我已很难体验鲁迅先生在“风雨如磐”的“秋夜”里的那种忧思的情境了。

正是秋高气爽的好季节。树依旧很绿。天空是少见的澄澈和透碧。可以看到远方影影绰绰起伏着的秦岭的轮廓。左手的北岭和右手的南原沉静地摆列在两边，清晰透彻，不时现出掩蔽在村树里的一角红瓦屋脊或一方净白的檐墙。路两边的樱桃园里显示着收获过的败落和冷寂。这条在我生活历程中走得最多，也最熟悉的回家的土路，却从来都不曾发生熟悉里的厌倦，视力触摸到任何一个角落，都会在昨天的记忆里泛出新鲜的差异性意味来。夏收后泛着白光的麦茬地，采摘樱桃时不慎攀折断了的枝条，从路边野草丛中突然蹿飞的野鸡，都会把我在城市楼房里的所有思绪排解到一丝不剩，还有乡野的风对城市的污染空气的排除与置换。

进得我原下的村子，再踏进村子里我祖居的院子，先来到柿树下。缀满枝头的柿子，深绿渐变为浅绿，尚不到成熟的时月，似乎比往年结得稀了。穿过前屋到了中院，扑面而来就是满树的枣子了。今年的枣子结得不少了，细软的枝条不堪重负，一条一条垂吊下来，像母亲过去挂在明柱上的蒜辫儿。且不说品尝吧，单是看见这缀满枝条的枣子，就令当初栽树的我有一种实现期待、收获果实的无以名状的舒悦和幸福了。枣子已从绿色蜕变出鲜亮的乳白，果皮上有一坨一丝紫红色，尚未熟透到通体变成红色，完全可以折来品尝了。这种枣子比红透的枣子更脆、更甜、更有水津味儿。东墙根下一株，西墙根下两株，都把蒜瓣似的枣子展现在我的眼前，一派来自土地结晶而成的鲜活，一派无遮无喧亦无言的丰盛，真是让种植它的我感受、体验到无与伦比的欢欣了。亲友已搬来梯子。我听到一声吃枣子的咔嚓的脆响，还有对枣子美味的欢叫声。

大约七八年前，我在早春的时候回家，路过一个业已城市化了的乡村，正逢着传统的庙会，顺便到会场去溜达，那到处都摆着乡村人生产和生活的用品，庙会已无庙无神可敬，纯粹变成商品交易市场了。到处都摆着树苗，北方乡村适宜种植的柴树、果树和花树秧子成捆成捆地堆放在路边，我总是忍不住在那些有树秧的摊儿前驻足停步，总是在抚摸那些树秧嫩杆的时候忍不住心动，绝不弱于面对稿纸拔开笔帽时的冲动和激情。也许是自小跟着喜欢栽树的父亲受到的影响，也许是应了一个乡村“半迷儿”卦人给我算就的木命，我确凿爱栽树。和我一起溜达的妻子更喜欢那些民间编织的生活用品，装馍用的竹篮和装筷子的箸笼儿，还有装提水果的竹编长条笼。她不时拽我并提醒我，不要再买任何树苗了，屋前院内再找不到栽树的空地了。其实我心里也明白，能容得我栽树的地皮，只有老家庄前屋后和小院里那几分庄基地了，早被我栽得满满当当的了。不经意间，碰见一位老相识，他也曾弄过文学，却仍然在乡间种地，还在业余写着剧本。我看见他就有说不出口的话，城里有十余家专业剧团，或排场或别致的舞台整年都晾着，一年也敲响不了几回梆子、锣钹，你把剧本写给鬼演呀！他的架子车厢里放着一捆打开的枣树秧子，是他培育的一种新品种，比普通枣子个儿大，口感更脆、更甜，名曰梨枣，却与梨不相干。他卖得很好，满满一车只剩下半捆了。他一边给我说他正在写作的剧本，一边往我手里塞枣树秧子。他知道我乡下有屋院。再三谢辞不掉，我便拿了三株梨枣回家，下决心把中院一株老品种的樱桃和一株太泼也太占地盘的花树挖掉，给这三株枣树腾出空位。令人惊诧的是，这枣树一年就长到齐墙头高了。直到这枣树秧委实出脱成茁壮的枣树，而且挂了果，赠我枣树的朋友打电话说，他的剧本早已写完，请几位高手名家看过，都在说写得不错的同时，也都说着遗憾。不是剧本能不能排，而是专业剧团根本就不排戏演戏。他问我能不能帮忙想点儿办法。我不仅没有办法可支，连安慰他的话都说不出口。

到新世纪到来时，我终于下决心回到乡下久别的老宅新屋住下了。枣树是我的院子里最晚发芽的树。当那嫩芽在日出日落的日子里蓬勃出鲜绿的叶子，我发现了短短的叶柄根下的花蕾，不过小米粒大小，绣成一堆。我在那个早晨的心情顿然变得出奇地好。每天早晨起来，我都忍不住到枣树下站一会儿，看那小米粒似的花蕾的动静。直到有一天早晨，我刚走到屋檐下，便闻到一缕奇异的香气儿，凭直觉就判断出枣花开了。小米粒似的花苞绽放开来的花儿自然不起眼，比小米的黄色浅些，接近于白色，香味却很浓郁，枝条上稀稀拉拉的枣花，却使整个小院都弥漫着清香。蜜蜂先我绕着枣树飞舞了。枣花蜜是蜂蜜中的上品。

眼看着那枯萎的枣花里挣出一只枣子来，恰如刚落生的婴儿，似乎可以听到那进入天地之间的啼哭。小米粒大的枣子，似乎一夜或两夜之间就长到扁豆粒大了、豌豆粒大了、花生粒大了，最后就定格在乒乓球那般大小了，个别枣子竟然有柴鸡蛋的个头。在桌子前、在椅子上坐得久了，无论读着什么或写着什么，走出屋子走到枣树下，看着隐蔽在枝杈叶丛里的青枣，那正在你眼皮下丰满和长大的果实，一种蓬勃的生命的活力便向人洋溢着。枣子青绿的颜色，在我日复一日的注视下，渐渐淡了，泛出乳白色了，又浮出一丝一坨的紫红，它成熟了。我折下最先显出红色的一颗，咬了一口，便确信是我有生以来吃到的最好一颗枣子了。这枣子皮薄肉细，又脆，满口竟有一股蜂蜜味儿。我便不忍心再吃第二颗，留给家人品尝，也留给那些从城里跑到乡下来找我的朋友享一回口福，让他们知道还有这样好吃的枣子。我给他们宣布政策，每人只能品尝一颗。无论年轻朋友，还是德高望重的老教授，都是咬下一口便禁不住声地赞叹起来。我便相信我的口感不粘连栽种者的偏爱因素，也毫不动摇地拒绝要吃第二颗的申求——总共大约只结了六七十颗，该当让更多的远道来客添一分情趣……后来几年的枣子，结得多了、繁了，味道却大不如头一年。今年是前所未有的丰年，味道更差了，有点儿干巴。我心知肚明，肯定是干旱造成的。没有办法，我住了两年又离开原下的院子，一年来不了几回，枣子在每年伏天的旱季能保存不落，已属幸事了。

我已经不太在意枣子的多少和口味的差别了。我只寻找折枣的过程。常常庆幸得意我尚有一坨可以栽植枣树的院子，以及折枣、折柿子的机会。这心理往往是瞅见城里人悬在空中阳台上盆栽的花草而生发的。他们已无可以栽一株树或一窝花的土地，只能栽在盆里、悬在楼房的阳台上。我在被晒得烫烧脚心的水泥路和被油气污染的空气里憋得透不过气时，得空逃回乡下的屋院，拔除院子疯长的草，为柴树、花树和果树浇一桶水，在树荫里、在屋檐下喝一瓶啤酒，与乡党说几句家长里短的话，尤其是回来折一回枣儿，心里顿然就静泊下来了。

今年回了家，折了一回枣。明年还回家折枣。

漕渠三月三

一

从京城来的三位电视记者向我提出，要拍陕西地方戏秦腔演出的盛况，还想拍关中民间的文化娱乐方式。我真有点儿犯难了，据我所知，秦腔作为西北五省，尤其是陕西关中地区的名牌大戏种，至少在十年前就已经退出了西安各家剧院的舞台，包括一些大腕级的名角也都流落到适时而兴的“秦腔茶社”里去被尚有秦腔戏瘾的人点唱，原先几乎每个县都有的秦腔剧团的演员们也都流散了，说来真是令人伤感的。如我一样还喜欢听听秦腔旋律、品品秦腔韵味儿的人，要想在西安某家剧院看一场名家大腕的演出，还是很难觅到机会的。至于民间的文化活动，他们三位来得也不是时候，清明都过了，民间文化娱乐集中展示的春节的气氛，早已冷却了，农民们已经从春节的欢乐和慵怡中清醒过来，进入田野、果园，开始新的一年的劳作了。然而三位远道而来的记者仍不死心，让我再想想办法，再三申述作为这个专题片的地方文化氛围和土壤是不可或缺的。

真是天无绝人之路。区文化馆一位搞摄影的朋友不经意间告诉我，渭河岸边的漕渠村农历三月三日适逢古庙会，有秦腔剧团的演出，有当地青年男女的秧歌表演，有邻近几个村庄的锣鼓队凑兴。遗憾的是高跷被取消了，据说出于安全的考虑，怕人群过于拥挤而摔伤了表演的人。三位北京来的年轻记者闻讯竟欢呼起来，真是应了“起得早不如赶得巧”的俗话。这样一来，关于秦腔演出和地方文化娱乐特色的东西便全部都可以得手了。

三月三日一早，我便陪三位年轻人上路了。我所生活的白鹿原下的灞河川道，其实只是渭河平原的边缘地带，南岸是古原的北坡，北岸是骊山南麓纵横起伏的丘陵或者说山岭，中间蜿蜒着以柳色愉悦缠绵过古代离人的灞河。车行不过十余公里，便驶出虽然原青岭秀，却也显得狭窄的河川，进入坦荡如砥、气势恢宏的渭河平原了。那情景如同从一个细杆喇叭里钻出来，进入一个四野再无遮拦的令人舒展，也令人惊悸的开阔境地。这是我跟着班主任到灞桥赶考初中第一次走出灞河河川时发生的感受。这种纯粹由地理地形造成的心理感受，一直延续到今天，重复到现在。每一次走出家乡灞河川道时都像钻出喇叭细杆儿，每一次回乡也就有从敞开的喇叭口里钻进细杆的感觉。我喜欢走出那个细杆儿似的河川，享受无边原野的气度和舒展，也更喜欢重新进入那个狭窄的灞河河川，感受南原北岭动态的生动和变幻莫测的气象，甚至包括那一份狭窄造成的拘束。钻进来拘束一段时日，钻出去舒展畅放一回，我的心理秩序和心理感受便处于某种动态的颠簸里，自我感觉真是好极了。

无边无际的麦子刚刚努出穗儿来。满眼都是饱满丰腴的青春的绿色，成熟的含羞带娇的女子就是这种气韵。笼罩着村庄的泡桐织成一片又一片淡紫粉红的花云。天虽然阴沉着，依然罩不住大地青春的气象。

我要到漕渠村去赶三月三日的庙会了。我的心里竟然激动起来了。我已经有许多年没有进入这种关中农民狂欢的庙会场合了。我在少小时候接受过狂欢的场景留下难以磨灭的记忆。现在的乡村庙会与我过去逛过的庙会的气氛会有什么变化吗？淡了还是浓了？三位京城来的年轻的文化人，至少怀着一种猎奇的兴奋，在我则是对一种古老仪式的温习和膜拜。大约还有一公里的路程，我听到了一声火铳的震响，像是远天云层里奔突的沉闷而又撼人心腑的雷声。火铳是一种最具声威最具张力的爆响器，它蕴聚鞭炮家族炸响时的热烈之外，便是深沉如地震的震撼。这应该是民间庆典或狂欢场合里最具煽动性的响器了。即使极阴郁寡淡的人，也会在火铳的爆响里昂起头来。

二

庙会是漕渠村的庙会。

漕渠村在一道浅坡下。漕渠村是个大村子，自古就是一个大村子。村里有一座古庙，供奉着佛家的一位神灵，何年建庙何年立神已经无考，所有关于庙堂的文字典籍，以及庙堂内栩栩如生的神像、精美的壁画和梁栋上的彩绘，都被后来屡屡发生的一次火过一次的“革命行动”扫荡净尽了，后来连三月三日的古庙会日也被禁止了多年。古庙能够存留下来是一个奇迹，说穿了却属无意，仅仅是贫穷的生产队需要用它做库房而没有被摧毁。有形的东西破坏或消灭十分容易，只有无形的传说却能依赖当地人的嘴巴流传下来。可以推断的是，三月三日的庙会是建庙之初就择定了的，庙会的历史也就是古庙的历史，同样是悠久古远得不能再古远悠久了。还可以推断的是，建庙立神的最基本也是最原始的用意，便是崇拜，或者说是寻求和平安宁所需要的一个祈祷偶像。于是，在渭河南岸广阔的沃野和星罗棋布的大小村庄之中，便形成了以这个古庙为中心的朝拜圣地，三月三日便成为十里百村乡民寄托祈愿和狂欢的盛日。

漕渠村村庄的历史肯定比古庙的历史更为久远，这是常识而毋庸置疑的。一个漕字已注释了这个村子令人敬畏的历史。西汉王朝设都长安，为解决急骤繁荣、急骤膨胀的城市吃粮问题，开凿了黄河、灞河、渭河连通长安城的一条可以浮船运粮的运河。关中人却称它为渠，可见当地人的自大和狂妄了。为了逛好漕渠村的古庙会，我专意儿查阅了《辞海》。漕渠词条下准确无虞地注释着这样的内容——汉唐时自长安（今西安市）东至黄河的运渠。创始于西汉元光六年（公元前 129 年），在大司农郑当时主持下，发卒数万人，由水工徐伯督率开凿。渠傍南山（秦岭）下，长三百余里，三年而成，漕运大便，渠下民田亦颇得灌溉之利。初以灞水为源，其后凿昆明池，又穿昆明渠使东绝灞水合于漕渠。东汉时尚可通航。北魏时已无水。隋开皇初改自长安西北引渭水为源，浚复旧渠通运，定名广通渠，但习俗仍称漕渠。唐时通时塞。天宝初陕郡太守韦坚、太和初咸阳令韩辽两度修复，壅渭水作兴成堰，傍渭东注至永丰仓（即隋开皇中广通仓，仁寿末改名）下合渭入河，规制略如隋旧。末年迁都洛阳，渠遂堙废。

哦哟！这个漕渠村的历史至少可以前推到公元前129年西汉元光年间，甚至可以设想元光年间开凿漕渠之前这个村子就存在不知多少年了。现在仍保存着这个村庄的子孙们用嘴传留下来的当年的盛况，西汉初年漕渠开凿始成，除了为长安城运输粮食，包括渠下村民农田的灌溉，更有各种商船通过漕渠进出长安，漕渠村当时已形成一个周转码头，南北商贾，车船互转，客店饭馆、买卖铺店，成一时之盛，漕渠村成为渭河南北广大地区的一大商埠。而古庙肯定在几百年后才形成心灵祈祷的圣地，有佛教进入中国的时间限定出来一个大致的历史轮廓。

我在即将进入漕渠村的时候，感到了这个村庄古远的历史对人的威压。如果不是《辞海》作证和指点迷津，纵然在这个村子的古庙会逛过十回，我也只会以为不过是一个普普通通的庙会而已，关中乡村类似的古庙会多不胜逛。从《辞海》的词条里可以看出，漕渠的开凿便形成漕渠村水陆码头的繁荣，而败毁于王朝灭亡之后的乱世；漕渠的再度浚通和漕渠村的重新繁华，又是隋和盛唐的时代，堙废的结局正好是大唐王朝的没落。这条漕渠的兴衰简史，正好注释了从西汉至唐的中国历史的起落，自然可以想见如漕渠村的乡民的饥饱寒暖了。哦！我的关中，我的渭河平原，单是保存有两千多年的漕渠村这个村名，就够我咀嚼不尽了。我家门前的灞水，曾经是漕渠初开时的水源，我在敬畏的同时，顿然又有了一种沟通历史、沟通地域的亲近感。

漕渠村倚靠着的南面的那道浅坡，亦因漕渠而得名为漕渠坡，一道虽然低浅，却声名远播的坡。狭义的漕渠村单指这个自然村，而泛义的漕渠村则指漕渠坡下的大围墙村、小围墙村、宋家村、陈家村、王家堡、米家堡、田鲍堡、陶家村、万盛堡、宋家滩等十数个大小村堡，散落在渭河南岸的平原上，绵延十余里，通称十里漕渠。站在漕渠坡头远眺起来，以稠密的村树和村树的绿叶笼罩下的房脊和屋墙组成的村庄，依次渐远，或大或小，坐落在绿色苍郁的麦田之中。我忽然想起，前年曾在临近入渭的灞河河道里，淘沙取石的农民挖出来一条大船的遗骸，距离漕渠村不过十余里，又是怎样令人顿生想象的一条谜一样的古船啊！

一位做豆腐买卖的中年农民笑嘻嘻地告诉我："下了漕渠坡，尽是豆腐锅。"这儿盛产豆腐。漕渠坡下的豆腐远近闻名。据说这儿做成的豆腐烧了、烩了不仅不烂，而且鲜嫩异香，做成臊子，浇到面条里，豆腐漂浮在上而不沉底。更具商家利益的是，同样十公斤黄豆在别处通常只能做出二十公斤豆腐，在漕渠村却能产出三十公斤，甚至三十五公斤。这个额外的利润，对那些常年经营豆腐生意的豆腐客（主户）来说，是"天赐良水"令其窃自得意的幸事。除去公社化时期造成的萧条不计，漕渠坡下无以数计的豆腐作坊自古至今生意兴隆，现在更是许多农户赖以挣钱过日子的把稳的门路。豆腐客戏言：汉家爷江山败了，唐家爷江山也败了，爷们感念修漕渠占了农人的田地，再没啥可补偿了，就赐给咱漕渠人一井好水，让咱做豆腐过日子……爷们还是有良心的。云云。

我顿然失笑了。顿然从悠远的极富想象的漕渠村的历史烟云里清醒过来，顿然抖落了不无酸溃气味的幽思，顿然轻松地接受了这恩赐给豆腐客们的一眼好井……

三

农历三月三日逢着庙会的漕渠村，展示着一个纯粹属于农民的世界。

漕渠村的正街和各条小巷，现在都拥挤着农民。南北走向的公路与通往漕渠村的大路正好构成一个“丁”字，从公路的南面和北面，骑车的、步行的男人、女人源源不断地涌入漕渠村。绝大多数，尤其是中年以上的农民，几乎没有任何修饰，与拥挤着的同类在街巷里拥挤。在这里，没有谁会在乎衣服上的泥巴和皱褶，没有谁会讥笑一个中老年人脸上的皱纹、蓬乱的头发和荒芜的胡须。女人们总是要讲究一些的，中老年女人大都换上了一身说不上时髦却干净熨帖的衣裤。偶尔可见描了眉、涂了唇，甚至在黑发上染出几绺黄发的女孩子，尽管努力模仿城市新潮女孩的妆饰打扮，结果仍然让人觉得还是乡村女孩。无论男人或女人，无论年龄长者或年轻后生，无论修饰打扮过或不修边幅的，他们都很兴奋，又都很从容自信，在属于他们的这个世界里，丝毫也看不到他们进入城市，在霓虹灯下、在红地毯上、在笔挺的西装革履面前的拘束和窘迫。他们如鱼得水。他们坦荡自在。他们构成他们自己的世界。

我在这条长长的街道里和支支岔岔的小巷里随着拥挤的人流漫步。我的整个身心都在感受着这种场合里曾经十分熟悉而毕竟有点儿陌生了的气氛。这种由纯粹的农民汇聚起来的庞大的人群所产生出来的无形的气氛和气场，我可以联想到波澜不兴却在涌动着的大海。我自然联想到我的父辈和爷辈就是构成这个世界的一员或一族。我向来不羞于自己来自这个世界、属于这个世界、壮大于这个世界，说透了就是吮吸着这个世界的气氛，感应着这个世界的气场生长的一族。我现在混杂在他们之中，和他们一起在漕渠村的大街小巷里拥挤，尽管我的穿着比他们中的同龄人稍微齐整一点儿，这个气场对我的浸淫和我本能似的融入，引发了我心里深深的激动。这一刻，我便不由自主地自我把脉，我其实还是最容易在这个世界的气场里引发心灵悸颤的。

村街两边摆着小饭摊、农具、种子、铁器、服装、搪瓷和塑料厨具餐具，以及不可或缺的老鼠药，举凡农民生产生活所需用的一切东西，现在都摆置在村街两边供农民选购。最令我动心的是那些传统小吃摊子，仍然保存着在我少不更事时见到过的那种老式饸饹担子，几乎原样未改地摆在这里或那里。摊主抓起一把紫红色的饸饹，在案板上反复弹着，抛进敞口浅底的花边瓷碗里，用小勺挖盐用木勺撩醋用小木板挑辣椒的动作像是一种舞蹈。我小时候跟随大人去庙会的最重要的目的，就是坐在矮条凳上接过摊主送过来的那一碗饸饹。更奢侈一点儿，还会有临近摊位的油锅上递过来一个油饼或油糕，久久盼望赶庙会的全部目的就在这时实现了。现在，饸饹摊子和油锅前，男人和女人随意地在小条凳上坐下去，包括他们牵引着的男孩和女孩，接过饸饹或油饼油糕，吃罢了抹了嘴就又掺和到人流里去了。我的根深蒂固的关于吃饸饹的记忆就是这种形式。我后来在一些饭店的豪华餐桌上也吃到这种被学者研究出可以防癌、可以降血压的所谓绿色食品，却总是尝不出庙会上摊子主人舞蹈似的动作之后的那种香味，更不必说那高得吓人的价码了。

我敢说，坐在这个摊子前品尝的男人或女人，如果他们知道自己掏六七毛钱就可以享到的口福，城里人在大饭店要花几乎一斗麦子的钱才能吃到一碗，准会嘲笑发了财的城里人傻得不会花钱了。

秧歌队扭过来了。这是经过费心操练的一支颇为壮观的秧歌队伍。纯一色的农家姑娘、农家媳妇，还有一些堪称大娘辈儿的农家女人，一律的红绸衫、绿绸裤，一律的粉红色剪花别在右耳上方的黑发里，手里舞着一律的大红绸扇子，一律的弓前殿后、左扭右摆的舞步，一律的优雅，从村子中间的大街里自西向东扭过来。她们可能刚刚放下锄头或给猪呀鸡呀添过食料，换上这一身艳丽的服装就结队扭起来了。她们的公婆、她们的丈夫（或未婚夫）、她们的孩子，此刻就拥挤在街巷两边的人群里看她们舞蹈。她们同样具有强烈的展示自己、表现自己的欲望。她们或欢欣或自信或妖媚或沉稳或娇羞的眉眼里，都透现出这种展示自己风姿的欲望。

秦腔戏的戏台搭在村庄背后的一片空地上。我是循着乐队的响声拐进小巷寻到这里的。一个用木头搭建的戏台，横额上标明长安县剧团。我一眼便可看出来，台上正在演唱着的是《铡美案》中的“杀庙”一场。这是这部堪称秦腔经典剧目中最为惊心动魄的一幕，从戏剧艺术上来看也应是最为精彩的一章。一个被主子差遣来杀人的差官韩琦，一个怀着满腹委屈的乡村女人和她的一双儿女，两个人的冲突、两个人的命运在一座小小的庙堂里展示得淋漓尽致波澜起伏，堪称戏剧创作上的绝妙一笔。我曾经无数次地看过这部戏剧，尤其喜欢这精彩绝伦的一折。我在小小年纪初看这部戏时，大约也就只看懂了这部戏的这一折，仅只是剧情而言。从剧情的发展和剧中多个人物的命运的转化来看，“杀庙”这一折正好是这部戏的关捩。我早已从这部戏的情感里跳了出来，而进入一种艺术创造和艺术表演的欣赏中了。

台下几乎是纯一色的中老年农民。台前的人坐在自带的小凳上，两边和后边的人站立着，几乎全都是上了年岁的人。清脆的梆子声、紧密的扁鼓声从响亮的板胡缠绵的二胡声中跳蹦而出，敲击着在台下看戏的农民的耳膜和胸膛。他们自小就接受这种乐曲曲调的敲击。他们乐于接受这种时而强烈，时而委婉，时而铿锵，时而绵软的旋律的抚慰。他们并不太在乎是否完全听明白了那些唱词。我也习惯于接受这种旋律的敲击和抚慰。我也不太在乎是否完全听清楚了那些唱词，主要的是接受这种旋律的敲击和抚慰。

下雨了。一把一把五颜六色的伞撑开来，在短暂的一阵骚动后，很快又平静下来。我此刻才发现与我同行的三位北京来的记者正跳上戏台的左角，支起摄像机的三脚架，随之就把镜头对准了正处在杀人与自杀两难中的“韩琦”，又把镜头调整过来对着台下的农民观众。

我在来去戏场的路上看到了两顶就地搭起的巨大的帆布帐篷，离地大约一尺透着空当。有小孩子趴在地上往里边窥视。我问一位男孩看见了什么。男孩嘻嘻笑着说，光腿。从那个全封闭的神秘的帐篷里传出震人的音乐，偶尔发出一两声女子的尖叫。帐篷开口处坐着一位男青年用电喇叭做着广告，招徕诱惑围观的男女进去观赏，语言像是刀刃上的游鱼。不时有人花一块钱买票入场，几乎是纯一色的男青年。一位站在门外的小伙子和一位刚刚走出帐篷的小伙子搭话：

“里头弄啥哩？”

“跳舞哩。”

“跳啥舞哩？”

“扭尻子舞。”

“穿没穿衣裳？”

“穿着哩。”

“穿的啥衣裳？”

“不好说。”

“这有啥不好说的？”

“你进去看看就知道了。”

“我不知值不值得花 1 元钱。”

…………

搞不清这些就地支帐、票价 1 元的演出团队来自哪里，只是可以肯定绝不是渭河岸边的人。谁家的女子要是在那神秘的帐篷里跳光腿舞，可能不需半天就臭名远扬、难寻婆家了，谁家的老少都要被指指戳戳、闲言碎语了。这些演出团体游牧一样流动在乡村里的集镇上，逢着某村的庙会更是赚钱的最好时机。他们和古老的秦腔对台。他们在乡村里传播什么、冲击什么，他们一般是不会从“意义”上考虑的，只是更多地争取那 1 元钱的门票所包含的利益。愿意花 1 元钱进帐篷去的乡村青年，自然是为了看看扭尻子舞蹈以及除他们的媳妇之外的女人的光腿。应该说与城市里富丽堂皇、超级豪华的歌舞厅里的看客们的原始目的并无二致，只是演出的水准和票价相差太远了。

四

现在该去听锣鼓了。锣鼓队在村委会门口摆开着架势。这是一支远路而来的锣鼓队，按习俗的说法是前来送香火的。送香火的锣鼓队的多少，成为某个庙会盛大景况的重要标志。龙旗前导，锣鼓敲打，响炮放铳，最具声望的老者端着装满紫香黄裱的木盘，浩浩荡荡又肃穆端恭地一路走去，把香火送进庙门，跪拜、点蜡、上香、焚烧黄裱，再叩头。庙门外的广场上，常常摆开十余家从各个村子赶来送香火的锣鼓队，对着敲，看看谁家能把逛会的人吸引过去的最多，自然是优胜的标志了。这是中华人民共和国成立前后的盛景，我留下这样的印记是无法淡漠的。现在的漕渠村庙会上，只有两家锣鼓队。我觉得悦耳好听的这一家占据着村委会门前绝好的地盘。一位两腮凹进牙槽的精瘦老头握着鼓槌儿，眼睛上扣着一副茶色石头镜子，这是我印象中最深刻的那种既富于灵性而又有点儿倔强执拗的老头形象了。他不看任何人，也用不着看鼓面儿，微微偏着头发稀疏、亮着红光的脑袋，两手两把溜光的木质鼓槌儿，在米黄色的牛皮鼓面儿上敲出风摆乱花一样的鼓点儿。鼓是锣鼓队的指挥和灵魂。铜钹和大小铜锣在鼓点儿的指挥下变换着、交响着，一个好的鼓手常常成为一方地域里受人钦敬的名人。

这样的锣鼓队现代被命名为“长安锣鼓”。流行在秦岭北边渭河平原的锣鼓曲谱源自唐代，被现在的一些搞民间文化的音乐工作者发掘整理出来，颇有抢救国宝的意味。在我的印象里，整个关中稍微像样的村庄都有一支锣鼓队，诸如我的出生地蒋村在中华人民共和国成立时不过三十余户的小村子，同样有一套锣鼓响器，这是整个村子在合作化以前唯一的公有财产，靠一家一户捐赠的粮食置备起来的。每到逢年过节，村里的锣鼓队就造起声势来，把整个村庄都震动起来颠簸起来，热烈的锣鼓声灌进每一座或堂皇或破旧的屋院，把一年的劳累和忧愁都抖落到气势磅礴、震天撼地、热烈欢快的锣鼓声中了。可以肯定的是，乡村锣鼓这种民间音乐，是我平生里接受的第一支旋律。岂止是我，在那个时代生活过的乡村人，出生后焐在火炕被窝里的第一个春节到来时，就被这种强烈震撼的锣鼓声震得在被窝里哭叫起来，锣鼓的敲击声响从此就注入血液。

现在在漕渠村村委会门前演出的这支锣鼓队，是一支真正的民间锣鼓队，除那位显示着执拗自信的鼓手老头儿，还有四五个抓着脸盆一样大小的铜钹（当地俗称家伙），五六个左手手指上挂着碗口大的铜锣，右手执着短粗锣槌儿的青壮年农民。令我遗憾的是，这支精当的锣鼓队里缺少至少两三个敲那种比蛋糕稍大一点儿的铜锣的角色。缺少小铜锣而突出了大铜锣，显然是一支以瓷硬为风格的锣鼓队，而那种以大小铜锣为主体的锣鼓队的风格被称为“酥”。酥在演出风格上的突出特点是细述婉转。然而这个缺少了小铜锣做点缀、调节的锣鼓队，敲出一曲又一曲传统的也许真是自唐代流传下来的锣鼓曲调。这样原始的曲调在我尚未识字之前就听过许多回了，时而如瀑布自天覆倾而下，时而如清溪般流淌，时而如密不透矢的暴风骤雨，时而如疏林秀风，时而如洪流激浪一泻千里，时而如蜻蜓点水微风拂柳。在这样急骤转换的奏鸣里，我的心时而被颠得狂跳，时而又被抚慰，锣鼓的声浪像一只魔女妖精的手，把人撩拨得神魂激荡而又迷离沉醉。我又一次验证了自己关于乡村锣鼓的记忆和感受，依然保持着那份敏感、那份融洽而没有隔膜和冷漠。也许应该是我的生命之乐。

我沉浸在锣鼓声中。这一帮由老汉、壮年和青年组成的锣鼓队，没有化妆，没有统一服饰，也没有由专业乐界行家导演训练出来的统一动作和表情，他们敲到得意时，有的咬牙，有的瞪眼，有的摇头晃脑，各见性情。常常使我产生错觉，把他们的脸孔和我儿时印象中的我村的某个人重叠起来，混淆起来。

我沉浸其中，已经多年没有接受这种生命之乐的冲撞和震颤了。人的五脏六腑也许需要这种纯属民间的乐器来一番冲撞和洗涮的。无论如何，在民间锣鼓的乐曲里，我心中沉积着的污泥和浊水，顿然扫荡清除了，获得的是清爽和轻松，好继续上路。

我还会再去寻求这种纯粹民间的锣鼓，为生命壮行。

乡谚一例

关中乡村和中国南方、北方的乡村一样，流传着许多谚语、俗话、民谣。因为历史文化、地方风情，尤其是方言的差异，这些乡谚也有差异，然而更多的是内蕴上的类同，相同的意思各有各的方言表述形式。关中是一个历史文化沉淀尤为丰厚的地区，即使乡间也是文化和教育相对发达的地区，乡谚等特别丰富。

我生在乡间、长在乡间、工作在乡间，自打能解知人言，便接受这类民间文学的灌输，只是不太留意，也不太在乎。原因在于“崇洋迷古”，以为中国的外国的书籍上的东西才是知识，民间谚语一类是登不得大雅之堂的。近年间也不知何种因素驱使，竟想到许多谚语是很了不起的大智慧、大学问，乃至大哲理。在庞杂的谚语词汇里，有讽时喻世的，有乡风民俗的，有天光地貌、气象变化的，有农耕时令和农耕技巧的，几乎无所不包。我更感兴趣的是那些概括生活现象、社会现象极富哲理的谚语。因为不是专指一时一事，也就不因时迁事变而消匿；在一定意义上归结出生活的某些规律，因而一代一代传遗，经久不衰。

仅举一例。也是最通俗易明的一例。“狗狂一摊屎，人狂没好事。”

乡间的狗是吃屎的，常为得到一堆屎而疯狂。隐喻到人却是反意，疯狂是没有好结果的，乃至死。“屎”与“死”在关中方言里为谐音。小时候玩到癫狂状态，母亲就会掷出这句话警告。话音未落，我已经从楼梯上摔下来了，或者是疯跑到折不住身而栽到深沟里去了。我仍不长记性，也不在乎这粗俗的谚语。我后来读到一句流行欧洲的谚语，“上帝想让谁灭亡，先使其疯狂”，甚为惊喜，欧洲民间和关中民间以谚语方式归结出来的生活哲理社会事象，竟如出一辙。

希特勒为一摊“屎”，何其疯狂乃尔！结局是“畏罪自杀”在地堡里。东条英机何等狂妄，何等不可一世，结局是被吊死在国际法庭的绞索上。林彪、江青之流横行于“文革”，疯狂到无以复加的状态，结局也够惨了。萨达姆被美国士兵从乡村地窖里拖出来的那副模样，我一眼就看出眼神里丧失了原有的“独气”和“横气”。这两种气色几十年来充盈着萨达姆的眼睛，直到他疯狂地出兵占领科威特，成为一个转折或灭亡前的先兆。

我又怀疑欧洲谚语了。上帝原本是个善的形象，不应也不会故意驱使某个人先疯狂再灭亡的。这条谚语用在上帝头上有失敬意。倒是关中民间的谚语更科学、更经得住推敲，它把人群里的疯狂分子比喻为狗，把疯狂分子的反科学、反生活规律的行为，比喻为疯狗的行为，似乎更恰切更得当，也更具可视性。

我的秦腔记忆

在我最久远的童年记忆里顶快活的事，当数跟着父亲到原上、原下的村庄去看戏。

父亲是个戏迷，自年轻时就和村子里几个戏迷搭帮结伙去看戏，直到年过七旬仍然乐此不疲。我童年跟着父亲所看的戏，都是乡村那些具有演唱天赋的农民演出的戏。开阔平坦的白鹿原上和原下的灞河川道里，只有那些物力雄厚且人才济济的大村庄，不仅能凑足演戏的不小开销，还能凑齐生、旦、净、末、丑的各种角色。我们这个不足四十户人家的村子，演戏是连想也不敢想的事，我和父亲就只有到原上和原下的那些大村庄去看戏了。

不单在白鹿原，整个关中和渭北高原，乡村演戏集中在一年里的两个时段，是农历的正月、二月和伏天的六月、七月。正月初五过后直到清明，庆祝新年佳节和筹备农事为主题的各种庙会，隔三岔五都有演出，二月二是传统习惯里的龙抬头日，形成演出高潮，原上某个村子演戏的乐声刚刚偃息，原下灞河边一个村子演戏的锣鼓、梆子又敲响了，常常发生这个村和那个村同时演出的对台戏。再是每年夏收夏播结束之后相对空闲的一个多月里，原上、原下的大村小寨都要过一个各自约定的“忙罢会”。顾名思义，就是累得人脱皮掉肉的收麦种秋的活儿忙完了，该当歇息松弛一下，约定一个吉祥日子，亲朋好友聚会一番，庆祝一年的好收成。这个时节演戏的热闹，甚至比新年正月还红火，尤其是风调雨顺、小麦丰收，家家仓满囤溢的年份。

我已记不得从几岁开始跟父亲去看戏，却可以断定是上学以前的事。我记着一个细节，在人头攒动的戏台下，父亲把我架在他的肩上，还从这个肩头换到那个肩头，让我看那些我弄不清人物关系也听不懂唱词的古装戏。可以断定不过五六岁或六七岁，再大他就扛不起来了。我坐在父亲的肩头，在自己都感觉腰腿很不自在的时候，就溜下来，到场外去逛一圈。及至上学念书的寒暑假里，我仍然跟着父亲去看戏，不过不好意思坐父亲的肩膀了。

同样记不得跟父亲在原上、原下看过多少场戏了，却可以断定我那时候还不知道自己看的戏种叫秦腔。知道秦腔这个剧种称谓，应该在20世纪50年代中期离开家乡进西安城念中学以后，我十三岁。看了那么多戏，却不知道自己所看的戏是秦腔，似乎于情于理说不通。其实很正常，包括父亲在内的家乡人只说看戏，没有谁会标出剧种秦腔。原上、原下固定建筑的戏楼和临时搭建的戏台，只演秦腔，没有秦腔之外的任何一个剧种能登台亮彩，看戏就是看秦腔，戏只有一种秦腔，自然也就不需要累赘地标明剧种了。这种地域性的集体无意识就留给我一个空白，在不知晓秦腔剧种的时候，已经接受秦腔独有旋律的熏陶了，而且注定终生都难取代此种顽固心理。

在瓦沟里的残雪尚未融尽的古戏楼前，拥集着几乎一律黑色棉袄、棉裤的老年、壮年和青年男人，还有如我一样不知子丑寅卯的男孩，也是穿过一个冬天开缝露絮的黑色棉袄、棉裤，旱烟的气味弥漫不散；伏天的“忙罢会”的戏台前，一片或新或旧的草帽遮挡着灼人的阳光，却遮不住一幢幢淌着汗的紫黑色裸膀，汗腥味儿和旱烟味弥漫到村巷里。我在这里接受音乐的熏陶，是震天轰响的大铜锣和酥脆的小铜锣截然迥异的响声，是间接许久才响一声的沉闷的鼓声，更有作为乐团指挥角色的扁鼓密不透风、干散利爽的敲击声，板胡是秦腔音乐独有的个性化乐器，二胡永远都是作为板胡的柔软性配乐，恰如夫妻。我起初似乎对这些敲击类和弦索类的乐器的音响没有感觉，跟着父亲看戏不过是逛热闹。记不得是哪一年哪一岁，我跟父亲走到白鹿原顶，听到远处树丛笼罩着的那个村子传来大铜锣和小铜锣的声音，还有板胡和梆子以及扁鼓相间相错的声响，竟然一阵心跳，脚步不自觉地加快了，一种渴盼锣鼓、梆子、扁鼓、板胡、二胡交织的旋律冲击的欲望潮起了。自然还有唱腔，花脸和黑脸那种能传到二里外的吼唱（无麦克风设备），曾经震得我捂住耳朵，这时也有接受的颇为急切的需要了；白须老生的苍凉和黑须须生的激昂悲壮，在我太浅的阅世情感上铭刻下音符；小生和花旦的洋溢着阳光和花香的唱腔，是我最容易发生共鸣的妙音；还有丑角里的丑汉和丑婆婆，把关中话里最逗人的语言做最恰当的表述，从出台到退场都被满场子的哄笑迎来送走……我后来才意识到，大约就从那一回的那一刻起，秦腔旋律在我并不特殊敏感的乐感神经里，铸成终生难以改易，更难替代的戏曲欣赏倾向。

我记不得看过多少回秦腔戏了。有几次看戏的经历竟终生难忘。上学到初中三年级，学校在西安东郊的纺织工业重镇边上，住宿的宿舍在工人住宅区内。晚自习上完，我和同伴回宿舍的路上，听到锣鼓、梆子响，隐隐传来男女对唱，循声找到一个露天剧场，是西安一家专业剧团为工人演出，而且有一位在关中几乎家喻户晓的须生名角。戏已演过大半，门卫已经不查票了，我和同学三四个人就走进去，直到曲终人散。无论从哪方面说，都比乡村戏台上那些农民的演出好得远了，我竟兴奋得好久睡不着觉。第二天早上走进学校大门，教导主任和值勤教师站在当面，把我叫住，指令站在旁边。那儿已经站着两个人，我一看就明白了，都是昨晚和我看戏的同伴——有人给学校打小报告了。教导主任是以严厉而著名的。他黑煞着脸，狠声冷气地训斥我和看戏的同伙。这是我学生生涯中唯一的一次处罚……

二十多年后的1980年，我被任命为区文化局副局长的同时，新任局长就是训斥并罚我站的教导主任。我和他握手的那一刻，真是感慨“人生何处不相逢”灵验了。从和他握手直到我离开这个单位，始终都不曾提及此事。他肯定不记得这件事了，他训斥过可能就抛诸脑后了，又忙着训导另一位违纪的学生去了。不过，这个时候的他，已经半老，依然严厉的脸上总是洋溢着微笑，大笑的时候很爽朗。一张棱角严厉的脸无论畅怀大笑，还是微笑，尤其生动感人，甚为可爱。

还有一次难泯的记忆。这是“四人帮”倒台不久的事。西安城里那些专业秦腔剧团大约还在观望揣摩文艺政策能放宽到何种程度的时候，关中那些县管的也属专业的秦腔剧团破门一拥而出了，几乎是一种潮涌之势。他们先在本县演出，又到西安城里城外的工厂演出，几乎全是被禁演多年的古装戏。西安郊区的农民赶到周边县城或工厂去看戏，骑自行车看戏的人到傍晚时拥满了道路。我陪着妻子赶过二十里外的戏场子。我的父亲和村里那几个老戏友又搭帮结伙去看戏了。到处都能听到这样一句痛快的观感：“这才是戏！”更有幽默表述的感慨：“秦腔到底又姓秦了！”这种痛快的感慨发自一个地域性群体的心怀。“文革”禁绝所有传统剧目的同时，推广十个京剧“样板戏”，关中的专业剧团和乡村的业余演出班子，把京剧“样板戏”改编移植成秦腔演出，我看过，却总觉得不过瘾，多了点儿什么，又缺失了点儿什么。民间语言表达总是比我生动、比我准确：“这是拿关中话唱京剧哩嘛！”

还有“秦腔不姓秦了”的调侃。

到20世纪80年代中期，我的经济状况初得改善，便买了电视机，不料竟收不到任何节目，行家说我居住的原坡根下的位置，正好是电视讯号传递的阴影区域。我不甘心把电视机当收音机用，又破费买了放像机，买回来一厚摞秦腔名家演出的录像带，不仅我把包括已经谢世的老艺术家的拿手好戏看了个够，我的村子里的老少乡党也都过足了戏瘾，常常要把电视机搬到院子里，才能满足越拥越多的乡党。我后来又买了录音机和秦腔名角经典唱段的磁带，这不仅更方便，重要的是那些经典唱段百听不厌。大约在我写作《白鹿原》的四年间，写得累了，需要歇缓一会儿，我便端着茶杯坐到小院里，打开录音机听一段两段，从头到脚、从外到内都是一种无以言说的舒悦。久而久之，连我家东隔壁小卖部的掌柜老太婆都听上了戏瘾，某一天该当放录音机的时候，也许我一时写得兴起忘了时间，老太太隔墙大呼小叫我的名字，问我："今日咋还不放戏？"我便收住笔，赶紧打开录音机。老太太哈哈笑着说她的耳朵每天到这个时候就痒痒了，非听戏不行了……在诸多评说，包括批评《白鹿原》的文章里，不止一位评家说到《白鹿原》的语言，似可感受到一缕秦腔弦音。如果这话不是调侃，是真实感受，却是我听秦腔之时完全没有预料得到的潜效能。

我看过、听过不少秦腔名家的演出剧目和唱段，却算不得铁杆戏迷。不说那些追着秦腔名角倾心倾情胜过待爹娘老子的戏迷，即使像父亲入迷的那样程度，我也自觉不及。我比父亲活得好多了，有机会看那些名家的演出，那些蜚声省内外的老名家和跃上秦腔舞台的耀眼新星，我都有机缘欣赏过他们的独禀的风采。然而，在我久居的日渐繁荣的城市里，有时在梦境，有时在一个人独处的时候，眼前会幻化出旧时储存的一幅幅图景，在刚刚割罢麦子的麦茬地里，一个光着膀子、握着鞭子、扶着犁把儿、吆牛翻耕土地的关中汉子，尽着嗓门吼着秦腔，那声响融进刚刚翻耕过的湿土，融进正待翻耕的被太阳晒得亮闪闪的麦茬子，融进田边沿坡坎上荆棘杂草丛中，也融进已搭着原顶的太阳的霞光里。还有一幅幻象，一个坐在车辕上赶着骡马往城里送菜的车把式，旁若无人地唱着戏，嗓门一会儿高了，一会儿低了，甚至拉起很难掌握的“彩腔”，在乡村大道上朝城市一路唱过去……

秦人创造了自己的腔儿。

这腔儿无疑最适合秦人的襟怀展示。黄土在，秦人在，这腔儿便不会息声。

关于一条河的记忆和想象

在我写过的或长或短的小说、散文中，记不清有多少回写到过这条河，就是从我家门前自东向西倒流着的灞河。或着意重笔描绘，或者不经意间随笔捎带提及，虽然不无我的情感渗透，着力点还是把握在作品人物彼时彼境的心理情绪状态之中，尤其是小说。散文里提到这条河，自然就是个人情感的直接投注和舒展了，多是河川里四时景致的转换和变化，还有系结在沙滩上杨柳下的记忆，无疑都是最易于触发颤动的最敏感的神经。然而，直到今年 3 月 1 日，即农历二月二的龙抬头日，我站在几万乡民祭祀华胥氏始祖的祭坛上的那一刻，心里瞬间突显出灞河这条河来，也从我以往的关于这条河的点滴描述的文字里摆脱出来；我才发现这条河远远不止我的浮光掠影的文字景象，更不止我短暂生命里的砂金碎花类的记忆。是的，我站在孟家崖村的华胥氏始祖的祭台上，心里浮出来的却是距此不过三里路的灞河。

锣鼓喧天。几家锣鼓班子是周边几个规模较大的村子摆下的阵势，这是秦地关中传统的表示重大庆祝活动的标志性声响，也鼓着呈显高低的锣鼓擂台的暗劲儿。岭上和河川的乡民，四万余众，汇集到华胥镇上来了。西安城里的人也闻讯赶来凑热闹了，他们比较讲究的乃至时髦的服饰和耀眼的口红，在普遍尚顾不得装饰自己的乡村民众的旋涡里浮沉。前日刚刚下过一场大雪，北边的岭和南边的原坡，都覆盖着白茫茫的雪，河川果园和麦田里的雪已经消融得点点斑斑。乡村土路整个都是泥泞。祭坛前的麦田被踩踏得翻了浆。巨大的不可抑制的兴奋感洋溢在男男女女老老少少的脸上，昨天以前的生活里的艰难、忧愁和烦恼全部都抛开了，把兴奋、稀奇和欢悦呈现给擦肩挤胯而过的陌生的同类。他们肯定搞不清史学家们从浩瀚的故纸堆里翻拣出来的这位华夏始祖老奶奶的身世，却怀着坚定不移的兴致来到这个祭坛下的土前投注一回虔诚的注目礼。

华胥镇。以华胥氏命名的镇。距现存的华胥遗址所在地孟家崖村不过一里，这个古老的小镇自然最有资格以华胥氏命名了。这个镇原名油坊镇，亦称油坊街，推想当是因为一家颇具规模的榨油作坊而得名。然而，在我的印象里，连那家榨油作坊的遗迹都未见过。这个镇紧挨着灞河北岸，我祖居的村子也紧系在灞河南岸，隔河可以听见鸡鸣狗叫、打架骂仗的高腔锐响。我上学以前就跟着父亲到镇上去逛集，那应是我记忆里最初的关于繁华的印象。短短一条街道，固定的商店有杂货铺、文具店、铁匠铺、理发店，多是两三个人的规模，逢到集日，川原岭坡的乡民挑着、推着粮食、木柴和时令水果，牵着、拉着牛羊猪鸡来交易，市声嗡响，生动而热闹。我是从 1953 年到 1955 年在这个镇的高级小学里完成了小学高年级教育，至今依然保存着最鲜活的记忆。我在这里第一次摸了也打了篮球。我曾经因耍小性子伤了非常喜欢我的一位算术老师的心。因为灞河一年二季常常涨水，虽然离校不过二里地，我只好搭灶住宿，睡在教室里的木楼上，半夜被尿憋醒跑下木楼楼梯，在教室房檐下流过的小水渠尿尿，早晨起来又蹲在小水渠边撩水洗脸，住宿的同学撩着水也嘻嘻哈哈着。这条水渠从后围墙下引进来，绕流过半边校园，从大门底下石砌的暗道流到街道里去了。我们班上有孟家崖村子的同学，似乎没有说过华胥氏祖奶奶的传说，却说过不远处的小小的娲氏庄，就是女娲"抟土造人"的神话发生的地方。我和同学在晚饭后跑到娲氏庄，寻找女娲抟泥和炼石的遗痕，颇觉失望，不过是别无差异的一道道土崖和一堆堆黄土而已。五十多年后的 2006 年的农历二月二日，我站在少年时期曾经追寻过女娲神话发生的地方，与几万乡民一起祭奠女娲的母亲华胥氏，真实地感知到一个民族悠远、神秘而又浪漫的神话和我如此贴近。我自小生活在诞生这个神话的灞河岸边，却从来没有在意过，更没有当过真。年过六旬的我面对祭坛插上一炷紫香，弯腰三鞠躬的这一瞬，我当真了，当真信下这个神话了，也认下八千年前的这位民族始祖华胥氏老奶奶了。

在蓄久成潮的文化寻根热里，几位学者不辞辛劳地溯源寻根，寻到我的家乡灞河岸边的孟家崖和娲氏庄，找到了民族始祖奶奶华胥氏陵。

历史是以文字和口头传说保存其记忆的。相对而言，后人总是以文字确定记忆里的史实，而不在乎民间口头的传闻；民间传说似乎向来也不在意史家完全蔑视的口吻和眼神，依然故我、津津有味地延续着自己的传说。这里发生了一件有趣的事，史家的文字记载和民间的口头记忆达成默契，互相认可也互相尊重，就是发生在灞河岸边创立过华胥国的华胥氏的神话。

这点小小的却令我颇为兴奋的发现，得之于学者们从文史典籍里钩沉出来的文字资料鉴证的事实。华胥氏生活的时代称为史前文化，有文化却没有文字。没有文字，反而给神话传说的创造提供了无限的空间，等到这个民族创造出方块汉字来，距华胥氏已经过去了大约五千年，大大小小的“史圣司马迁们”，只能把传说当作史实写进他们的著作。面对学者们从浩瀚的史料典籍里翻拣钩沉的史料，我无意也无能力号证结论，只想梳理出一个粗略的脉系轮廓，搞明白我的灞河川道八千年前曾经是怎样一个让号称作家的我羞死的想象里的神话世界。

据《山海经·海内东经》说：“华胥履大人迹，于雷泽而生伏羲。”据《春秋世谱》说：“华胥氏生男名伏羲，生女为女娲。”在《竹书纪年·前篇》里的记载不仅详细，而且有魔幻小说类的情节：“太昊之母，居于华胥之渚，履巨人之迹，意有所动，虹且绕之，因而始娠。”华胥氏在灞河边上，无意间踩踏了一位巨人留下的脚印，似乎生命和意识里感受到某种撞击，那一美妙时刻，天空有彩虹缭绕，便受孕了，便生出伏羲和女娲两兄妹来。

据史圣司马迁《史记·五帝本纪》说，华胥氏生伏羲和女娲，伏羲和女娲生少典，少典生炎帝和黄帝。这样，司马迁就把这个民族最早的家庭谱系摆列得清晰而又确切。按照这个族系家谱，炎帝和黄帝当属华胥氏的嫡传曾孙，该叫华胥氏为曾祖奶奶了。被尊为“人文初祖”的轩辕黄帝，埋葬于渭北高原的桥山，望不尽的森森柏树迷弥着悠远和庄严，历朝历代的官家和民间年年都在祭拜，近年间祭祀的规模更趋隆重、更趋热烈，洋溢着盛世祥和的气象。炎帝在湖南和陕西宝鸡两地均有祭奠活动，虽是近年间的事，比不得黄帝祭祀的悠久和规模，却也一年盖过一年地隆重而庄严。作为黄帝、炎帝的曾祖母的华胥氏，直到今年才有了当地政府（蓝田县）和民间文化团体联手举办的祭祀活动，首先让我这个生长在华胥古国的后人感到安慰和自豪了，认下这位始祖奶奶了。

我很自然地追问，华胥氏无意间踩踏巨人的脚印而受孕，才有伏羲、女娲以至炎黄二帝，那么华胥氏从何而来？古人显然不会把这种简单的漏洞留给后人。《拾遗记》里说得很确凿，“华胥是九河神女”，而且列出了九条河流的名称。这九条河流的名称已无现实对应，具体方位更无从考据和确定。既是“九河神女”，自然就属于不必认真也无须考究的神话而已。然而，《列子·黄帝篇》里记述了黄帝梦游华胥国的生动图景：“其国无帅长，自然而已。其民无嗜欲，自然而已。不知乐生，不知恶死，故无夭殇。不知亲己，不知疏物，故无所爱憎。不知背逆，不知向顺，故无利害。都无所爱惜，都无所畏忌。入水不溺，入火不热，斫挞无伤痛，指摘无痟痒。乘空如履实，寝虚若处林。云雾不硋其视，雷霆不乱其听，美恶不滑其心，山谷不踬其步，神行而已。”这是一种怎样美好的社会形态啊！其美好的程度远远超出了几千年后的现代人的想象。黄帝梦游过的华胥国的美好形态，甚至超过了世界上的穷人想象里的乌托邦的美妙图景。华胥氏创造的华胥国里的生活景象和生活形态，不是人间仙境，而是仙境里的人间。这样的人间，截至现在，在世界的或大或小的一方，哪怕一个小小的角落，都还没有出现过。黄帝的这个梦，无疑是他理想中要构建的社会图像，然而要认真考究这个梦的真实性，就茫然了。我想没有谁会与几千年前的一个传说里的神话较真，自然都会以一种轻松的欣赏心情看取这个梦里的仙境人间，我却无端地联想到半坡遗址。

黄帝梦游过的华胥氏创建的令人神往的华胥国，即今日举行华胥氏祭祀盛会的灞河岸边的华胥镇这一带地域。由此沿灞河顺流而下往西不过二十里，就是中国第一座史前遗址博物馆——西安半坡遗址博物馆。这是黄河流域一个典型而又完整的母系氏族公社时期的遗址。有聚居的村落，有用泥块和木椽搭建的房子，房子里有火道和火炕，这种火炕至今还在我的家乡的乡民的屋子里继续使用着。我落生到这个世界的头一个冬天就享受着火炕的温热，直到 20 世纪 80 年代初用电热褥取代了火炕。半坡人制作的鱼钩和鱼叉相当精细，竟然有防止上钩和被叉住的鱼逃脱的倒钩。他们已经会编席，也会织布，这应该是中国最早的编织品，编和织的技术是他们最先创造发明出来的。他们毫无疑义又是中国制陶业的开山鼻祖，那些红色、灰色和黑色的钵、盆、碗、壶、瓮、罐与瓶的内里和陶盖上单色或彩绘着的张着大嘴的鱼、跳跃着的鹿，令我叹为观止。任你撒开想象的缰绳、张开想象的翅膀，想象六千多年前聚集在白鹿原西坡根下河岸边的这一群男女劳动生产和艺术创造的生活图景。他们肯定有一位睿智而又无私的伟大的女性作为首领，在这方水草丛林茂盛，飞禽走兽、鱼蚌稠密的丰腴之地，进行着人类最初的文明创造。这位伟大的女性可是华胥氏？半坡村可是华胥国？或者说华胥氏是许多个华胥国半坡村里无以数计的女性首领之中最杰出的一位？或者说是在这个那个诸多的半坡村伟大女性首领基础上神话创造的一个典型？

这是一个充满迷幻、魔幻和神话的时期。半坡遗址发掘出土的一只红色陶盆内侧，彩绘着一幅人面鱼纹图案，大约是魔幻现实主义的创始之作，把人脸和鱼纹组合在一幅图画上，比欧洲小说里人和甲虫互变的想象早过六千多年，现在还有谁再把人变成狗的细节写出来或画出来，就只能令当代读者和看客徒叹现代人的艺术想象力萎缩枯竭得不成样子了。我倒是从那幅人面鱼纹彩绘图画里，联想到伏羲和女娲。华胥氏无意踩踏巨人脚印受孕所生的这一子一女，史书典籍上用“蛇身人首”来描述。“蛇身人首”和“人面鱼纹”有无联系？前者是神话创造，后者却是半坡人的艺术创作。我在赞叹具备“人面鱼纹”这样非凡想象活力的半坡人的同时，类推到距半坡不过二十里的华胥国的伏羲、女娲的“蛇身人首”的神话，就觉得十分自然，也十分合情理了。浐河是灞河的一条较大的支流，灞河从秦岭山里涌出，自东向西沿着北岭和南原（白鹿原）之间的川道进入关中投入渭河，不过两百多里，浐河自秦岭发源由南向北，在古人折柳送别的灞桥西边投入灞河。我便大胆设想，在灞河和浐河流经的这一方地域，有多少个先民聚集着的半坡村，无非是没有完整保存下来或未被发现而已，半坡遗址也是在20世纪50年代初兴建纺织厂挖掘地基时偶然发现的。华胥国其实就是又一个半坡村，就在我家门前灞河对岸二里远的地盘上，也许这华胥国把我的祖宗生活的白鹿原北坡下的这方宝地也包括在内。据史家推算，华胥氏的华胥国距今八千多年，半坡村遗址距今六千多年，均属人类发展漫长历程中的同一时期。神话和魔幻弥漫着整个这个漫长的时期，以至五千年前的我们的始祖轩辕黄帝，也魂牵梦绕出那样一方仙境里的人间——曾祖母华胥氏创造的华胥国。

告别华胥氏陵祭坛，在依然热烈、依然震天撼地的锣鼓声响里，我陡增起对祭坛前这条河的依恋，便沿着灞河北岸平整的国道溯流而上。大雪昨日骤降骤晴。灿烂的丙戌年二月二龙抬头日的阳光如此鼓荡人的情怀。天空一碧如洗。河南岸横列着的白鹿原的北坡上的大大小小的沟壑，蒙着一层厚厚的柔情的雪。坡上的洼地和平台上，隐现着新修的房屋白色或棕色的瓷片，还有老式建筑灰色瓦片的房脊。公路两边的果园和麦地，积雪已融化出残破的景象，麦苗从融雪的土地里露出令人心颤的嫩绿。柳树最敏感春的气息，垂吊的丝条已经绣结着米黄的叶芽了。我竟然追到蓝田猿人的发现地——公王岭——来了。

这是一阶既不雄阔，也不高迈的岭地，紧依着挺拔雄浑的秦岭脚下，一个一个岭包曲线柔缓。灞河从公王岭的坡根下流过，河面很窄，冬季里水量很小，看去不过像条小溪。就是这个依贴着秦岭、绕流着灞水的名不见经传的公王岭，一日之间，叫响了整个中国乃至世界，进入中学历史课本，把公王岭发现的蓝田猿人注入一代又一代人的常识性记忆。这是在中国迄今发现最早的人类化石遗存，刚刚从猿蜕变进化到可以称作人的蓝田猿人，距今大约一百一十五万年。

这个蓝田猿人化石的发现，带有很大的偶然性，或者正应了“踏破铁鞋无觅处，得来全不费工夫”的老话。1963 年春天，中科院古脊椎动物与人类研究所的一行专家，到蓝田县辖的灞河流域做考古普查。这是一个冷门学科里最冷的一门，别说普通乡民摇头茫然，即使有一定文化知识的当地教师干部，也是浑然不知，茫然摇头。他们用当地人熟知的龙骨取代了化石，一下子就揭去了这个高深冷僻的冷门里神秘的面纱，不仅大小中药铺的药匣子里都有储备，掌柜的都知道作为药物的龙骨出自何地，蓝田北岭和原坡地带随处都有；被他们问到的当地识字或不识字的农民，胳膊一抡一指，烂龙骨嘛，满岭满坡踢一脚就踢出一堆。话说得兴许有点儿夸张，然而灞河北岸的岭地和南岸的白鹿原的北坡，农民挖地破山碰见龙骨屡见不鲜，积攒得多了就送到中药铺换几个零钱，虽说有益肾补钙功效，却算不得珍贵药材，很便宜的。农家几乎家家都有储备，有止血奇效。我小时割草弄破手指，大人割麦砍伤脚腕，取出龙骨来刮下白色粉末敷到伤口上，血立马止住不流，似乎还息痛。我便忍不住惋惜，说不定把多少让考古科学家觅寻不得的有价值的化石，在中药锅里熬成渣了，刮成粉末止了血了。

这一行考古专家在灞河北边的山岭上踏访寻觅，终于在一个名叫陈家窝的村子的岭坡上，发现了一颗猿人的牙齿化石，还有同期的古生物化石，可以想象他们的兴奋和得意，太不容易又太意外地容易了。由此也可以想到这里蕴积的丰厚，真如农民说的一脚能踢出一堆来。

这一行专家又打听到灞河上游的古老镇子厚镇周围的岭地上龙骨更多，便奔来了。走过蓝田县城再往东北走到三十多里处，骤然而降的暴雨，把这一行衣履不整、灰尘满身的北京人淋得避进了路边的农舍，震惊考古界的事就要发生了。

他们避雨躲进农舍，还不忘打听关于龙骨的事。农民指着灞河对岸的岭坡说，那上头多得很。他们也饿了，这里既没有小饭馆就餐，连买饼干小吃食的小商店也没有，史称“三年困难”的恶威尚未过去。他们按“组织纪律”到农民家吃派饭，就选择到对面岭上的农家。吃饭有了劲儿，就在村外的山坡上刨挖起来，果然挖出了一堆堆古生物化石，又挖出一颗猿人牙齿。他们把挖出的大量沉积物打包运回北京，一丝一缕进行剥离，终于剥离出一块完整的猿人头盖骨化石，震惊考古学界的发现发生了。这个小岭包叫公王岭。我站在公王岭的坡头上，看岭下公路上川流着的各种型号的汽车，看背后蒙着积雪的一级一级台田，想着那场逼使考古专家改变行程的暴雨。如果他们按既定目标奔厚镇去了，损失在难以估计之中，这个沉积在公王岭砾石里的猿人头盖骨化石，可能在随后的移山造田的“学大寨”运动中被填到更深的沟壑里，或者被农民捡拾进了药铺、下了药锅、熬成药渣，或者如我一样刮成粉末撒到伤口永远消失。这场鬼使神差的暴雨，多么好的雨。

我在公王岭陈列室里，看到蓝田猿人头盖骨复原仿制品，外行看不出什么绝妙，倒是对那些同期的古生物化石惊讶不已。原始野生的牛角竟有七十多厘米长，人是无论如何招不住那抵角一触的。作为更新世动物代表的猛玛象，一颗獠牙长到二十多厘米，直径粗到十余厘米，真是巨齿了，看一眼都令人毛骨悚然。还有剑齿虎、披毛犀，单是牙齿和角，就可以猜想其庞然大物的凶猛了。我便联想到 20 世纪 70 年代初，我下乡驻队在白鹿原北坡一个叫龙湾的村子里。那是一个寒冷异常的冬天，在北方习惯称作冬闲季节，此时倒比往常更忙了，以平整土地为主项的“学大寨”运动正在热潮中。忽一日有人向我通报，说挖高垫低平整土地的社员挖出比碾杠还粗的龙骨。随之，打电话报告了西安有关考古的单位，当即派专家来，指导农民挖掘，竟然挖出一头完整的犀牛化石，弥足珍贵。龙湾村距公王岭不过八十里，当属灞河的中偏下游了。可以想见，一百万年前的灞河川道，是怎样一番生机盎然生动蓬勃的景象。这儿无疑属于热带的水乡泽国，雨量充沛，热带的林木草类覆盖着山岭原坡和河川。

灞河肯定不止现在旱季里那一绺细流，也不会那么浑，在南原和北岭之间的川道里随心所欲地南弯北绕涌流下去。诸如剑齿虎、猛玛象、原始野牛和披毛犀牛等兽类里的庞然大物，傲然游荡在南原北岭和河川里。已经进化为人的猿人的族群，想来当属这些巨兽横行地域里的弱势群体，然而他们的智慧和灵巧，成为生存的无可比拟的优势，他们继续着进化的漫漫行程。

从公王岭顺灞河而下到一百里处，即灞河的较大支流河边上的半坡氏族村落遗址。从公王岭的蓝田猿人进化到半坡人，整整走过了一百多万年。用一百多万年的时间，才去掉了那个“猿”字，成为真正意义上的人，真是太漫长、太艰难了。我更为感慨乃至惊诧的是，不过两百多里的灞河川道，竟然给现代人提供了一个完整的从猿进化到人的实证；一百多万年的进化史，在地图上无法标识的一条小河上完成了。还有华胥氏和她的儿女伏羲、女娲的美妙浪漫的神话，在这条小河边创造出来，传播开去，写进史书典籍，传播在一个有五千年文明史的子民的口头上。这是怎样的一条河啊！

这是我家门前流过的一条小河。

小河名字叫灞河。

我们村的关老爷

在我尚不知晓关羽或关云长为何人的童稚时期，却已知道关老爷这尊神。岂止知道，而且和关老爷左右为邻，距离不过五六十步。自我有记事能力，便记着我家是村子西头第二家，头一家的院墙西边紧挨着一条颇深的沟，是下雨排水的天然洪道。这条沟的西沿上，坐落着一幢比普通农家更讲究的庙，方砖砌墙表面，琉璃小瓦苫顶，房脊高高耸起，砖头上有雕刻的吉祥图纹，这座庙俗称关老爷庙。村民平常简称为老爷庙，敬奉着关羽。我一出自家土门楼，第一眼便看见关老爷庙；从村子里走回家去，直对着我视线的也是这座关老爷庙；关老爷庙的北墙根下，是走出村子的西口，村民下地干活或出村办事，都从关老爷的庙墙根下走过。不仅是我，整个村子里的男女老幼都和关老爷朝夕相处，低头不见抬头见，几乎谈不上距离。

我后来才知道，在民间传说里，关羽谢世升天后，被玉皇大帝封为管民间风雨的职司，任何一方地域的干旱雨涝或风调雨顺，全在这位风雨神的掌控之中。无须考究这个传说起自何时何方，既成的事实却非同小可。即如我眼见的灞河流域密集的大村小寨，几乎每个村子都修建着一座关公庙，敬奉着这位职司风雨的神。我生活的村子到1949年中华人民共和国成立时，不过三十多户人家，却不知早在多少年前已经修建起这座关公庙来，推想那时大约不过十几或二十几户农家，肯定由每户分摊建庙和雕塑关公神像的不菲的费用，可以想见村民踊跃情态里的虔诚。其实不难理解，以种植庄稼为唯一生存依靠的村民，决定粮食棉花收成丰歉也决定他们碗里吃食的稀稠乃至有无和身上穿戴的厚薄的关键一条，便是雨水，风似乎倒在其次。渭河平原这块沃土，庄稼生长最致命的制约因素，便是干旱，我查阅过西安周边三个县的县志，造成多次饥馑灾荒的原因，都是久旱不雨。敬奉关公祈求风调雨顺是村民们共同的心愿。

每年农历大年三十后晌，村子里的主事人便打开常年挂着铁锁的关公庙门，让几位村民打扫卫生，擦拭关老爷和护卒头上、身上的尘土，点上两支又粗又长的红色蜡烛，再敬上三炷香，然后跪拜叩头，再说几句祈求风调雨顺的话。接着，整个村子里的成年男人都来焚香跪拜、祈祷来年有及时雨降下。我和小伙伴们围在庙门口，看着一个个年长的年轻的爷辈、父辈的再熟悉不过的男人们，无论家道或富或贫，无论性情属刚属蔫，站到关老爷塑像面前先鞠躬、再跪拜时的表情，都是至诚至敬的。关老爷端坐庙堂正中，长耳几乎垂肩，浓眉大眼高鼻梁，满脸红色，黑色的胡须直垂到胸膛，威武里透着慈善，不动声色地看着一茬一茬跪拜他的村民。到得末了，主事人把我等在庙门口围观的小男孩一齐叫进庙去，教大伙抱拳鞠躬，再跪地叩头者三，最后让大伙跟着他齐声说，关老爷爱民如子，给俺多下及时雨……应该说，关公是我平生最早跪拜过的神。

每年农历二月二日，是民间传统传说里的龙抬头的日子，也是冬去春来农事铺开的一个标志性时日。村子的主事人一早又去打开关老爷的庙门，打扫卫生，再点蜡焚香，敲锣打鼓和拍铙钹的好手早已敲打得震天价响，村子里的男人们闻声赶来，长辈人跪在庙里，年轻的晚辈跪在庙门外边，我等小伙伴们随意择空当处跪下，叩头三次，然后一齐仰面对着关老爷的塑像，跟着主事人齐声祈祷，祈盼雨顺风调……那声音是浑厚的，也是震动庙宇发生回声的庄严的声响，更是虔诚的心愿之声。

干旱却几乎年年都在发生，有小旱，也有大旱，多在秋苗生长的关键时月，即伏旱。小旱修渠引水可以抗御，大旱就几乎面临绝收，村子的主事人便召集村民商议，用一种激烈悲壮的方式祈雨，当地人叫“伐马角”。同样是在职司风雨的关公庙里庙外举行，点蜡、焚香、烧裱，庙外锣鼓铙钹敲打着激烈紧凑的曲牌，男人们聚在庙里庙外，身上都披着象征下雨的稻草编织的蓑衣，自然都是长跪在地。突然会有一人跳起，从火盆里抽出一根烧得通红的细钢条，大吼一声，吾乃关老爷“通全”的黑乌梢，随之便把通红的细钢条从右腮戳到左腮……黑乌梢是说一种黑色的蛇，蛇是龙的民间化身，即取水地点在南山的黑龙潭。于是，整个村子的人便跟着那个“通全”了神灵的人到南山去，到黑龙潭里“取水”……我等一帮小伙伴聚在一旁，反复诵念两句民谣：云往西，关老爷骑马戴帽披蓑衣。帽是指遮雨的草帽，蓑衣也是遮雨的，都是预示着甘露降临。应验落雨甚少，依旧干旱居多，灾荒和饥馑避免不过。然而，每年农历大年三十和二月二对关老爷的虔诚祭拜，依旧进行，直到中华人民共和国成立后破除迷信明令禁止，这种传承了不知几百年的仪式才被废止了。

关羽忠勇孝义，在民间的影响也很广泛，却是隐性的，不像他职司风雨直接关涉千家万户每一个村民的生存。这样，村民们很少说或不说关公庙、关帝庙，而通称关老爷庙或简称老爷庙，已显示着一种亲近的情感。

说来有趣，每当在媒体上看到当地驻军在天旱时节向天空发炮催雨成功的消息，我就会从记忆深处泛出村民敬祭关老爷的画面……

遇合燕子，还有麻雀

燕子来了。刚一打开门，燕子就飞过来，“唧唧唧唧”地吵叫着，在过庭的四周旋飞，自然是寻找可以筑巢的地方。有时候多到十余只，在前屋、后屋的过庭和屋檐下旋转。整个屋院里，呈现熙熙攘攘、热热闹闹的气氛。无论在南方或在北方，燕子都被平民视为吉祥的美和善的形象，也是春天的象征。尽管寒风依旧刺脸，尽管冰雪封冻枯草遍地，心里却已洋溢着春天的气息了。燕子都来了啊！

拒绝燕子，我便闭了前门，也关了后门，不许燕子到屋内筑巢。我十分喜欢这种洋溢着吉祥、洋溢着善良的鸟儿，却又不得不硬着心肠拒绝它们进屋，确是无奈的事。

20 世纪 80 年代某一年，小燕子在我刚刚建成的前屋里寻觅栖息之地，最后选定了装着电灯开关的那个圆形木盒子，据此便衔泥筑窝。我和妻子、孩子都怀着一份欣喜，在新屋里添一对喜气洋洋的燕子，于心理上似乎平添了一份令人舒悦的吉祥气氛，都十分珍爱、十分欢迎这一对客鸟。很短几天，小燕的窝巢极快地长高着，令我惊讶，曾戏谑简直是深圳速度啊！（那时候，深圳建筑业挣脱了中国建筑行当习以为常的慢腾腾，以几天建一层楼房的高速度震惊了中国，被誉为深圳速度，也成为中国经济改革的一个形象化的代名词。）我同时也发现了不妙：燕子用泥筑成大半的窝上，夹杂着一枝枝细长的草枝草叶，悬吊在空中，看上去乱糟糟、脏兮兮的。印象中燕子是用纯粹的河泥造窝的，怎么会夹杂这么多草枝？问及村人，老者说，燕子有两种：一为瑚燕，用纯粹的河泥筑窝；一为草燕，用杂合着草枝、草叶的河泥造窝。我才大开眼界，知道燕子中也有精致和粗糙的类别。

在我新屋里筑巢的这一对燕子，无疑是属于粗糙类的草燕一种了。但终归是燕子，粗糙就粗糙一点儿吧，我自己其实也不属于精致雅细之人，粗糙的人和粗糙的燕子正好合拍，正好可以为邻为伍，谁也不必嫌烦谁。到了这一对燕子夫妇开始轮换卧巢孵卵的时候，我又发现了不妙。墙上开始出现黑一道、黄一道的排泄物。留心观察发现，卧巢孵蛋的燕子后急了，便把屁股撅出窝口，完了事又钻进窝去继续孵蛋，墙上就流下来一道儿秽物。我就觉得不能容忍，粗糙也不能粗糙到这种程度嘛！然而还是容忍了，主要是因为那窝里正在孵化的两枚蛋，说不定小燕就要破壳而出了呢。家人已多怨言，说没见过这样又懒又脏的燕子。怨归怨，嫌归嫌，只盼小燕尽早出窝离巢。

及至雏燕出壳，及至嫩雏逐渐长大羽丰，食量与日俱增，排泄量也同步增加，整个那一片墙壁，已经被燕粪涂抹得不堪入目，地上也落着脏物。每有客人来，迎面看见这幅景象，总是说把窝捣了，太不像样子了。我忍耐着那份惨不忍睹，承受着那份脏，直到发现雏燕已经出窝试飞，终于下了逐客令……因为实在无法辨别瑚燕和草燕，便闭了门，一律拒绝燕子进屋，有点儿因噎废食的简单。

拒绝燕子，另有一个更硬的原因。我一个人住在这个祖居老屋里，常有出门的时候，短则一日，长则十天半月，走了就得锁门，燕子苦心巴力筑巢育雏，都会前功尽弃，甚或虐杀幼雏。即使精致的瑚燕，也无法容留。然而心里确实期盼能有一对瑚燕为邻为友，每天“唧唧啾啾”地呢喃着，添一分生气和祥和。

真是令人喜出望外的事。早春时节去南方十天，回到原下老家时，我的第一发现，就是有燕子择定了居地。在前屋的后檐下，在那个粗大的挑梁和后墙构成的三角地带，有一个正在建筑着的燕窝。我一眼就看出来，那窝纯粹是用细腻的河泥垒堆的，一根一丝杂草也不见，据此可以断定属于精致的瑚燕窝。它选择的地方也太好不过，无论我在家或出外，都不妨碍它筑窝和将来育雏。

又是深圳速度。两只燕子轮番衔着泥回来，把泥团搭在茬口上，歪着小脑袋左按一下，右按一下，然后就飞走了。我很奇怪，一团一团的河泥里掺着细沙，本是很松散的，比普通黄泥的黏合力差得远了，怎么会黏结得牢靠？似乎村人说过，燕子嘴里自含胶。是说燕子的口腔里分泌一种可以使泥团增强黏结力的液体。无法验证，不得而知，反正那窝与日俱增着，速度极快。我在暗自庆幸遇合了这一对精致的瑚燕的愉快心境里，看着专心致志、忙忙碌碌筑巢的燕子，常常浮出幼年的一幅难忘的情景来。

大约是我刚刚入学启蒙，还没有认下几个字的时候。某天放早学回家，看见父亲在后屋明间的脚地上锯一块小小的薄板，比我的课本大不出多少。我便问，锯这板干什么。父亲说给燕子架一个垒窝的台板。他说有一双燕子在屋梁上飞来飞去，有两三天了，估计找不到可以落泥垒窝的台板。叔父在一边不经意地说，等你给燕儿把台板架好了，它又不来了。父亲自顾自做着，在刨光的木板的一面，用毛笔写下四个大字，并问我，你都算是学生了，认不认得这几个字。我丝毫也不觉得难堪，因为父亲其实也明白我不可能认识这四个笔画很繁杂的汉字。他有点儿扬扬得意地念道：喜燕来朝。他继续以扬扬得意的口吻给我讲说，燕子是吉祥鸟，也是喜鸟、善鸟，在谁家垒窝是喜事。我便问“朝”是什么意思。父亲“嗯”了一声，朝嘛也不敢说朝拜，咱是穷家百姓……叔父已经走开了。他几乎是个文盲，大约不屑看取父亲咬文嚼字的做派。然而父亲随之端来木梯，先在檩木上砸进两枚生铁方钉，再把木板架上去，又用细绳捆扎牢靠。我在梯子旁边瞅着“喜燕来朝”那四个悬在空中的毛笔字，积着灰尘、结着隔年蛛网的老房旧梁，似乎顿然有了可期待的灵气了。母亲在催过我和父亲吃饭之后，随口说出几句关于燕子的歌谣：不吃你家米，不脏你家地，只借你家高房垒窝育儿女，也给你家添份喜……

我对燕子最初的认知和记忆，就是这天早晨留下的。父亲精心搭置的木板平台，真的招来了一对燕子。后来怎么垒窝、孵卵、育雏，年代久远，我已不甚了了，只是清楚地记得，那对燕子不仅自己不在窝口拉屎，连它们孵出的雏燕的排泄物，也都转移到屋院以外的野地里去了。父亲说，燕子叼着虫回到窝喂小燕，出窝时就把小燕拉的屎叼走了，燕子这鸟比有些人还通灵性儿。这是事实，在写着“喜燕来朝”的木板上筑成的燕窝下面的脚地上，从来也没见过一次秽物，直到雏燕出窝。几十年后我才知晓，燕子中还有既脏地又脏墙令人生厌的草燕一类。据村人说，现在的燕子比过去多多了，村里好多人家都有燕子垒窝，十之八九都是粗糙的草燕，弄得屋里脏兮兮的，又不忍心赶出门去。瑚燕已经少得不成比例，愈显得珍贵，也愈难遇合了。我多庆幸啊！

看着最后一团湿泥干涸，再不见有新的湿漉漉的河泥垒加，我就明白燕子的这个建筑物大功告成了。这是怎样奇妙的一幢鸟类的伟大建筑啊：贴着墙的一面逐渐悬吊下去，形成一个小小的兜儿，然后又缓缓地朝前往上垒上去。最后收成一个只容得燕子出入的小口。我便可以推想，那个悬吊在最下部的兜儿，肯定是为产卵设计的，卵不至于乱滚，雏燕藏在这个兜底儿，恰如一个四面设围的摇篮，避免了瞎滚瞎爬而掉出来摔死的危险。这个燕窝是倚赖挑梁和墙壁平面屋檐的三角地带垒成的，根本没有用我父亲在屋梁上架设的木板做基础，也没有十余年前那对草燕在前屋电灯开关的木盒上垒窝的依托，难度就很大了。这是一个完全悬空的建筑。这是燕群里的一对建筑大师出神入化的杰作，令我叹为观止。可以断定，这是它们的父母无法教给它们的方法和技巧，也是无法从它们的同类那儿模仿的，因为根本不存在完全相同的垒窝筑巢的环境，一切都得依据具体环境提供的可能性，去构思、去设计、去施工。由此可以推想每一对燕子的每一次筑巢，都是一次重新开始的全新的创造，无法仿效同类，也无法重复自己。

我察觉新垒的燕窝呈现出一种静谧，只有一只燕子在屋院里偶尔掠过，估计这是那只公燕儿，母燕静卧新巢产卵了。我无意间也就放轻了脚步，出入后门走过头顶的那个神秘的燕窝时，自然生出一缕拘谨，生怕惊扰了它。想到再过一些时日，那神秘的窝巢里将会传出雏燕争食的声音，该是多么美妙哦！

外出一周回到原下，打开已经积尘的铁锁，首先想看一看前屋后檐下的燕窝，似乎没有任何动静。我便想到，可能正在产卵或孵卵哩，不到饿极，燕子是不会出窝的。几天过去了，我竟然没有发现燕子一次出入其巢，便有些疑惑，担心也就潜生了。后来就站在较远处的后屋前门口耐心等候，许久仍不见燕子出入的踪迹，倒是有两只甚至多只燕子出入前屋和后屋的大门，或在屋院上空旋飞，却不见进出窝口，这是怎么回事呢？又过了许多天，我终于断定，这个燕窝已是一个空巢，心里竟冷寂起来，猜想这对精心设计苦力构建了窝巢的燕子，不可能另择栖地重筑新巢，也不可能是被孩子虐杀，因为即使最捣蛋的孩子，也不会捉燕子的。我唯一能想到的是农药的绝杀。然而这个时节的乡村里，麦子已经接近成熟，早熟的水果都是不再施洒农药的。然而也不敢肯定，说不定什么人在菜园里喷了药汁……无论这种猜测的可靠性几何，结果却是不可改变的残酷，燕子确凿没有了，难得遇合的不脏我家地的瑚燕儿。

我的心里渐渐平复，在后屋里继续我写字或看书的事。某日中午，我撂下钢笔、点燃一支卷烟，透过窗户玻璃无意朝前看去，看到一只麻雀从前屋后檐下飞出来，心里一惊，用水泥板构建的前屋后檐，没有任何鸟雀可以落脚的东西，这麻雀是不是从燕窝里飞出来的？我便走出后屋前门，站在台阶上想看个究竟。待了许久，再也看不到麻雀进出燕窝的奇迹发生，便想到刚才可能恰恰看见了一只从屋檐下掠过的麻雀，怪我多疑了，便又重新拾起钢笔。

当我再次点烟的时候，无意间又看见了从前屋后檐下飞出一只麻雀。这回我没有走出门去，就隐蔽在原位上隔着窗玻璃偷窥，果然，一只麻雀从屋檐上空折转下来，钻进那个燕窝里去了。我几乎脱口而出，雀占燕巢，千古奇观。随之就放声大笑了，笑得我都岔住气了。我读书读到有趣处时哑然失笑，是常有的事，有时候一个人走路想着某些滑稽可笑的事或人，也会暗自发笑。然而像这样的忍俊不禁的大笑，而且是我一个人独居着的偌大空寂的屋院，却是绝无仅有的事。真是不可思议！好你个麻雀兔崽子！任谁都知道鸠占鹊巢的故事，然而恐怕没有谁如我有幸亲眼目击雀占燕巢的滑稽了。那么精美的燕窝里，现在飞出来又钻进去的，竟然是土头灰脑的麻雀。乡村人惊奇这类不可思议的怪事时常说，奇哉怪哉，楸树上结串蒜薹。现在恰好可以套用乡村人的这个句式，奇哉怪哉，燕窝里飞出麻雀。我突然想到那位诡秘奇思的天才作家蒲松龄，编尽了天下妖魔鬼怪的奇事异闻，怕是也想不到麻雀竟会占据燕巢。我听说过蛇和老鼠钻进燕窝偷食燕蛋的事，并不为奇，只觉得残忍。然而麻雀怎么可能欺侮燕子呢？

在鸟儿的王国里，有益鸟和害鸟之分，这是人类按鸟的习性对自身的利害而作出的划界。如果就鸟儿王国本身而言，有食肉类和以草虫为食物的区分。食肉一类的鸟如鹰、鸠、雕、鹞等，以捕杀各种鸟儿和小型动物营养自己，甚至凶残暴戾到敢于攻击人类，它们是鸟类王国里的侵略者。以各种植物的叶子和果实或小虫为食物的鸟儿，是鸟类王国里的“各民族人民大众”，在广阔的大地上寻觅自己喜好的嫩叶、种子和虫子，互不干扰，互不威胁，和平共处。鸠占鹊巢就是鸟类王国里恶对善的欺凌。鸠是嗜血成性的凶鸟，而鹊是被人作为报喜禳灾的喜鸟而钟爱的。我却突发奇想，鸠残忍地捕杀喜鹊一类善鸟可能是时时发生的事，而鸠霸占喜鹊窝巢的事恐怕谁也没有目睹过。我见过无数的喜鹊窝巢，是鸟类中最不讲究、最潦草的一种，用比较粗硬的树枝杂乱无章地搭压在一起，疏漏如同罗眼。这样的窝，鸠怕是看不到眼里的。鸠占鹊巢无非是寓示恶对善的欺凌，强武对弱势的霸道，没有谁去勘察鸠是否真的霸占过鹊的窝巢。

麻雀却霸占了燕子的窝巢，我已先睹为快。

麻雀在鸟类王国里，无疑属于弱势一族中的弱势，那么小的体形，对任何鸟儿都不会构成威胁。在人类的眼里，不该被视为与人争谷的害鸟而曾被动员起来的八亿人民（1958 年全国人口）围歼，即使为其平反之后，人们也没有太在乎过它，小孩子们的弹弓首先瞄准的还是麻雀，这个被凶鸟欺压，也被人类轻贱着的小小麻雀，却可以欺侮燕子。而燕子在人的眼里和心里，自古都是颇为高贵的可以享受“喜燕来朝”架板的贵宾。如果用人类拳击的规则来度量，麻雀和燕子属于同一个量级，大约都不过 0.1 公斤的体重吧。然而麻雀可以以武力霸占燕巢，怕是燕子生性太善，也太娇弱了……我这样推测。

我把这个类似“楸树上结了串蒜薹”的奇事讲给村里人，听者哈哈一笑便解谜了。村人说，麻雀根本不会和燕子动武。

麻雀根本用不着和燕子动武。麻雀只要往燕子窝里钻一回，燕子就自动给麻雀把窝腾出来了。为啥？麻雀身上的臊气把燕子给熏跑了。燕子太讲究卫生了，闻不得麻雀的臊气。哦！这又是我料想不到的学问，一个令我惊心的学问。

鸠以武力霸占鹊巢，如同人类历史中大大小小的臭名于世的侵略者，人们恐惧他们的暴力，却不奇怪他们曾经的出现和存在。然而麻雀呢？虽不具备如鸠一样的强力和嗜血成性的残暴，却可以用自身的腥臊气味把太过干净的燕子恶心一番，逼其自动出逃，达到如鸠一样霸占其巢的目的，而且不留鸠的恶。由此类推到自然界，如若蛆虫爬进了蚕箔，蚕肯定会窒息而死，其实蛆对蚕是不具备攻击力的。如若把一株臭蒿子栽到兰花盆里，后果将不言而喻。再推及人类社会生活中的臭与香、丑与美、恶俗与高雅、鸨婆与林黛玉、泼皮无赖与谦谦君子，其实是不必交手，结局就分明了。

这里成为我开心的一大景观。我站在台阶上抽烟，或坐在庭院里喝茶，抬头就能看见出出进进燕窝的麻雀的得意和滑稽，总忍不住想笑。起初，麻雀发现我站着或坐在院里，还在屋檐上或墙头上窥视，尚不敢放心大胆地进入燕窝，一旦我转身进屋，哧溜一声就钻进去了，还有点儿不好意思的心虚，显现出贼头贼脑的样子。时间一久，大约断定我其实并不介意它占燕巢的劣行，它就变得无所顾忌地大胆了，无论我在屋里或檐下，它都自由出入于燕窝。我也就对麻雀吟诵：放心地在燕窝里孵蛋，再哺育小麻雀吧！毕竟也是一种鸟。

家有斑鸠

住到乡下老屋的第一个早晨，刚睁开眼，便听到“咕咕——咕咕”的鸟叫声。这是斑鸠。虽然久违这种鸟叫声，却不陌生，第一声入耳，我便断定是斑鸠，不由得惊喜。

披上衣服，竟有点儿迫不及待，悄声静气地靠近窗户，透过玻璃望出去，后屋的前檐上，果然有两只斑鸠。一只站在瓦楞上，另一只围着它转着，一边转着，一边点头，发出“咕咕咕”的叫声。显然是雄斑鸠在向雌斑鸠求爱，颇为绅士，像西方男子向所爱的女子鞠躬致礼，“咕咕咕”的叫声类似“我爱你”的表白。

这是我回到乡下老屋的第一个早晨看见的情景。一个始料不及的美妙的早晨。

六年前的大约这个时节，我和文学评论家王仲生教授住在波士顿城郊他的胞弟家里。尽管这座三层小洋楼宽敞舒适，我和王教授还是更喜欢站在或坐在后院里。后院是一片绿茸茸的草坪，有几种疏于管理的花木。这一排房子的后院连着后面一排小楼房的后院，中间有一排粗大高耸的树木分隔。树木的枝杈上，与其说栖息着，毋宁说侍立着一群鸟儿。一种通体黑色的梭子形状的鸟，在人刚打开后门走到草坪边的时候，便从树枝上飞下来，落在草坪上，期待着人撒出面包屑或什么吃食。你撒了吃剩的面包屑或米粒儿，它们就在你面前的草地上争食，甚至大胆地跳到人的脚前来。偶尔，还会有一两只松鼠不知从哪棵树上蹿下来，和梭子鸟儿在草地上抢夺食物。

我在那个令人忘情的人与鸟兽共处的草坪上，曾经想过在我家的小院里，如若能有这样一群敢于光顾的鸟儿就好了。我们近年来的经济成就令世人瞩目，然而要赶上人家的年生产总值和人均收入的水平，尚需一个较长的时日；然而我们的鸟儿和诸如松鼠的小兽敢于到居民的阳台和农民的小院来觅食，是无须花费财力、物力的事，只需给鸟儿和兽儿一点儿人道和爱心就行了。然而实际想来，实现这样人鸟、人兽共存共荣的和谐景象，恐怕也不是短时间的事。

飞翔在我们天空的鸟儿和奔驰在我们山川里的兽儿，对人的恐惧和绝对的不信任是一个基本的事实。我们把爱鸟爱兽作为一个普遍的社会意识来提倡，不过是十来年间的事。我们把鸟儿、兽儿作为美食、作为美裳、作为玩物、作为发财的筹码而心狠手辣的年月，却无法算计。我能记得和看到的，一是 1958 年对麻雀发动的全民战争，麻雀虽未绝种，倒是把所有飞翔在天空的各色鸟儿吓得肝胆欲裂，它们肯定会把对人的恐惧和防范作为生存戒律传递给子子孙孙。再是种种药剂和化肥，杀了害虫、长了庄稼，却把许多食虫食草的鸟儿整得种族灭绝。更不要说那些利欲熏心、丧尽良知的捕杀濒临灭绝的珍禽异兽者。我曾瞎猜过，能够存活到今天的鸟类、兽类，肯定具备一组特别优秀的专司提防、警惕人类伤害的基因。不然，早该在明枪暗弓以及五花八门的机关和陷阱里灭绝了。

还是说我家的斑鸠。我有记事能力的时候就认识并记住了斑鸠，像辨识家乡的各种鸟儿一样，不足为奇。斑鸠在我的滋水家乡的鸟类中，是最朴拙、最不显眼，近乎丑陋的一种鸟。灰褐色的羽毛比不得任何一种鸟儿，连麻雀的羽翅上的暗纹也比不得。没有长喙和高足，比不得啄木鸟和鹭鸶。没有动人的叫声，从早到晚都是粗浑单调的“咕咕咕——咕咕咕”的声音。它的巢也是我所见过的鸟窝中最简单、最不成形的一种，简单到仅有可以数清的几十根柴枝，横竖搭置成一个浅浅的潦草的窝。小时候我站在树下，可以从窝的底部的缝隙透见窝里有几枚蛋。我曾经在20世纪60年代的小学课本上看到过以斑鸠为题编写的课文，说斑鸠是最懒惰的鸟，懒得连窝也不认真搭建，冬天便冻死在这种既不遮风，亦不挡雨的窝里。

然而，整个20世纪80年代到90年代初，我住在祖居的老屋读书写字，没有看见过一只斑鸠。尽管我搞不清斑鸠消亡的原因，却肯定不会是如童话所阐述的陋窝所致，倒是倾向于某种农药或化肥的种类性绝杀。这种普遍的毫不起眼的鸟儿的绝踪，没有引起任何村人的注意。我以为在家院的周围再也看不到斑鸠了。

斑鸠却在我重返家乡的第一个清晨出现了，就在我的房檐上。我便轻手开门，怕惊吓了它。它还是飞走了。我朝院中的空地上撒一把小米，或一把玉米糁子，诱使它到小院里来啄食。

初始，无论我怎样轻手蹑足地开门走路，它一发现我从屋内走到院中，“扑棱”一声就从屋脊或围墙上起飞了，飞入高高的村树上去了。我仍然往小院里撒抛米谷。直到某一日，我开门出来，两只斑鸠突然从院中飞起，落到房檐上，还在探头探脑瞅着院中尚未吃完的谷米。我的心里一动，它终于有胆子到院内落脚啄食了，这是一次突破性的进展。我和斑鸠的关系获得令人振奋的突破之后，随之便是持久的停滞不前。斑鸠在房檐、在房脊、在院墙上栖息追逐，似乎已经放心无虞。然而有我在场的时候，它们绝不飞落到院里来啄食，无论我抛撒的米谷多么富于诱惑。

有几次我从室内的窗玻璃前窥视到斑鸠在院中啄食米谷的情景，每当我一出门，它们便惊慌地飞上房顶。这一刻，我清醒地意识到，它还不完全是我家的斑鸠。

要让斑鸠随心无虞地落到小院里，心里踏实地啄食，在我的眼下，在我的脚前，尚需一些时日。

我将等待。

拜见朱鹮

中国有熊猫，世界独一无二，国宝。

中国有朱鹮，同样独一无二，同样为国宝。

朱鹮在中国，也只是在陕西洋县一地有。洋县在秦岭南麓，汉江边上，有平坦的坝子，有曲线优美、舒展温柔的缓坡，有重叠起伏、一袭秀气的丘陵，有挺拔伟岸、弥漫着原始森林气息的秦岭群峰，有如画如诗的田畴和稻地，更有性情温和天性怡然的乡民……在世界各地的朱鹮相继灭绝（日本仅余一只失去繁育能力的老鸟）的现今，洋县却存留住了这种鸟儿。

想到今天就可以看到朱鹮，竟有拜谒的激动和忐忑。这种心态源自既久的关于朱鹮的传闻的神秘。20世纪90年代初，我第一次从报刊上看到在陕西洋县发现朱鹮的消息，看到了这种前所未闻的稀世珍禽的倩影，尽管报纸上照片的印刷质量极差，然而这鸟儿的仙姿丽影依然飘逸显现，给我留下来一个梦幻丽人的记忆。那时候，同时就滋生了想一睹其风姿的欲望，整整十年了，曾经有过下汉中途经洋县的行程，却没有机缘去攀见，欲望便滞积在心里，愈久愈强烈。

十年里，有关朱鹮的印象不断地加深着，报刊和电视上不断有关于朱鹮的消息，都是令人兴奋和欣慰的：最初发现的几只朱鹮安全无虞。国家已经在洋县建立朱鹮救护基地，并派出专家精心养护。日本友人捐资救护朱鹮，有社会团体，也有个人。更令人振奋的消息说，在洋县某地又发现朱鹮聚生的群体。十年下来，朱鹮的族群从最初的几只已经繁衍到两百只，成为一个令世界惊羡的华丽家族了，这个濒临灭种的鸟类珍品注定不会从最后一块栖息之地消失了。

朱鹮在南美的丛林里已经消失了，不再重现。朱鹮在日本仅存一只，也到了年迈色衰、失掉繁殖本能的奄奄状态，绝灭是注定了的。日本国民为这种鸟儿即将面临的灭绝，几乎举国哀怨，且有自省，他们的许多东西都趋世界前列，而一只小鸟的保护却屡遭挫败，以至眼巴巴看着它绝世而去。朱鹮被日本人视为国鸟，有某种悠长的情结。据说日本人通过几种途径渴求得到中国朱鹮，以弥补国人心里那份永久的遗憾和亏欠，直到天皇访华向我国领导人提出这种愿望，于是就有一对名为“友友”和“洋洋”的朱鹮从洋县起程，一路专车监护，经西安，举行隆重的赠送仪式，然后直飞东邻岛国，使人想起那位出塞的汉家女王昭君。我在到达丘陵缓坡下的朱鹮救护基地时，有一位日本人刚刚离开。确凿无误的消息说，1998 年东渡日本的“友友”和“洋洋”已经成功地哺育了第一只小朱鹮，作为日本国鸟的朱鹮有了后代，据说又轰动了日本。

我在电视上看到过有关朱鹮的专题片，一袭嫩白，柔若无骨，在稻田里踯躅是优雅的，起飞的动作是优雅的，掠过一畦畦稻田和一座座小丘飞行在天空是优雅的，降落在田埂或树枝上的动作也是一份优雅。这个鸟儿生就的仙风神韵，入得人眼就是一股清丽，拂人心肺。头顶一抹丹红，长长的紫黑的喙的尖头竟然是红色，两条细长的腿红色惹眼，白色的翅膀的内里也是红色的，像是白面红里的被子，通体嫩白中点缀着这几点丹朱，凭想象尽可以勾勒它的美妙了。

凭着积久的印象和愿望，在即将见到朱鹮的真身时，就有了某种拜谒至仙的感觉。我在朱鹮救护基地看见的朱鹮是笼养的，未免遗憾，它们无法飞翔起来，只能在人工搭设的木架上栖息，在笼子圈定的沙地上蹒跚，在人和鸟共同筑成的巢窝产卵、孵卵。4月正是朱鹮的繁殖期，不能惊扰。据说受了惊扰的雌鸟激素会受影响，减少产卵数量，我就甘愿远远地站着。

另外的遗憾还是因为时月。处于繁育期的朱鹮，羽毛竟然神奇地变换了，变换出一身的灰色，据专家说这是鸟儿为了保护自己以迷惑天敌的生理性转换。白色的羽毛已经变成灰色，从头到尾，那灰色也有深和浅的不同层次，深灰、浅灰和灰白色，像是野战将士的迷彩服。这种羽毛在季节中的变化，最初连专业人员也发生过错觉，以为在山野里又发现了朱鹮的“新新人类”，后来才知闹了笑话，仍然是朱鹮，灰色的朱鹮是白色的朱鹮适应生存发展的一种色变。

灰色的朱鹮头顶上耀眼的丹红暗淡了，长喙尖头的红色也变成铁红了，长腿的红色也收敛了艳丽，只有翅膀内里的红色还依旧鲜亮。为了繁育后代，为了繁育期卧巢和不能远行的安全，这鸟儿一身素装，把天生丽质隐蔽起来，像最爱美的少妇在月子里的不修边幅和甘愿的邋遢。对我来说，遗憾虽然有，毕竟见到了真实的朱鹮，优雅依旧，神韵依然，囚在笼子里的栖卧和蹒跚，依然不失其仙风神韵的优雅。

为了防止最丑恶的蛇和老鼠偷食鸟蛋和幼鸟，偌大的笼子用罕见的细密的钢丝织成围就。我无法想象蛇和鼠对朱鹮生存的威胁和残害的惨景，然而自然界从来就是这样混生着。专家还告诉我，养在笼子里的朱鹮，最初是从野外抢救回来的“老弱病残”，经人工科学养护脱离危险，它们就不习惯笼子里的囚守般的限制往外扑逃，常常撞到丝网上而伤翅破头，感染溃烂致死。于是就在网内再设一层软网，有效地解决了这个棘手的问题。正是这一道软网，使日本人感到自己脑袋还有不开窍的那一面，能造出世界上最好的汽车和电器，却想不到这一张软网，致使饲养的朱鹮屡屡发生撞伤以至死亡的惨事。

我还是想看到纯如白雪公主的朱鹮，还是渴望观赏朱鹮在稻田和缓坡地带飞翔在蓝天白云下的仙风神韵。需等到秋天或冬天，朱鹮的幼鸟也能翱翔于天空时，哺育和监护后代的使命宣告完成，它们就逐渐变换出嫩白的羽毛和几点惹眼的丹红，人们就可以看到掠过水田和绿树的仙姿神韵了。

留下遗憾，也留下依恋和向往，待秋后满山红叶时，再到洋县朱鹮聚居的山野来，再做礼拜。

又见鹭鸶

那是春天的一个惯常的傍晚，我沿着水边的沙滩漫不经心地散步。旱草和水草都已经蓬勃起来，河川里满眼都是盎然生机，野艾、苦蒿、薄荷和鱼腥草的气味混合着弥漫在空气里，风轻柔而又湿润。在桌椅间窝蜷了一天的四肢和绷紧的神经，渐渐舒展开来、松弛开来。

绕过一道河石垒堆的防洪坝，我突然瞅见了鹭鸶，两只！当下竟不敢再挪动一步，生怕冲撞了它，惊飞了它，便蹑手蹑脚地悄悄在沙地上坐下来，压抑着冲到唇边的惊叹。哦！鹭鸶又飞回来了！

在顺流而下大约三十米处，河水从那儿朝南拐了个大弯儿，弯儿拐得不急不直、随心所欲，便拐出一大片生动的绿洲，靠近水流的沙滩上水草尤其茂密。两只雪白的鹭鸶就在那个弯头上踯躅，在那一片生机盎然的绿草中悠然漫步；曲线优美到无与伦比的脖颈迅捷地探入水中，倏忽又在草丛里扬起头来；两只峭拔的长腿淹没在水里，举趾移步优然雅然；一会儿此前彼后，此左彼右，一会儿又此后彼前，此右彼左；我断定是一对儿没有雄尊雌卑或阴盛阳衰的纯粹感情维系的平等夫妻……

于是，小河的这一方便呈现出别开生面、令人陶醉的风景，清澈透碧的河水哗哗吟唱着在河滩里蜿蜒，两个穿着艳丽的女子在对岸的水边倚石搓洗衣裳，三头紫红毛色的牛和一头乳毛嫩黄的牛犊在沙滩草地上吃草，三个放牛娃坐在草地上玩扑克，蓝天上只有一缕游丝似的白云凝而不动，落日正渲染出即将告别时的热烈和辉煌……这些时常见惯的景致，全都因为一双鹭鸶的出现而生动起来。

不见鹭鸶，少说也有二十多年了。小时候在河里耍水、在河边割草，鹭鸶就在头前或身后的浅水里，有时竟在草笼旁边停立；上学和放学涉过河水时，鹭鸶在头顶翩翩飞翔，我曾经妄想把一只鸽哨儿戴到它的尾毛上；大了时在稻田里插秧或是给稻畦里放水，鹭鸶又在稻田圪梁上悠然踱步，丝毫也不戒备我手中的铁锨……难以泯灭的永远鲜活的鹭鸶的倩影，现在就从心里扑飞出来，化成活泼的生灵在眼前的河湾里。

至今我也搞不清鹭鸶突然离去、突然绝迹的因由，鸟类神秘的生活习性和生存选择难以揣摩。岂止鹭鸶这样的小河流域鸟类中的贵族，乡民们视作报喜的喜鹊也绝迹了，张着大翅膀盘旋在村庄上空窥伺母鸡的恶老鹰彻底销声匿迹了，连丑陋不堪、猥琐笨拙的斑鸠也再不复现了，甚至连飞起来遮天蔽日的丧婆儿黑乌鸦都见不着一只，只有麻雀种族旺盛，村庄和田野处处都只能听到麻雀的叽叽喳喳。

到底发生了什么灾变，使鸟类王国土崩瓦解，灭族灭种，留下一片大地静悄悄？

单说鹭鸶。许是水流逐年衰枯，稻田消失，绿地锐减，这鸟儿瞧不上越来越僵硬的小河川道了？许是乡民滥施化肥、农药，污染了流水，也污浊了空气，鹭鸶感到窒息而逃逸了？许是沿河两岸频频敲打的庆贺“指示”发表的锣鼓和震天撼地的炮铳，使这喜欢悠闲的贵族阶级心惊肉跳、恐惧不安，抑或是不屑于这一方地域上人类的愚蠢可笑而拂尾而去？许是那些隐蔽在树后的猎手暗施的冷枪，击中了鹭鸶夫妻双方中的雌的或雄的，剩下的一个鳏夫或寡妇悲怆遁逃？

又见鹭鸶！又见鹭鸶！

落日已尽，红霞隐退，暮霭渐合。两只鹭鸶悠然腾起，翩然扇动着洁白的翅膀逐渐升高，没有顺河而下，也没见逆流而上，偏是掠过小河朝北岸树木葱茏的村庄飞去了。我顿然悟觉，鹭鸶原是在村庄里的大树上筑巢育雏的。我的小学校所在的村庄面临河岸的一片白杨林子里，枝枝杈杈间竟有二十多个鹭鸶搭筑的窝巢，乡民们无论男女，无论老幼引为荣耀、视为吉祥。一只刚刚生出羽毛的雏儿掉到地上，竟然惊动了整个村庄的男女老少，合议着公推一位爬树利落的姑娘把它送回窝儿里。更不必担心伤害鹭鸶的事了，那是被视为作孽短寿的事。鹭鸶和人类同居一处无疑是一种天然和谐，是鸟类对人类善良天性的信赖和依傍。这两只鹭鸶飞到北岸的哪个村庄里去了呢？在谁家门前或屋后的树上筑巢育雏呢？谁家有幸得此吉兆，得此可贵的信赖情愫呢？

我便天天傍晚到河湾里来，等待鹭鸶。连续五六天，不见踪影，我才发现没有鹭鸶的小河黯然失色。我明白自己实际是在重演那个可笑的“守株待兔”的寓言故事，然而还是忍不住要来。鹭鸶的倩影太富于诱惑了。那姿容端庄的是一种仙骨神韵，一种优雅，一种大度，一种自然；起飞时悠然翩然，落水时也悠然翩然，看不出得意时的昂扬恣肆，也看不出失意下的气急败坏；即使在水里啄食小虫小虾、青叶草芽儿，也不似鸡们、鸭们、雀们饿不及待的贪馋和贪婪相。二三十年不见鹭鸶，早已不存再见的企冀和奢望，一见便不能抑止和罢休。我随之改变守候而为寻找，隔天沿着河流朝下，隔天又溯流而上，竟是一周的寻寻觅觅而终不得见。

我又决定改变寻找的时间，宁可舍弃了一个美好的出活儿的早晨，在黎明的晨曦中沿着河水朝上走。大约走出五里路程，河川骤然开阔起来，河对岸有一大片齐肩高的芦苇，临着流水的芦苇幼林边，那两只鹭鸶正在悠然漫步，刚出山顶的霞光把白色的羽毛染成霓虹。

哦！鹭鸶还在这小河川道里。

哦！鹭鸶对人类的信赖毕竟是可以重新建立的。

我在一块河石上悄然坐下来，隔水眺望那一对圣物，心头便涌出一首脍炙人口的诗歌来：

蒹葭苍苍，
白露为霜。
所谓伊人，
在水一方。

告别白鸽

老舅到家里来，话题总是离不开退休后的生活内容，谈到他还可以干翻轧麦地这种最重的农活儿，很自豪的神情；养着一只大奶羊，早晨起来挤下羊奶煮熟和孙子喝了，孙子去上学，他则牵着羊到坡地里去放牧，挺诱人的一种惬意的神色；说他还养着一群鸽子，到山坡上放羊时或每月进城领取退休金时，顺路都要放飞自己的鸽子。我禁不住问："有白色的没有，纯白的？"

老舅当即明白了我的话意，不无遗憾地说："有倒是有……只有一对。"随之又转换成愉悦的口吻："白鸽马上就要下蛋了，到时候我把小白鸽给你捉来，就不怕它飞跑了。"老舅大约看出我的失望，继续解释说："那一对老白鸽你养不住，咱们两家原上原下几里路，它一放开就飞回老窝里去了。"

我就等待着，并不着急，从产卵到孵化再到幼鸽独立生存，差不多得两个月，急是没有用的。我那时正在远离城市的乡下故园里住着读书、写作，有七八年了，对那种纯粹的乡村情调和质朴到近乎平庸的生活，早已生出寂寞，尤其是陷入那部长篇小说的写作以来的三年。这三年里我似乎在穿越一条漫长的历史隧道，仍然看不到出口处的亮光，一种劳动过程之中，尤其是每一次劳动中止之后的寂寞围裹着我，常常难以诉述、难以排解。我想到能有一对白色的鸽子，心里便生出一缕温情、一方圣洁。

出乎我意料的是，一周没过，舅舅又来了，而且捉来了一对白鸽。面对我的欣喜和惊讶之情，老舅说：“我回去后想了，干脆让白鸽把蛋下到你这里，在你这里孵出小鸽，它就认你这儿为家咧。再说嘛，你一年到头闷在屋里看书呀、写字呀，容易烦。我想到这一层就赶紧给你捉来了。”我看着老舅的那双洞达豁朗的眼睛，心不由怦然颤动起来。

我把那对白鸽接到手里时，发现老舅早已扎住了白鸽的几根羽毛，这样被细线捆扎的鸽子只能在房屋附近飞上飞下，而不会飞高飞远。老舅特别叮嘱说，一旦发现雌鸽产下蛋来，就立即解开它翅膀上被捆扎的羽毛，此时无须担心鸽子飞回老窝去，它离不开它的蛋。至于饲养技术，老舅不屑地说：“只要每天早晨给它撒一把苞谷粒儿……”

我在祖居的已经完全破败的老屋的后墙上的土坯缝隙里，砸进了两根木棍子，架上一只硬质包装纸箱，纸箱的右下角剪开一个四方小洞，就把这对白鸽放进去了。这幢已无人居住的破落的老屋似乎从此获得了生气，我总是抑制不住对后墙上的那一对活泼的白鸽的关切之情，没遍没数儿地跑到后院里，轻轻地撒上一把玉米粒儿。起始，两只白鸽大约听到玉米粒落地时特异的声响，挤在纸箱四方洞口探头探脑，像是在辨别我投撒食物的举动是真诚的爱意，抑或是诱饵？我于是走开，以便它们可以放心进食。

终于出现奇迹。那天早晨，一个美丽的乡村的早晨，我刚刚走出后门扬起右手的一瞬间，扑啦啦一声响，一只白鸽落在我的手臂上，迫不及待地抢夺手心里的玉米粒儿。接着又是扑啦啦一声响，另一只白鸽飞落到我的肩头，旋即又跳到手臂上，挤着、抢着啄食我手心里的玉米粒儿。四只爪子掐进我的皮肉，有一种痒痒的刺痛，然而听着玉米粒从鸽子喉咙滚落下去的撞击的声响，竟然不忍心抖掉鸽子，似乎是一种早就期盼着的信赖终于到来。

又是一个堪称美丽的早晨，飞落到我手臂上啄食玉米的鸽子仅有一只，我随之发现，另外一只静静地卧在纸箱里孵卵了。新生命即将诞生的欣喜和某种神秘感，立时就在我的心头漫溢开来。遵照老舅的经验之说，我当即剪除了捆扎鸽子羽毛的绳索，白鸽自由了，那只雌鸽继续钻进纸箱去孵蛋，而那只雄鸽，扑啦啦扑向天空去了。

终于听到了破壳而出的幼鸽的细嫩的叫声。我站在后院里，先是发现了两只破碎的蛋壳，随之就听到从纸箱里传出来的细嫩的新生命的啼叫声。那声音细弱而又嫩气，如同初生婴儿无意识的本能的啼叫，又是那样令人动心动情。我几乎同时发现，两只白鸽轮番飞进飞出，每一只鸽子的每一次归巢，都使纸箱里欢闹起来，可以推想，父亲或母亲为它们捕捉回来了美味佳肴。

我便在写作的间隙里来到后院，写得拗手时到后院抽一支烟，那哺食的温情和欢乐的声浪会使人的心绪归于清澈和平静，然后重新回到摊着书稿的桌前；写得太顺时，我也有意强迫自己停下笔来，到后院里抽一支雪茄，瞅着飞来又飞去的两只忙碌的白鸽，聆听那纸箱里日渐一日愈加喧腾的争夺食物的欢闹，于是我的情绪由亢奋渐渐归于冷静和清醒，自觉调整到最佳写作状态。

这一天，我再也禁不住神秘的纸箱里小生命的诱惑，端来了木梯，自然是趁着两只白鸽外出采食的间隙。哦！那是两只多么丑陋的小鸽，硕大的脑袋光溜溜的，又长又粗的喙尤其难看，眼睛刚刚睁开，两只肉翅同样光秃秃的，它俩紧紧地依偎在一起，静静地等待母亲或父亲归来哺食。我第一次看到了初生形态的鸽子，那丑陋的形态反而使我更急切地期盼其蜕变和成长。

我便增加了对白鸽喂食的次数，由每天早晨的一次到早、午、晚三次。我想到白鸽每天从早到晚外出捕捉虫子，活动量大大增加，自身的消耗也自然大大增加，而且把采来的最好的吃食都喂给幼鸽了。

说来挺怪的，我按自己每天三餐的时间给鸽子撒上三次玉米粒，然后坐在书桌前与我正在交缠着的作品里的人物对话，心里竟有一种尤为沉静的感觉，白鸽哺育幼鸽的动人情景，有形无形地渗透到我对作品人物的性格的把握和描述着的文字之中。

又是一个美丽的早晨，我在往地上撒下一把玉米粒的时候，两只白鸽先后飞下来，它们显然都瘦了，毛色也有点儿灰脏、有点儿邋遢。我无意间往墙上的纸箱一瞅，两只幼鸽挤在四方洞口，以惊异稚气的眼睛瞅着正在地上啄食的父亲和母亲。那是怎样漂亮的两只幼鸽哟，雪白的羽毛，让人联想到刚刚挤出的牛乳。幼鸽终于长成了，所有对可能发生的意外或不测的担心顿然化解了。

那是一个下午，我准备到河边去散步，临走之前给白鸽撒一把玉米粒，算是晚餐。我打开后门，眼前一亮，后院的土围墙的墙头上，落栖着四只白色的鸽子，竟然给我一种白花花一大堆的错觉。两只老白鸽看见我就飞过来了，落在我的肩头，跳到手臂上抢啄玉米。我把玉米撒到地上，抖掉老白鸽，好专注欣赏墙头上那两只幼鸽。

两只幼鸽在墙头上转来转去，瞅瞅我又瞅瞅在地上啄食的老白鸽，胆怯的眼光如此明显，我不禁笑了。从脑袋到尾巴，一色纯白，没有一根杂毛，牛乳似的柔嫩的白色，像是天宫降临的仙女。是的，那种对世界、对自然、对人类的陌生和新奇而表现出的胆怯和羞涩，使人顿时生出诸多的联想：刚刚绽开的荷花，含珠带露的梨花，养在深山人未识的俏妹子……最美好、最纯净、最圣洁的比喻仍然不过是比喻，仍然不及幼鸽自身的本真之美。这种美如此生动，直教我心灵震颤，甚至畏怯。是的，人可以直面威胁，可以蔑视阴谋，可以踩过肮脏的泥泞，可以对叽叽咕咕保持沉默，可以对丑恶闭上眼睛，然而在面对美的精灵时，是一种怯弱。

小白鸽和老白鸽在那幢破烂失修的房脊上亭亭玉立。这幢由家族的创业者修盖的房屋，经历了多少代人的更替而终于墙颓瓦朽了，四只白色的鸽子给这幢风烛残年的老房子平添了生机和灵气，以至幻化出家族兴旺时期的遥远的生气。

夕阳绚烂的光线投射过来，老白鸽和幼白鸽的羽毛红光闪耀。

我扬起双手，拍出很响的掌声，激发它们飞翔。两只老白鸽先后起飞。小白鸽飞起来又落下去，似乎对自己能否翱翔蓝天缺乏自信，也许是第一次飞翔的胆怯。两只老白鸽就绕着房子飞过来、旋过去，无疑是在鼓励它们的儿女勇敢地起飞。果然，两只小白鸽起飞了，翅膀扇打出"啪啪啪"的声响，跟着它们的父母彻底离开了屋脊，转眼就看不见了。

我走出屋院站在街道上，树木笼罩的村巷依然遮挡视线，我就走向村庄背靠的原坡，树木和房舍都在我眼底了。我的白鸽正从东边飞翔过来，沐浴着晚霞的橘红。沿着河水流动的方向，翼下是蜿蜒的河流，如烟如带的杨柳，正在吐穗扬花的麦田。四只白鸽突然折转方向，向北飞去，那儿是骊山的南麓，那座不算太高的山以风景和温泉名扬历史和当今，烽火戏诸侯和捉蒋兵谏的故事就发生在我的对面。两代白鸽掠过气象万千的那一道道山岭，又折回来了，掠过河川，从我的头顶飞过，直飞上白鹿原顶更为开阔的天空。原坡是绿的，梯田和荒沟有麦子和青草覆盖，这是我的家园一年四季中最迷人、最令我陶醉的季节，而今又有我养的四只白鸽在山原河川上空飞翔。这一刻，世界对我来说就是白鸽。

这一夜我失眠了，脑海里总是有两只白色的精灵在飞翔，早晨也就起来晚了。我猛然发现，屋脊上只有一双幼鸽。老白鸽呢？我不由得瞅瞅天空，不见踪迹，便想到它们大约是捕虫采食去了。直到乡村的早饭时间已过，仍然不见白鸽回归，我的心里竟然是惶惶不安。这当儿，舅父走进门来了。

"白鸽回老家了，天刚明时。"

我大为惊讶。昨天傍晚，老白鸽领着儿女初试翅膀飞上蓝天，今日一早就飞回舅舅家去了。这就是说，在它们来到我家产卵孵蛋哺育幼鸽的整整两个多月里，始终也没有忘记老家故巢，或者说整个两个多月孵化哺育幼鸽的行为本身就是为了回归。我被这生灵深深地感动了，也放心了。我舒了一口气："噢哟！回去了好。我还担心被鹰鹞抓去了呢！"

留下来的这两只白鸽的籍贯和出生地与我完全一致，我的家园也是它们的家园；它们更亲昵地甚至是随意地落到我的肩头和手臂上，不单是为着抢啄玉米粒儿；我扬手发出手势，它们便心领神会地从屋脊上起飞，在村庄、河川和原坡的上空，做出种种酣畅淋漓的飞行姿态，山岭、河川、村舍和古原似乎都舞蹈起来了。然而，我却一次又一次地抑制不住发出吟诵：这才是属于我的白鸽！而那一对老白鸽嘛……毕竟是属于老舅的。我也因此有了一点点体验，你只能拥有你亲自培育的那一部分……

当我行走在历史烟云之中的一个又一个早晨和黄昏，当我陷入某种无端的无聊、无端的孤独的时候，眼前忽然会掠过我的白鸽的倩影，淤积着历史尘埃的胸膛里便透进一股活风。

直到惨烈的那一瞬，至今依然感到手中的这支笔都在颤抖。那是秋天的一个夕阳灿烂的傍晚，河川和原坡被果实累累的玉米、棉花、谷子和各种豆类覆盖着，人们也被即将到来的丰盈的收获鼓舞着，村巷和田野里泛溢着愉快喜悦的声浪。我的白鸽从河川上空飞过来，在接近西边邻村的村树时，转过一个大弯儿，就贴着古原的北坡绕向东来。两只白鸽先后停止了扇动着的翅膀，做出一种平行滑动的姿态，恰如两张洁白的纸页飘悠在蓝天上。正当我忘情于最轻松、最舒悦的欣赏之中时，一只黑色的幽灵从原坡的哪个角落里斜冲过来，直扑白鸽。白鸽惊慌失措地扇动翅膀重新疾飞，然而晚了，那只飞在头前的白鸽被黑色幽灵俘掠而去。我眼睁睁地瞅着头顶天空所骤然爆发的这一场弱肉强食、侵略者和被屠杀者的搏杀……只觉眼前一片黑暗。当我再次眺望天空，唯见两根白色的羽毛飘然而落，我在坡地草丛中捡起，羽毛的根子上带着血痕，有一缕血腥气味。

侵略者是鹞子，这是家乡人的称谓，一种形体不大却十分凶残暴戾的鸟。

老屋屋脊上现在只有一只形单影孤的白鸽。它有时原地转圈，发出急切的连续不断的“咕咕”的叫声；有时飞起来又落下去，刚落下去又飞起来，似乎惊恐又似乎是焦躁不安；我无论怎样抛撒玉米粒儿，它都不屑一顾，更不像往昔那样落到我肩上来。它是那只雌鸽，被鹞子残杀的那只是雄鸽。它们是兄妹，也是夫妻，它的悲伤和孤清就是双重的了。

过了好多日子，白鸽终于跳落到我的肩头，我的心头竟然一热，立即想到它终于接受了那惨烈的一幕，也接受了痛苦的现实而终于平静了。我把它握在手里，光滑洁白的羽毛使人产生一种神圣的崇拜。然而正是这一刻，我决定把它送给邻家一位同样喜欢鸽子的贤，他养着一大群杂色信鸽，却没有白鸽。让我的白鸽和他那一群鸽子合帮结伙，可能更有利于生存。再者，我实在不忍心看见它在屋脊上那样孤单。

它还比较快地与那一群杂色鸽子合群了。

我看见一群灰鸽子在村庄上空飞翔，一眼就能辨出那只雪白的鸽子，欣慰于我的举措的成功。

贤有一天告诉我，那只白鸽产卵了。

贤过了好多天又告诉我，孵出了两只白底黑斑的幼鸽。我出了一趟远门回来，贤告诉我，那只白鸽丢失了。我立即想到它可能又被鹞子抓去了。贤提出来把那对杂交的白底黑斑的鸽子送我。我谢绝了。

又过了一些日子，我失掉两只白鸽的情感波澜已经平静，老屋也早已复归平静，对我已不再具任何新奇和诱惑。我在写作的间隙里，到前院浇花除草，后院都不再去了。这一天，我在书桌前继续文字的行程，窗外传来了“咕咕咕”的鸽子的叫声，便摔下笔，直奔后院。在那根久置未用的木头上，卧着一只白鸽。是我的白鸽。

我走过去，它一动不动。我捉起它来，它的一条腿受伤了，是用细绳子勒伤了的。残留的那段细绳深深地陷进肿胀的流着脓血的腿杆里，我的心里抽搐起来。我找到剪刀剪断了绳子，发觉那条腿实际已经勒断了，只有一缕尚未腐烂的皮连接着。它的羽毛变成灰黄，头上粘着污黑的垢甲，腹部粘结着干巴的鸽粪，翅膀上黑一坨、灰一坨，整个儿污脏得难以让人握在手心了。

我自然想到，这只丢失归来的白鸽是被什么人捉去了，不是遭了鹞子。它被人用绳子拴着，给自家的孩子当玩物，或者连他以及什么人都可以摸摸玩玩的。白鸽弄得这样脏兮兮的，不知有多少脏手抚弄过它，却根本不管不顾被细绳勒断了的腿。我在那一刻突然想到，它还不如它的丈夫被鹞子扑杀的结局。

我在太阳下为它洗澡，把由脏手弄到它羽毛上的脏洗濯干净，又给它的腿伤敷了消炎药膏，盼它伤愈，盼它重新发出羽毛的白色。然而它死了，在第二天早晨，在它出生的后墙上的那只纸箱里……

第三辑

我的文学生涯

在创作这项事业中，欢乐是短暂的，痛苦是永恒的。

痛苦中有追求，有不满足现状，

有新的渴盼，因此永远不会完结。

痛苦没有了，希望也就没有了。

我的第一次投稿

背着一周的粗粮馍馍，我从乡下跑到几十里远的城里去念书，一日三餐都是开水泡馍，不见油星儿，最奢侈的时候是买一点儿杂拌咸菜；穿衣自然更无从讲究了，从夏到冬，单棉衣裤以及鞋袜，全部出自母亲的双手，唯有冬天防寒的一顶单帽，是出自现代化纺织机械的棉布制品。在乡村读小学的时候，似乎于此并没有什么不大好的感觉，现在面对穿着艳丽、别致的城市学生，我无法不“顾影自卑”。说实话，由此引起的心理压抑，甚至比难以下咽的粗粮以及单薄的棉衣抵御不住的寒冷更使我难以忍受。

在这种处处使人感到困窘的生活里，我却喜欢上了文学。而喜欢文学，在一般同学的眼里，往往是被看作极浪漫的人的极富浪漫色彩的事。

新来了一位语文老师，姓车，刚刚从师范学院毕业。第一次作文课，他让我们自拟题目，想写什么就写什么。这是我以前从未遇到过的新鲜事。我喜欢文学，却讨厌作文。诸如《我的家庭》《寒假（或暑假）里有意义的一件事》这类题目，从小学作到中学，我是越作越烦了，越作越找不出“有意义的事”了。新来的车老师让我们想写什么就写什么，我有兴趣了，来劲了，就把过去写在小本上的两首诗翻出来，修改一番，抄到作文本上。我第一次感受到了作文的乐趣，而不再是活受罪。

我萌生了企盼，企盼尽快发回作文本来，我自以为那两首诗是杰出的，会震一下的。我的作文从来没有受过老师的表扬，更没有被当作范文在全班宣读的机会。我企盼有这样的一次机会，而且感到机会正朝我走来。

车老师抱着厚厚一摞作文本走上讲台，我的心无端地慌跳起来。然而四十五分钟过去，要宣读的范文都宣读过了，甚至连某个同学作文里一两个生动的句子也被摘引出来表扬了，那些令人发笑的错句、病句，以及因为一个错别字致使语句含义全变的笑料也被点出来了，可终究没有提及我的那两首诗，我的心里寂寒起来。离下课只剩下几分钟时，作文本发到我的手中。我迫不及待地翻看了车老师用红墨水写下的评语，倒有不少好话，而末尾却悬下一句：“以后要自己独立写作。”

我愈想愈觉得不是味儿，愈不是味儿愈不能忍受。况且，车老师没有给我的作文打分！我觉得受了屈辱。我拒绝了同桌以及其他同学交换作文的请求。好容易挨到下课，我拿着作文本赶到车老师的办公室，喊了一声：“报告！”

获准进入后，我看见车老师正在木架上的脸盆里洗手。他偏过头问：“什么事？”

我扬起作文本："我想问问，你给我的评语是什么意思？"

车老师扔下毛巾，坐在椅子上，点燃一支烟，说："那意思很明白。"

我把作文本摊开在桌子上，指着评语末尾的那句话："这'要自己独立写作'我不明白，请你解释一下。"

"那意思很明白，就是要自己独立写作。"

"那……这诗不是我写的，是抄别人的？"

"我没有这样说。"

"可你的评语这样写了！"

他冷峻地瞅着我。冷峻的眼里有自以为是的得意，也有对我的轻蔑和嘲弄，更混含着被冒犯了的愠怒。他喷出一口烟，终于下定决心说："也可以这么看。"

我急了："凭什么说我抄别人的？"

他冷静地说："不需要凭证。"我气得说不出话……

他悠悠地抽着烟："我不要凭证就可以这样说。你不可能写出这样的诗……"

于是，我突然想到我的粗布衣裤的丑笨，想到我和那些上不起伙的乡村学生围蹲在开水龙头旁时的窝囊，就凭这些瞧不起我吗？就凭这些判断我不能写出两首诗来吗？我失控了，一把从作文本上撕下那两首诗，再撕下他用红色墨水写下的评语。在要朝他摔出去的一刹那，我看见一双震怒得可怕的眼睛。我的心猛然一颤，就把那些纸用双手一揉，塞到衣袋里去了，然后一转身，不辞而别。

我躺在集体宿舍的床板上，属于我的那一绺床板是光的，没有褥子，也没有床单，唯一不可或缺的是头下枕着的这一卷被子，晚上，我是要铺一半盖一半的。我已经做好了被开除的思想准备。这样受罪的念书生活还要再加上屈辱，我已不再留恋。

晚自习开始了，我摊开了书和作业本，却做不出一道习题来，捏着笔，盯着桌面，我不知做这些习题还有什么用。因为这件事，期末时我的操行等级降到了“乙”。

打这以后，在车老师的语文课上，我对于他的提问从不举手，他也不点我的名要我回答问题，在校园里或校外碰见时，我就远远地避开。

又一次作文课，又一次自选作文。我写下一篇小说，名曰《桃园风波》，竟有三四千字，这是我平生写下的第一篇小说，取材于我们村子里果园入社时发生的一些事。随之又是作文评讲，车老师仍然没有提到我的作文，于好于劣都不曾提及，我心底里的火又死灰复燃。作文本发下来，我揭到末尾的评语栏，连篇的好话竟然写满了两页作文纸，最后的得分栏里，有一个神采飞扬的“5”字，在“5”字的右上方，又加了一个“+”，这就是说，比满分还要高了。

既然有如此好的评语和“5+”的高分，为什么在评讲时不提我一句呢？他大约意识到小视“乡下人”的难堪了，我这样猜想，心里也就膨胀了愉悦和报复，这下该有凭证证明前头那场说不清的冤案了吧？

僵局继续着。

入冬后的第一场大雪是在夜间降落的，校园里一片白。早操临时取消，改为扫雪，我们班清扫西边的篮球场，雪下竟是干燥的沙土。我正扫着，有人拍我的肩膀，一扬头，是车老师。他笑着，在我看来，他笑得很不自然。他说：“跟我到语文教研室去一下。”我心里疑虑重重，又有什么麻烦了？

走出篮球场，车老师的一只胳膊搭到我肩上了，我的心猛地一震，慌得手足无措。那只胳膊从我的右肩绕过脖颈，就搂住我的左肩。这样一个超级亲昵友好的举动，顿然冰释了我心头的疑虑，却使我更加局促不安。

走进教研室的门，里面坐着两位老师，一男一女。车老师说：“‘二两壶’‘钱串子’来了。”两位老师看看我，哈哈笑了。我不知所以，脸上发烧。“二两壶”和“钱串子”是最近一次作文时我的又一篇小说中两个人物的绰号。我当时顶崇拜赵树理，他的小说人物都有外号，极有趣，我总是记不住人物的名字而能记住外号。我也学着给我的人物用上了外号。

车老师从他的抽屉里取出我的作文本，告诉我，市里要搞中学生作文比赛，每个中学要选送两篇。本校已评选出两篇来，一篇是议论文，初三一位同学写的，另一篇就是我的作文《堤》了。

啊！真是大喜过望，我不知该说什么了。

“我已经把错别字改正了，有些句子也修改了。”车老师说，“你看看，修改得合适不合适？”说着又搂住我的肩头，搂得离他更近了，指着被他修改过的字句一一征询我的意见。我连忙点头，说修改得都很合适。其实，我连一句也没听清楚。

他说：“你如果同意我的修改，就把它另外抄写一遍，周六以前交给我。”

我点点头，准备走。

他又说：“我想把这篇作品投给《延河》。你知道吗，《延河》杂志？我看你的字儿不太硬气，学习也忙，就由我来抄写投寄。”

我那时还不知道投稿，也是第一次听说《延河》。多年以后，当我走进《延河》编辑部的大门以及在《延河》上发表作品的时候，我都情不自禁地想到车老师曾为我抄写投寄的第一篇稿子。

这天傍晚，住宿的同学有的活跃在操场上，有的逛大街去了，教室里只有三五个死贪学习的女生。我破例坐在书桌前，摊开了作文本和车老师送给我的一扎稿纸，心里怎么也平静不下来。我感到愧悔、想哭，却又说不清是什么情绪。

第二天的语文课，车老师的课前提问一提出，我就举起了手，为了我的可憎的狭隘而举起了忏悔的手，向车老师投诚……他一眼就看见了，欣喜地指定我回答。我站起来，却说不出话来，喉头像塞了棉花似的。自动举手而又回答不出，后排的同学哄笑起来。我窘急中又涌出眼泪来……

上到初三时，我转学了。暑假办理转学手续时，车老师探家尚未回校。后来，当我再探问车老师的所在时，只说早调回甘肃了。当我第一次在报刊上发表处女作的时候，我想到了车老师，我想我应该寄一份报纸去，去慰藉被我冒犯过的那颗美好的心！当我的第一本小说集出版时，我在开着给朋友们赠书的名单时又想到车老师，终不得音讯，这债就依然拖欠着。

经过多少年的动乱，我的车老师不知尚在人间否？我却始终忘不了那淳厚的陇东口音……

最初的操练

在我先是业余、后是专业的写作生涯里，后来一直把散文《夜过流沙沟》作为处女作。这篇散文发表在 1965 年年初的《西安晚报》文艺副刊上，刊名可能叫《红雨》，取自毛泽东诗句“红雨随心翻作浪”。

我至今也搞不大准确“处女作”的含义，是指平生写下的第一篇作品呢，还是指公开发表的作品？我把《夜过流沙沟》作为处女作，是按后一种含义，即公开发表的第一篇散文。而此前曾经写过不少散文、诗歌、小说，都没有达到发表水平自行销毁了。而按照“处女作”的客观直接的含义，应该是指第一次写下的作品，而不管它发表与否。

其实，在后来被我作为处女作认定的《夜过流沙沟》文发表之前，我还发表过两次作品，而且都是发表在《西安晚报》的文艺副刊上。第一次在 1958 年秋天，我刚刚进入初中三年级，正是“大跃进”势头最猛的时候，学校几乎处于停课或半停课状态。我们一阵儿被安排到东郊的塬坡上轰打麻雀，一阵儿端着洗脸盆到灞河里去淘铁沙，一阵儿又到纺织厂周围的马路小巷及垃圾堆上去捡拾废铁。学校的校园里已经垒起了土法炼铁炉子，一伙从各个班级抽调出来的比较能干的学生和几位老师，从早到晚围着那个实在不敢恭维的小泥炉子忙活。学校前门外从生产队借来的一块田地上，栽上了一块木牌，写着亩产多少万斤的“卫星”指标，同样有一群学生和几个老师从早到晚在那块神秘的土地上折腾。我对这些轰轰烈烈的运动只感觉到很热闹，却对任何一项也插不上手，倒是对正在掀起的全民写作诗歌运动更感兴趣。我那时候已经偏爱文学，半停课的松散秩序里正好可以阅读文学作品。每逢周日回家往来的路上，沿途所过的大小村庄，靠着大路或村巷的庄稼院的围墙和房墙上，全都绘上了浪漫主义的图画并配着浪漫主义的诗歌。印象最深的是一幅诗配画，一位头裹羊肚手巾的壮汉双臂推开两座山峰，配着一首响遍全国城乡的诗歌，末尾一句是：喝令三山五岳开道，我来了。

看着骤然间魔术般变出诗画满墙的乡村，读着这样昂扬的诗句，我往往涌起亢奋和欢乐。一次作文课上，老师让大家写歌颂“大跃进”、人民公社、总路线“三面红旗”的诗歌，我一气写下五首，每首四句。作文本发回来时，老师给我写了整整一页评语，全是褒奖的好话。我便斗胆把这五首诗寄到《西安晚报》去。几天后，有同学在阅报栏上发现了我的名字，问是不是我寄过稿。我竟然很激动，激动到不好意思到阅报栏前去。后来被两个同学拽着到了校门前院的阅报栏，我看见了印在我名字下的四句诗。姑且按当年的概念仍然称它为诗吧，尽管它不过是顺口溜，确凿是我第一次见诸报刊的作品。

到了 1964 年，我所在的西安郊区全面开展以阶级教育为纲的“面上社教”运动。冬天里，公社团委安排春节前夕要搞文艺汇演，各个村子的团支部都要出节目，我所在的农业中学也接受了任务，却犯起愁来，我根本不会排练文艺节目。情急之下，我把当地一位老贫农的家史编成一首陕西快板，找了一位口才和嗓门比较亮堂的学生，演出后颇多反响。很快，这个快板就在《西安晚报》临时开设的《春节演唱》专栏里全文发表了。

次年，即 1965 年初春，我的散文《夜过流沙沟》在《西安晚报》发表出来。我后来之所以把它作为我的处女作，主要是一种心理因素，即散文才应该是文学作品的正宗。上初三时发表的那四句顺口溜且不说了，篇幅较长的那首陕西快板，从文艺分类上属于曲艺作品，归不到文学的范畴里来。那是对一次临时任务的响应，我真正痴迷、潜心追求的是文学类里的小说、散文以及新诗歌，曲艺从来不是我写作的兴趣。我在后来许多年里几乎没有提说过那四句顺口溜和那首陕西快板的事。在我的创作心理中，《夜》文的发表才是我真正感到鼓舞，感到兴奋，感到了入门意义的事情。无论如何，这三次把钢笔写的文字变为公开发表的铅字，都发生在《西安晚报》的副刊上，在我整个创作生涯中是保有永久之鲜活的记忆的。

随后，我在《西安晚报》连续发表过六七篇散文，直到“文革”开始前该报中止文艺副刊，大约有一年稍多点儿的时日。这是我生命历程中第一次重大的挫伤。刚刚感受到发表作品的鼓舞，刚刚以为摸得文学殿堂的门槛，那门却关上了。尽管有点儿残酷，美好的记忆依然美好。我记得收到过一位和我同姓的编辑的信。信的原话也大致记着：你的诗歌比起你的散文来稍微逊色。建议你先专注散文，有所突破，然后再触类旁通。这是我接到的第一封指导我的写作的信。

我那时候二十岁出头，喜欢写小说、散文和诗歌。这封信恰是在发表了我一首短诗之后写给我的。我立即就掂量出我的诗歌是令编辑勉为其难的水准，相对而言是弱于散文的。我很想当面聆听一个编辑的指导，于是便带着一篇新写的散文，登门求教给我写信的陈编辑去了。真正是诚惶诚恐的，真正是神圣而又庄严的，真正是虔诚敬重地走进西安晚报社大门的。小小的副刊编辑部里，坐着一男一女两位编辑，男的年龄稍长，女的不仅年轻，而且很漂亮，看了一眼、说了一句话就不敢再看了。然后我就在陈编辑对面坐下。他话不多，赞扬了我的散文，也坦率地表示不大欣赏我的诗歌，仍然重复着信中的意见。这是"文革"前我唯一一次看见过的文学编辑和编辑室里的情景。人生总是第一次经历的事情印象最为深刻。

许多年后，在《西安晚报》的某次座谈会上见到李焱，交谈中才知道，她就是那位漂亮得让我不敢再看第二眼的年轻女编辑。她已人到中年，精干而又豁朗，成为文艺部主任了，美丽依然美丽，却不怕人看了。在我也有了欣赏美的勇气。关键在于我们的社会生活大踏步地发展前进了。遗憾的是，我曾多次打问，均得不到陈编辑调到什么地方去了。

“文革”中期，大约是1971年，我所工作的公社来了《西安晚报》一位记者，采访合作医疗的发展，由我陪同引路。他在知道我的名字之后很惊奇地说，听说他要到西安郊区来采访，一位姓张的编辑让他留心打听一下我。这样，我就和文艺部的张月赓认识了。他说他“文革”前也在《西安晚报》发表散文，见过我发表的几篇小散文。《西安晚报》要恢复文艺副刊了，他已调到文艺部来，便打听我，想约稿。我说自己已经六七年不写这类东西了，倒是熟悉了给上边写某项工作的总结材料和公社领导的报告。他坚持不让，说我总是有文学基础的，重新试笔还是可以作为的。我便不好再推谢，却一直难以形成艺术思维并提起笔来。

拖了半年，他不断催问、不断鼓励，我终于写成了中断六七年之久的又一个“第一篇”散文《闪亮的红星》。这期间我和公社的赤脚医生到灞水之源的秦岭山中采药，闻听一位军医在山区为群众治病的诸多感人事迹，遂写成这篇散文。交给老张时，依然是诚惶诚恐。我对他说，六七年了，手生了思维也僵了，连一句生动的词儿也蹦不出来。老张却甚为满意，很快在《西安晚报》刚刚恢复的《红雨》副刊上发表，据说引起了一些反响。我明白，也清醒，“文革”开始后的六七年里，文学和艺术类杂志全都停刊，报纸文艺副刊也取消了，书店里也是除了浩然的小说再见不到任何文艺书籍了。与文艺几乎绝缘了六七年的民众，在报纸上突然看到一篇散文，肯定首先会有新鲜感，绝不会是我写出了什么佳作。

对我来说，这篇艰难作成的散文的成败并不足论，重要的是把截断了六七年、干涸了六七年的那根文学神经接通了、湿润了，思维以文学的形式重新流动起来了。此后，我便有小散文不断送到老张手里。发表之后，他寄我一张最高价码的1.5元的购书证。我到指定的钟楼新华书店去，根本没有任何可以买的书，便选择了巴掌大的《新华词典》，供孩子念书用；多到一家用不完，便送亲戚朋友的孩子。我以为文学创作只是发端于人的兴趣，一根对文字尤为敏感的神经，就是由此而想到的。想想那时候不仅没有稿酬，稍有不慎便会惹出文字狱的灾祸来，我当时也搞不清为什么要点灯熬油、自赔纸张、劳心伤神地去写这类散文和小说，后来长了些年岁才悟出是那根神经在作祟。

这种既不能获利，也无什么名可言的写作，仍然在业余时间里兴味十足地继续着。我和张月赓的友谊也延续着。老张几年前已经退休，偶尔打个电话过来，不吃大菜和地方风味，却好吃洋餐肯德基。我们俩便走到格局新颖的肯德基店，吃一块鸡腿，啜一盒冰激凌，看着周围尽是青年男女和小孩子的食客，我们两个头发稀疏灰白的半老汉，却有滋有味忆及当年在《西安晚报》文艺副刊上发稿的事。时代发展了，生活观念更新了，文学也回归到文学的本源上来了。我们尚未完全落伍，尤以这种文学结缘的友谊比什么都更令人熨帖。

报纸的文艺副刊，是专业和业余作家的一块重要园地。新文学发起之初直到解放，鲁迅为代表的作家们的许多著述，都是在报纸副刊上与读者见面的。“文革”前的十七年，陕西两家公开发行的大报——《陕西日报》和《西安晚报》的文艺副刊，成为包括我在内的业余作者操练文字的重要园地。

现在刊物多了，报纸也多了，传媒工具更现代化了，然而报纸的文艺副刊仍然独具其风采。我在此向《西安晚报》的一茬接一茬的新老文艺编辑们致以真诚的祝福，你们是真正无私的幕后人杰。

《白鹿原》的创作经过

一

1982 年，陕西省作家协会决定把我吸收为专业作家，从那以后我的创作历程发生了重要的转折，这个转折带来的一个重要的问题就是：这个专业作家怎么当？之前做业余作者的时候，我一年能写多少就写多少，写得好、写得差，评价高、评价低，虽然自己也很关注，但总有一个“我是业余作者”的借口可以作为逃遁之路。做了专业作家之后，浮现在我眼前的，国内、国外以前的经典作家不要说，近处就有柳青、王汶石、杜鹏程、魏钢焰等小说家、诗人，无论长篇、短篇、诗歌，在当时都是让我仰头相看的。跟他们站在一块儿，我的自信心无疑将面临巨大的威胁。那我应该怎么做呢？同时在那前后，陕西省作协先后引入多个专业作家，这些人先后都搬进了作协刚建好的一幢小住宅楼，可我在这个时候的选择却是回到乡下，回到我的老家。当时是周六回去，周日晚上返回机关单位，做所谓“一头沉”干部——最沉的那一头在农村。这样选择的主要原因有两点：第一个是我离开学校进入乡村社会，先当小学教师，再到公社和区县机关，整整二十年，有了很多生活积累。成为专业作家后，时间可以完全由自己来支配了，可以全身心投入到创作和学习上来了。我希望找一个更安静、更少一些干扰的地方，因此就决定回到乡下。第二个回归老家的原因，就是我对自身的判断。四十岁的我和当时陕西起来的那一茬很有影响的青年作家们相比，年龄属于中等偏上，比我更年轻的有路遥、贾平凹等。当然也有几位比我年龄大的，但更多的感觉还是年龄的压力和紧迫感，我已经四十岁，再也耽搁不起。我想充分利用这个时间把之前农村的生活积累提炼出来，形成一些作品。回到乡下去，离城市远一点儿，和文坛保持一种若即若离的关系，既要保持文坛信息的畅通，又可避免一些文坛上的是是非非，省得被一些闲话搞得心情不愉快，影响到作品构思、对生活的思考。当时想，一生的专业作家生活就在乡下度过了，没有做过进城的打算，心态很坦荡。作协分给我的四十平方米房子，我只支了一张床，连个椅子都没放。回到乡下除了正常的工资，还有稿费收入，虽然很低，但对我来说也够了，于是就把三十、五十的稿费积攒下来盖房。就像高晓声的《李顺大造屋》，这个我是深有体会，李顺大怎么造屋，我就怎么造，一个铲子、一块水泥板都要去讲价。那时我是我们村里前几个盖好房子的，农民都说房子盖得阔气。其实就是砖木房子搭的水泥板。当时花了七千块钱，欠了三千块钱的债。家里面夫人、孩子的户口都迁到城里了，我建这个房就是打算永远在这儿生存下去。筹备盖这个房的时候也是我创作最活跃的时期。

20世纪80年代初期和中期，我短篇小说和中篇小说写得兴趣最足、劲头最大。短篇小说意识还不太明确，就是有什么感觉、有什么体验赶紧把它写成一个短篇。到后来改写中篇小说的时候就略作调整，不是盲目去写、随意去写。我记得当时真正引发我的创作发生很大变化的是《蓝袍先生》。这个中篇小说开始前要提到1949年中华人民共和国成立以前的乡村生活和人物，这好像突然打开我的生活记忆中从来没有琢磨过的一块。蓝袍先生的父亲从小施加给他的传统乡村文化家庭的规范和教育，对他个性的养成产生了重要影响。这一下子触发了我的很多生活记忆，由此而波及乡村社会里很多人给我的最初印象。但这些根本包含不进我要写的那个中篇小说《蓝袍先生》里去，因为那篇小说在艺术上要探索的是没有大的情节结构，以人的生命和精神经历来建构的方式，这和由此激发起的生活记忆、生活积累完全是两码事。这个中篇小说写完后也引起过一些反响，然后我就开始准备长篇小说的创作，记得那是1985年年末的事。1985年春夏之交，陕西省的老领导为了促进陕西省中青年作家长篇小说的创作，专门在延安召开了“陕西长篇小说创作促进会”。主要是因为当时连续两届“茅盾文学奖”评奖，让各省的作协拿出推荐作品时陕西拿不出来了，因为没有一部长篇，全部陷在中短篇写作的热潮之中。当时省作协领导经过认真分析，认为一部分青年作家已经进入了艺术的成熟期，可以开始长篇小说的创作了，所以就开了这个促进会。这个会我参加了，开会时让大家多发言，谈写作长篇小说的计划。我记得我发言没超过两分钟，很坦率，也很真诚，我说现在还没有写作长篇小说的考虑，因为我还需要中篇小说写作对文字功力、叙事能力做基本的锻炼。我当时的心态认为，长篇是一个很庄严，也是很苦、很危险的事情，不能轻举妄动。结果那年 11 月左右写完《蓝袍先生》，写作长篇小说的欲念突然被激发出来了。

二

创作长篇的想法激发了我要了解自己生存的这块土地的欲望，尽管之前有一些生活经历。1986 年春天，春节一过，我就离家去蓝田县查阅县志，当时计划查阅包围着西安这个古老城市的三个县的县志：蓝田、长安和咸宁（辛亥革命后撤销归并给长安县，但县志还在）。这些县志和后来各级党委，包括人大、政协编的那些地方纪事、记录、回忆录等，让我对自己生活的那块土地有了意想不到的、更真实、更贴切的了解。由于关中很大，我常说自己是关中人，实际上是关中地区边缘的白鹿原地区底下的一个小山村中的人。由于西安城没有在关中东部，在关中平原的东南角，它的整个平原部分是朝西朝北射来。当时选择这三个县有一个基本考虑，就是它们包围着西安。应该说城市从古以来无论任何一个历史时期都是政治、经济、文化的中心，它辐射首先就辐射到距离它最近的土地上。通过查阅县志，了解这片土地近代以来受到的辐射和影响，让我有种震撼的感觉。我举个例子：在 1927 年农民运动席卷中国一些省份的时候，我们都知道湖南农民运动闹得很凶，因为有毛泽东的《湖南农民运动考察报告》，但是恐怕很少有人知道陕西关中的农民运动普及到什么地步——仅蓝田一个县就有八百多个村子建立了农会组织。我当时看到这个历史资料后就感慨了一句："陕西要是有个毛泽东写个《陕西农民运动考察报告》，那么造成整个农民运动影响的可能就不是湖南，而是关中了。"这里就有个很尖锐、很直接的问题让人深思，关中是我们这个民族和国家封建文明发展最早的地区，也是经济形态落后、心理背负的历史沉积最沉重的地方，人很守旧，新思想很难传播，那它如何爆发出如此普及的现代农民运动呢？

在县志和相关资料的搜集过程中，有一些记忆是很令人震撼的。我在蓝田查阅县志时有个意料不到的收获，就是 1949 年中华人民共和国成立前蓝田县志的最后一个版本，这个版本是蓝田县的一个举人牛兆濂编的。这二十多卷县志中，大概有四五卷全部是用来记载蓝田县有文字记载以来的贞妇烈女的事迹和名字的，我记得大概内容就是某某乡、某某村、某某氏，没有这个女人的真实名字，前面是她夫家的姓，后面是娘家的姓。比如一个女人姓王，嫁给一个姓刘的，那就是刘王氏，这就是她的姓名。这个刘王氏十五岁出嫁、十六岁生孩子、十七岁丧夫，然后抚养孩子、伺候公婆终老没有改嫁，死时乡人给挂了个红匾。我记得大约就是这些内容，她成了贞妇烈女卷第一页的一个典型，第二、第三个人与此类似。后面大都是没有任何事迹记载的，多少卷的贞妇烈女就像名单一样一个个编过去，我没耐心再看下去，突然心里产生了一种感觉：这些女人用她们整个一生的生命就只挣得了县志上几厘米长的一块位置。悲哀的是牛先生把这些人载入县志，像我这样专程来查阅县志，还想来寻找点儿什么的后代作家都没有耐心去翻阅它，那么还有谁去翻阅呢？这时有一种说不清什么样的感觉让我拿着它一页页地翻、一页页地看，整个把它翻了一遍，我想由我来向这些在封建道德、封建婚姻之下的屈死鬼们行一个注目礼吧。也就在这一刻，我想到了要写田小娥这么一个人物，一个不是受了现代思潮的影响，也不受任何主义的启迪，只是作为一个人，尤其是一个女人，按人的生存、生命的本质去追求她所应该获得的。这是给我印象很深的一件事。第二件事就是通过翻阅资料，我心里最早冒出来一个人物，就是后来小说中的朱先生。朱先生的原型就是主编县志的牛兆濂，清末的最后一茬举人。他的家离我家大概只有八里远，隔着条灞河，他在灞河北岸，我在灞河南岸。我还没有上学时，晚上父亲叫我继续在地里劳作的时候就会讲这位牛先生的故事。当地人都叫他牛才子，因为这个人从小就很聪明，考了秀才又考了举人，传说很多。在一个文盲充斥的乡村社会，对一个富有文化知识的人的理解，最后全部演绎为神秘的卜筮问卦的传说。我听自己父亲讲，谁家丢了牛，找他一问，说牛在什么地方，然后去一找，牛就找着了。这样的传说很多，我很想把他写到作品中去，但最没有把握，或者说压力最大，因为这个人在整个关中地区的影响很大。他在蓝田开设的芸阁学舍相当于现在的书院，关中很多学子都投到他的门下，在20世纪20年代还有韩国留学生。关于他的民间传说很多，形成了创作这个人物的巨大压力。你要稍微写得不恰当，周围的读者就会说："陈忠实写的这个人不像牛才子。"幸亏他在编县志时严格恪守史家笔法，尤其对近代以来蓝田县历史上发生的重大变化，不加任何个人观点，精确客观地叙述，都用很简练的文字把它记载下来。他也会加一些类似于今天编者按的批注，表达一些自己的观点。从那七八块编者按中，我感觉我把握到了这位老先生的心血和气质，感觉到有把握写这位老先生了。这是查阅县志的一大收获。

在创作这部小说时还有一个很重要的影响就是，那两年我运用了当时一个新潮的创作理论。某一个作家，写了一个长篇的理论文章，大致叫作"文化心理结构说"。估计也是从国外解读过来的，但这个给我很大启发，对于我正在构思的这部长篇小说具有很重要的启示意义。在那之前我一直遵循现实主义创作的基本手段，像刻画一个成功的人物、肖像描写、行为描写、语言个性化等。这个"文化心理结构说"给我揭示了另一个去塑造、刻画人物的途径，就是探究你所要写的人物内心的心理形态。就是说，人的心理具有一定的结构形态，这个心理结构形态有多种结构与支撑点，包括他的价值观、道德观、文化等。接受这个理念以后，我在构思人物的时候，尤其是对在清末民初一直到1949年以前这段时间的乡村社会的人物的把握上，受到了很大的启示。特别是几个代表我们传统文化的人物的心理形态，为了把握他们的心理结构，我基本对人物不做肖像描写，这和我以前的中短篇写作截然不同。我除了对白家、鹿家两个家族整体的特点做了一个相应的概括以外，其他人都没有个人肖像描写，甚至是由牛先生演绎过来的朱先生，也没有肖像描写。我就是要看能否不经过肖像描写，把握住心理类型的同时，写活一个人物。这是对我很有启迪的一种创作理论。

另外一件我要给同学们说的是关于小说的语言。最初构思的时候想到这么多的类型、这么多的内容、那样长的时间跨度，认为写两三部书才能充分展示，但在20世纪80年代中期偏后一点儿那段时期，我要动笔之前，文坛上已经开始有了一种危机感。新时期文学繁荣昌盛以来最早的一次危机感，就是那时文人要不要下海的争论。我对这个话题没有兴趣，我觉得想下的就下，不想下的就继续写。但文人下海带给我另外一种危机感，就是1987年至1988年，甚至最严重的，1989年至1990年这段时间，新时期以来长篇小说出版第一次遭遇市场的冷遇，这是我记忆很深刻的一件事。报纸上好像也登过某某大作家新作仅印八百册，一部长篇小说或一部中短篇小说印数不到一千册，对于任何一个正在写作的作家都是一种巨大的威胁，起码对我是一种巨大的威胁。这个威胁就直接影响到我正在构思的这个小说的篇幅问题。我原想写两三部，面对这样的市场环境，我计划压缩作品，一部完成，哪怕这部多写点儿字，也不要弄两三部，这个篇幅的设计直接影响到我的文字叙述问题。因为用以往白描的写法，篇幅肯定拉得很长，我唯一能想到的就是以叙述语言统贯全篇，把繁杂的描写凝结到形象化的叙述里面去，这个叙述难就难在必须是形象化的叙述，就是人物叙述的形象化。难度很大，当时自己心里没有底。在开始写作长篇之前，我先写了两三个短篇试验一下，我记得最清楚的是《轱辘子客》。这部短篇写了农村的一个赌徒，带有政治赌博性质的一个赌徒，当时写这个短篇的时候就是要试验一种叙述语言，从开篇到结束不用一句对话，把对话压到叙述语言里头去完成，更不要说肖像描写和人的行为动作，必须通过作家对人物的把握把这些变成形象的叙述。试验的几个短篇，我感觉还可以，发了以后给周围的评论家看，他们都说与我以前的写作风格很不相同。我想他们最直接的感受应该就是语言叙述上的不同。我感觉这种叙述语言是缩短篇幅、减少字数、达到语言凝练效果的唯一途径。

还有一点我觉得印象深的就是关于这部作品的结构。这部作品时间跨度比较长，事件比较多，人物也比较多，结构就成为一个很重要的问题。当时，西北大学有一个比较关注我写作的老师蒙万夫教授，我把长篇小说的构思第一个透露给他，他用一句话居高临下地指导我说："长篇的艺术就是一个结构的艺术。"我当时正担心结构问题，老教授就直接点到要害上了。这个结构该怎么结构呢？同样涉及内容和人物，因此我又静下心来读了大概十来部国外、国内比较重要的长篇，发现没有一部跟另一部结构是类似的。优秀的长篇、好的长篇都是根据题材和作家体验下的人物、事件来决定结构的，那么这结构就必须自己来创造。作家创造的意义这可能是重要的一点。

三

原来计划用三年完成的小说，实际上仅草稿就写了接近四十多万字，草稿主要是把人物和框架摆起来，把人物、意象、结构都初步定下来了。草稿只写了八个月，接下来打算用两年时间写完正式稿。草稿我是用大日记本子写的，写得很从容，不坐桌子，坐在沙发上把日记本放在膝盖上，写得很舒服，一点儿也不急。正式稿打算两年完成，很认真，因为几十万字，那时又没有复印机，不可能写了再抄一遍，所以我争取一遍作数，不要再修改、再抄第二遍了。写正式稿的时候心里很踏实，因为草稿在那儿放着，写得还比较顺利，本来应该两年写完，结果中间发生了一些意想不到的事，影响了我，不得不中止了两个半年。1989年4月写稿到8月正式稿就写了十二章，这书一共才三十几章。但到了1989年下半年整个半年就拿不起笔来了，因为发生了风波，我记得到离过年还剩下一月多的时间这场风波才结束。而这时我基本把前面写的都忘了，还得再看一边，重新熟悉，让白嘉轩再回来，我就把之前写成的十二章又温习了一遍。春节前后又写了几章，刚到夏天的时候，后半年写作又中断了，又到近春节的时候，才重新温习重新写。1991年从年头到年尾除了中间高考期间为孩子上学耽误了一两个月，这一年干了一年实活，到春节前四五天画上最后一个标点符号。想想看，如果把那两个耽误掉的半年算进来应该，1990年就完成了。写作的大体经过就是这样的。

后来我接受采访时常说“三句话”，一句话就是在写这部小说的时候我基本处于一种“绷”的状态。当时那几年中短篇小说相对写得很少了，中篇基本不写了，写长篇的时候插空写个短篇。大家都能猜到可能陈忠实在写长篇，不是我要说什么高深的话，完全是我个人的写作习惯。作家的写作心态都不一样，各人有各人的特点。我在西安时，有一些作家心里刚有个构思就要赶快去找人交流，别人也可以相得益彰，提一点儿补充的东西，很可能会受到启发。这是一种很好的创作办法。我恰恰相反，我想到什么就努力自己去想，一般不敢给人说。不敢给人说不是害怕别人把这个给写了，而是我在对想的东西兴趣盎然的时候，如果给谁一说就把气给撒掉了，就不想写了。所以我有什么想法，直到我写完了再给别人说。后来《白鹿原》完成的时候也是这种状态，别人问我，我就说这个就跟蒸馍一样。我不知道江苏人蒸不蒸馍，不蒸馍就蒸米饭吧，不管蒸馍还是蒸米饭，必须把气提足，不能跑气，跑了气馍蒸不熟，米饭也蒸不熟，夹生。我的创作状态，包括长篇和前面的中短篇都是这样的，从开始写作到完成，要把这口气提住。这是一种写作习惯，无论好坏，反正对我适用。

另一句就是“给自己死的时候做枕头”这句话。这是我在长安县查县志的时候，和一个比我年轻的作家朋友说的。那时县志都是很珍贵的版本，无论是县图书馆还是文史馆借给你的时候，只肯借一到两本，看完两本还回去再给你换两本来，一套县志往往是几十本啊。我住在八块钱一晚的旅馆里，拿着本子把县志里重要的东西一条条抄下来，抄完了再去换。抄一天这种东西比写作要累，写作有激情干起来还没有这么累。到晚上那个长安县的作家朋友赶来和我喝酒。酒喝多了的时候，他人就有点儿张狂，我也是。他问："你在农村的生活体验和积累还不够吗？到底要写个什么东西还把你难到跑上好几个县查阅资料。你到底想干什么？"我在农村生活了二十多年，还不包括幼年、青年时期，在农村生活积累上我比柳青都骄傲，我比他深入得更多。柳青在长安县兼职了一个副书记，兼了两年就不兼了，我在公社这一级里整整干了十年，搞工程，学大寨，执行极"左"政策，收农民的猪和鸡，那个期间那个积累是最实在的。只是当时没有创作的打算了，"文革"中间已经没有任何希望了，只把工作当工作干。想到这些，我就随口说了一句："老哥，我想弄一个在死了以后放在棺材里可以垫头的书。"当时喝得有点儿高，没醉，第二天清醒以后就忘了。事隔两三年，我有幸参加中共十三大，要我担任党代表，需要在《陕西日报》上发一篇宣传基层党代表的文章，报社的人让我找一个了解我的人来写我，当时就想到了那位朋友，他接触我比较多，比较了解我。结果那位朋友就写了一篇文章，标题大致就是我酒后说的那句话。我把文章看了以后，才反问他自己是不是说过那句话。文章发了以后影响不大，很快就过去了，并没有引起人注意。到《白鹿原》小说出来了以后，这句话才开始流行起来，到处都在说。后来我反省这句话有点儿狂，但不是乱说狂话，完全是面对自己，我要为自己死的时候找一个枕头，与别人没有关系，完全是出于我对文学创作的热爱，包括我个人的生命意义、心理满足。从初中二年级在作文本上写小说起，经历了20世纪50年代至60年代极“左”政治的风风雨雨，我仍然不能舍弃创作。按当时的写作计划，完成这部小说时我就四十九岁或者五十岁了。在我当时的意识里，包括我们整个村子里的农民世界的思想意识里，五十岁以后我就是老汉了，人的生命最有活力的时期就过去了。那么我五十岁的时候写的这个长篇小说，如果仍然不能完成一种自我心理安慰，自己的心里肯定很失落、很空虚，到死都要留下遗憾。出于这种心理，所以我说弄一本死的时候可以放在棺材里当枕头，让我安安心心离开这个世界的书。这是第二句话。

我再说一句话。写这部小说历时四年，从草稿到正式稿两稿，大概一百万字。写完的那一天下午，往事历历在目，有一些想起来都有点儿后怕的感觉。历时四年，孩子从中学念到大学，我的夫人跟我在乡下坚守，给我做饭。快八十岁的母亲陪着大孩子到西安去念书，但到那年的最后几个月，母亲腿不行了，孩子和她都需要人照顾，于是夫人也进城去照顾他们了，那个空院子就剩下我一个人坚守写作。夫人从城里把馍蒸好送回乡下，最后一次离过年不到一个月了，我说这些馍吃完进城过年的时候，书肯定就写完了。腊月二十五的下午写完，我在沙发上坐半天，自己都不能确信是不是写完了，有一种晕眩的感觉。这四年时间，从早上开始写作到下午停止写作，本来按我们正常思维就应该休息了，但脑子根本休息不下来，那些人物始终在你脑子里活动着。那时，过去写作从来没有过的真实体验就是必须把白嘉轩、田小娥这些人物从我的脑子里赶出去，晚上才能睡好。作品完成时这些人物结局都是悲剧性的，对我自己的情感来说，纠结得很厉害。开始采取的方法是散步，但没有解决，这个时候真正学会了喝酒。一喝酒以后，我脑子好像就能放松，那些人物才能全部赶出去，然后好好睡一觉，才能继续写。一直延续到腊月二十五写完以后，情绪好像一下子缓不过劲来，我在沙发上坐了好长时间，抽着烟，情感总是控制不住。然后到接近傍晚的时候，我就到河滩上散步去了。走到河堤尽头，冬天的西北风很冷，我坐在那儿抽烟，一直到腿脚冻得麻木，我也有了一点儿恐惧感才往回走。在家的小桌子上写了整整四年，突然对家产生了恐惧感，不想回家，好像意犹未尽。我又坐在河堤的堤头上抽烟，抽了一段时间以后突然产生了很荒唐的举动。我用火柴把河堤内侧的干草一下子点着了。风顺着河堤从西往东吹过去，整个河堤内侧的干草呼啦啦一下子烧上去，在这一刻我才感觉到了一种释放，然后下了河堤就回家。回家以后一进门，我就把包括厕所灯在内的屋里所有灯都打开，整个院子都是亮的。村子里的乡亲都以为家里出了什么事呢，连着跑来几个人问。我说没什么事，就是晚上图个亮，实际是为了心里那种释放感。第二天一早我就进城了，夫人说你来了，我就知道你写完了。到吃饭的时候她问："你这个写完了要是发表、出版不了咋办？"我说如果发表不了、出版不了，我就回来养鸡。这是真话，我当时真是有这种打算。为什么呢？你投入了这么重要的精力和心思的作品不要说出版不了，就是反应平平，我都接受不了，我就决定不再当这个专业作家，重新把专业作家倒成业余，专业应该是养鸡。因为四年期间没有稿费，收入很艰难，曾经有一年，三个孩子相继上高中、上大学，暑假我拿不出三个孩子的学费，就向曾经跟我在乡下一块搞过文学的人借了两千块钱，他搞了一家乡办企业赚了钱。我当时真是感觉到，农民企业家很厉害，两千块钱就给你摔在桌子上，多豪壮啊。后来我很踏实地对夫人说："这个小说要是能出版，肯定会有点儿反应，不会平白无闻。"因为我清楚自己作品里写的是什么。但是我在这里很坦率地跟大家讲，这本书出版后引起的热烈反响我从来就没有想到，给我十个雄心壮志我都想不到。

四

这本书的出版过程也有点儿意思。书稿为什么给人民文学出版社，这完全是一种朋友间的友情和信赖。我在"文革"期间发表了第一个短篇小说，尽管国家还处于动荡之中，但已经开始恢复刊物，逐步恢复文艺创作，培养文学新人，人民文学出版社也开始恢复出版。

《人民文学》的一个编辑何启治到陕西来，找了各地的老作家，有人就说陈忠实写了一个短篇，大家都认为不错。我当时正在郊区，区委正在布置开什么生产会，然后这个编辑就到区上来找到我，他对我说："你这个短篇我已经看了，再一扩展就是二十万字的长篇。"我当时给他吓得几乎就不敢说什么了，能发表一个短篇我当时就很欣慰了。但这个何启治的动人之处就是由此坚持不懈，回到北京以后，不断给我写信，鼓励我写长篇。坚持了半年之后，我被派到南泥湾五七干校接受劳动锻炼半年，几乎同时他也被派到西藏去做援藏干部。这样还保持着书信联系，他虽然已经不在岗位上，但还鼓励我写长篇。新时期以后，何启治跟我有一次相遇，说："我现在再不逼你写长篇了，但咱们约定一点，你的第一个长篇，你任何时候写成，你给我。"我就答应了，所以《白鹿原》写完之前，有些出版社闻讯我有长篇，先后来找我，我都说已经答应给别人了。写完以后不到一个月就给他写了信，很快按我说的时间来了两个编辑。这两个人来西安以后还等了两天，我把最后两章梳理完，把改好的长篇交给他们以后，他们下午就离开了，到四川开个什么会，然后再回北京。因为当时出版手续不像今天，一个星期就可以印刷出一部长篇小说来，所以我预计最少得两个月以后才有消息，所以心里倒一直很坦然。结果大概不到二十天，我从乡下再回到城里就见到了人民文学出版社的回信。我当时以为肯定不会有什么结论，肯定是让我把稿子拿回来。结果打开一看，我几乎都不相信，大叫一声就惊坐在沙发上了。我夫人从灶房里跑过来，吓得脸都青了，我躺在那儿简直一句话都说不出来。这两个人从西安把稿子拿上以后，在火车上就看完了，看着看着就入神了。他们回到北京就给我写了这个回信，评价之好大出我的意料之外，心里一下子就踏实下来，那出版肯定没有问题。

对一个长篇小说表态如此之快，在我看来是非常少有的。在此之前也有一件让我感觉欣喜的事。我曾把《白鹿原》的复印稿给作家协会的一个评论家李星看过，让他给我把握一下。他跟我是同代人，打小就是哥们。后来我在作家协会的院子里撞见李星的时候，问他稿子看过了没有，他说看完了，我说我都不敢问你感觉如何。李星拽着我的手说："到我家里去说。"刚一进他家的门，李星转过身就跳起来说："这么大的事叫咱们给弄成了。"我听完了以后也愣在那儿。后来我调侃李星，我说："李星第一次用非文学语言评价文学作品。"

贞节带与斗兽场

在关中乡村流传的许多酸黄菜式的民间笑话里，有一个放心带的故事，说有位商人四季出远门做生意，那时交通工具不发达，顶好顶快也就是轿子马车或单骑骡子，往返很费时日，多则三月半载，至少也少不了月里四十。他一出门，就把大妻小妾留在家里守活寡，终于听到了大妻状告小妾与用人有不干不净的事情。处置这种辱没门庭的事对商人来说非常简单，辞退一个，休掉另一个就是了。然而麻烦接着发生，小妾随之也向商人打上小报告，说大妻与长工有染。商人在恼火万状中反倒醒悟，把大妻小妾都休了可以再娶，把用人、长工全部辞退再雇新的人来也不困难，问题在于自己一出远门就旷日持久，再娶的妻妾与新雇的长工、用人再发生偷情的事怎么办？于是商人终于苦思冥想出一条万全之策，在他又要出门进行商务活动之前一夜，把两件铁打的放心链子强迫大妻和小妾套锁到下身，然后便放心地出门上路了。

这个商人与小镇铁匠铺的铁匠共同设计锻造的安全带或者叫

放心链的东西是个什么形状，传说笑话里很含糊，任何听取这个笑话的人在痛快淋漓地笑过之后，并不认真去研究那个铁链钢带的实际可行性，笑过也就完了。

然而，万万始料不及的事不期而遇，在意大利国家博物馆里，我看到这样一件中国乡村笑话里的钢铁锁链式的带子，名字叫贞节带。

那是一条类似于健美运动员穿的那种简化到只护苫阴部的带子，不过不是任何纺织布料，而是坚硬的钢铁。一块一片真正的钢铁连缀成一条腰带，是用来箍绑女人的腰的；同样的钢铁薄片连接成一条带子，一头与前腰的铁带相连接，通过腹部兜住阴部和屁股，再和后腰里箍缠的铁带相扣接。兜着屁股的铁片中间溜着一只空心大孔，肯定是设计和制作者为大便通过的悉心设计；而最富于匠心、竭尽智慧、显示天才的设计，自然是表现在最核心、最要害的部位，即对女人生殖器的防卫措施，那儿的铁片同样留着一道孔，无须阐释便可以想到是给小便的出路；那孔是竖立式偏长形状，宽窄的估计和把握也经过精心的算计，即不容许任何男性生殖器通过；最绝的活儿是在偏孔的边沿上，有一圈倒立起来的约二寸长的三角形尖刺，其锋锐的程度有如锥尖锯牙……想想有哪个情种能够对抗这道监守围墙的钢铁蒺藜？设想某个风流种子看到这钢铁蒺藜时会是怎样的猴急？而被扎上这道钢铁蒺藜式的贞节带的女人又是怎样的心理和生理的屈辱和痛苦？

这件匠心独运的钢铁作品挂在意大利国家博物馆的墙上，外面用一只玻璃罩子罩着；如果不是在一个国家级的博物馆里看到这样一件展品，我也许会怀疑是某个恶作剧者的游戏之作，类似于中国乡村民间笑话里的虚拟之物。我在这一刹那突然明白了什么叫欧洲的中世纪；中世纪的全部黑暗和野蛮浓缩具象为这件贞节带，正是中世纪挥舞的旗帜。

据说这件贞节带主要是为罗马帝国的大将军、小士官们铸造的。在他们出征另一个民族的前夜，先用这件万无一失的钢铁制品封锁了自己妻子的阴户，然后才放心地扛着盾牌和利矛去进行征服之战。到他们征服了，也践踏了一个民族的尊严和家园而凯旋时，在接受国王的嘉奖之后，回到家便掏出钥匙打开妻子腰里贞节带上的锁子。我又陡生疑问，如果某个将军或团长、旅长、营长战死在异国他乡的沙场上了，那么他妻子的这副贞节带恐怕就要箍勒到死而无法解除了，因为唯一的那把钥匙只能由丈夫装在腰里，他死了，钥匙也就和腐烂的肌肉一起埋入泥土。腰际和阴部戴着这种钢铁锁链的女人如何睡觉、怎么行走？如何日复一日、无时无刻不在承受肉体的折磨和心灵的屈辱？漫长的人生之路对她们来说将意味着什么？

我想用相机拍下这件中世纪挥舞过的旗帜，结果被告知说不许拍照。敢于把这么一件怪物堂而皇之展览在国家博物馆里，主办者的勇气和坦率已经令我钦佩，而不许拍照的禁令却让我留下遗憾。我便久久注视这件怪物，我在想到我家乡那个民间笑话的同时，又想起来我刚刚出版的长篇小说里头的一个女人，这个女人惹得某些脸孔一本正经而臀部还残留着“忠”字的当代中国人老大不顺眼。

我在查阅蓝田县志时查到了三大本的《贞妇烈女卷》；第一本上全部记录着某村某妇女夫死守节、抚养儿子、孝顺公婆的千篇一律的事例，第二、第三本里只记载着张王氏、李赵氏的代号式的名字，我索然无味便一把推开。推开的一瞬突然心里悸颤了一下，想到多少年来凡是来此查阅县志的人，恐怕没有谁会有耐心读完两大本人物名字，而且不是真实名字，只是两个姓氏合成的代号。我忽然对那些贞妇烈女委屈起来，她们以自己活泼泼的血肉之躯换取了县志上不足三厘米的位置，结果是谁也没有耐心阅读她们。我便一行一行、一字一字看下去，如果这些屈死鬼牺牲品们幽灵尚在，当会知道在她们死去多少多少年后，终于有一个从来不敢标榜著名的作家向她们行了注目礼……田小娥的形象就在那一刻里产生了。

我们漫长到可资骄傲于任何民族的文明史中，最不文明、最见不得人的创造恐怕当属对女人的灵与性的扼杀，我们有称得经典的伦理纲常和为推行这经典而俗化了的《女儿经》，然而我们似乎没有设计制造贞节带的记载。

我们有贞节牌，我们有县志上的贞妇烈女卷，我们以奖励为主导方式弘扬那些嫁鸡随鸡、嫁狗随狗、鸡狗早夭了还为鸡狗守节守志的女人们。南欧的罗马人不如我们含蓄，也不懂得以褒奖为主的方法，赤裸裸地锻打出来这么一种钢铁家伙去强行封堵。历史证明了我们祖宗的高明和罗马人的简单甚至可以说愚蠢，他们那样招人眼目的锁链不久（对历史而言）就彻底废除了，而我们祖先行之有效的方法却延续到 20 世纪之初，比他们的寿命悠久了几个世纪。我所查阅的几个县的县志大都是抗战前编修的，依然堂而皇之不惜工本弘扬着代号们为鸡狗殉道的节和志，即使从“五四”算起也有十多二十年了，还在依然故我地立贞节牌进登县志……我便有个恶毒的想法，在我们的博物馆里，起码在妇女解放史的专题性展览馆里，应该展出县志上的贞妇烈女卷本，这东西与罗马人的贞节带有异曲同工之妙。

…………

此前我曾参观过古罗马斗兽场。这个闻名古今、闻名东方和西方的斗兽场，在我远远地瞅见它的断垣残壁时，竟无任何惊讶与新奇的感觉，对比起来远远不及贞节带对我灵魂的震慑。这原因恐怕在于中学的历史教师。

年轻的历史教员是一位非常优秀的老师，然而他无论如何也无法解决中国历史和世界历史进程中枯燥无趣的纪年或频繁如麻的王朝更迭的事件。一当讲到中世纪的黑暗和野蛮时，对古罗马斗兽场的情景却讲得有声有色，生动得使我几乎忘记了这是在上历史课。野兽从怎样的地下暗道放逐出来，奴隶又从怎样的地下囚室爬到场地上与野兽搏斗，我听得毛发倒提、惊心动魄，这主要出自幼年时对野兽的恐惧。我们家乡最凶恶残忍的兽类只有狼，而狮子、老虎比起狼来又厉害多少倍呀！一个奴隶面对一只饿过多日的狮子、老虎直到被撕成碎块连骨带肉吞噬下去的情景，即使最缺乏想象力，又缺乏同情心的人也要闭上眼睛。

也许是我上了些年岁，对野兽的残暴多了一些承受力，直到我站在古罗马斗兽场的场地上时，竟然是一种冷寂心境。我很自然地企图印证历史老师的描绘，企图印证小说《斯巴达克斯》的描写和同名电影里的印象，而眼下的一切都面目全非了。圈形的高耸的围墙大部分坍塌，残缺不全，如同一只凶兽牙齿七零八落、豁豁牙牙的嘴；场内的看台也大都坍塌了，依然可以看出那个时候国王贵妃和普通看客的尊卑台阶；囚禁奴隶、关锁野兽的地下洞穴也塌窑了，兽和人放逐出来的通道壕沟也壅塞不畅了……历史把鲜红的血和苦涩的泪已经风干、风化，历史演进中人类的耻辱也被风吹日蚀得只余一张空干的破皮了。

我的年轻的历史老师绘声绘色地讲述人类历史上最野蛮的这一幕情景时，肯定不会料想到一个背馍上学、一日三餐全是开水泡馍的听讲学生，以后会站在真实的斗兽场的废址上印证他生动的讲述。又怎能完全冷寂呢？

当希特勒、墨索里尼和东条英机把整个世界变成一个大斗兽场的时候，人类的如斗兽场的发明者的本性在多次重复演练，才是真正令人触目惊心的。

…………

贞节带是一种理论和法律的产物，贞节牌同样是一种观念和道德法绳的产物，同样残忍，同等野蛮，然而在它们产生的那个时代却同样堂皇，同样神圣，同样合理；斗兽场、希特勒和东条英机同样自信他们的理论和这理论掀起的屠杀奴隶、屠杀世界的战争……各个民族生存发展史中留下来的耻辱都钉到耻辱柱上了，然而那钉住的其实只是一张风干了的再无任何蛊惑力量的破皮。

幽灵呢？破皮风干之前原有的幽灵还有没有呢？会不会在某天早晨以一种更具蛊惑力量的装饰，重新向这个世界挥舞贞节带？

突破自己

××同志：

你好。上月初的来信收读后，心里很不安。你因为坚持较长时间的业余文学创作而“一无所获”，“在一次又一次的退稿面前，不得不承认自己‘先天的基因’不足这个事实了”，因而决定罢手，再不做这样的“无效劳动”。你不是因为兴趣转移，也不是因为其他原因，恰恰是被天才的神话吓住了、怀疑了、动摇了，放弃了自己对文学事业的追求。我感到遗憾，深深的遗憾。

我不想说天才的有无，因为我至今也搞不清这个神秘而又吓人的字眼里究竟包含着怎样的意思。我只是确信我自己没有“先天的基因”，更与“天才”没有缘分；我只是深知在处女作发表之前，经受一封封退稿信的痛苦是一个较为普遍的现象，许多活跃于当代文坛的令人景慕的中青年作家都不能逃脱这种“残酷的现实”，无须举证，几乎每人“都有一本血泪账”。我想，如果这些当代文坛的健儿在一鸣惊人之作发表之前的痛苦磨炼中，突然被“天才”这个魔鬼迷了心窍，从而终止了创作，那么对于当代中国的文坛，该是一个多大的损失！相信“天才”而终于被吓倒了的，可能正是许多“天才人物”。据说有个别“天才作家”没有经受过这种痛苦，非常轻松，一写即能发表，一发表即引起震动，连本人甚至也觉得竟是意想不到的容易。这样的“天才”，我不敢说一定没有，但一定很少。既然我们都不是“天才”，都不具备“先天的基因”，那么我们就不能循着“天才”的足迹走，宁可少看或不看“天才”们扬扬自得的面孔，免得灭了自己的志气。多读一些“先天基因”甚微乃至完全没有“天才”，在通过艰苦卓绝的奋斗中对人类有所贡献的人的事迹，对我们将是一种鼓舞，使我们受到启发，增加奋斗的志气和追求事业的韧劲。

我以为问题的要害在于，人在理想和事业的追求过程的各个阶段，对自己的实际能力应有一个认真的客观的估计。这种估计不是猜摸“天才”成分的多寡，而是自己此时或彼时对于自己所钻研的学问所实际达到的把握。自己在某几个方面强些，在某几个方面弱些。对于强的一面或几面如何进一步巩固和发挥，对于弱的一点或几点如何加强。而尤为重要的是，能在诸种因素中，找到致命的关键的薄弱环节，作为这一阶段学习和攻占的目标，作为前进的突破口。这一薄弱环节被突破，其他的薄弱环节中又有一点相对地变成新的至为关键的薄弱环节，又成为新的突破口。我以为，突破首先是打破自己的局限。

文学创作是一种复杂的劳动，甚至带有某些神秘色彩。我以为不论如何复杂、如何神秘，还是不外乎柳青生前所讲的作家要经过“三个学校”的总概括，即生活的学校、艺术的学校和政治的学校。作家为什么要深入生活，理解生活，从而达到对生活的艺术概括，创造形象的理论；作家为什么要学习政治，提高思想以强化自己对生活的现实内容和历史内容的独到而新鲜的认识，深化作品的主题；作家如何加强艺术素养而提高自己对于所了解的生活的表现能力，等等，柳青都有独到而精辟的见解。我这里所要说的正确估计自己，从而不断地找到突破口的意见，仅仅局限于艺术表现能力的学习范围之内，或者更具体地说，就是在成为大作家之前，练习文学的基本功力的过程中应该注意的事。

即以短篇小说这种文学形式的创作来说，有主题的提炼、人物塑造、结构、情节的铺展，这些大家所常说的几个方面。再进一步说，文学语言的锤炼，细节的选择和描绘，人物对话如何恰如其分而又绘声绘色，叙述语言怎样避免干巴巴的事件或过程的介绍，变成一种形象的叙述，何处适宜浓墨重彩细致描绘，何处又必须一笔带过而绝不应多写一句……这些文学表现能力的基本功夫，全部都得经过实际的练习而后才能有所提高。从优秀作品的阅读中得到启示，在自己的实际写作中得到磨炼，不断提高。而在这个过程中最害人的是某些小说作法——各种变换花样的小说作法。所有这些文学表现的基本功夫，只有在写作中无数次失败里去获得。

我在发过三四个短篇之后，有一次小结。这三四篇小说，篇幅都在两万字以上，好多同志都说那实际已经是中篇的架子了。在短篇的结构问题上，我不是千方百计，仅仅是一方一计，太单调、太笨拙了——我找到了自己的突破口。我集中阅读了一批国内和国外的优秀短篇，最终选定了莫泊桑的短篇小说，重点学习莫氏的许多优秀短篇的结构手法。从而打破了自己的局限，从篇幅上一下子缩小了，此后的习作大多数在万字以内，多有六七千字的习作。后来一次找到自己的突破口，是语言。一批作品发表了，有的同志说我的文学语言生活气息浓，好得很；有的说那语言简直不堪一读。我觉得这些话都有可取之处。我的语言实际所达到的程度，不是至善至美，也不是不堪一读，而是有待于进一步锤炼和提高，使其更富于美感。语言的美有各种内涵，有人欣赏华丽，有人喜欢淡泊。我喜欢一种刚健而富于弹性的生动活泼的语言。

一种对活泼的生活语言经过提炼的优美朴实的文学语言，成为我追求的目标。第三次有意识地寻找到自己的艺术表现能力的突破口，是感情色彩。这是听到评论家和读者的评论和意见之后，归结出来的。写小说是写人，写人是要写这个人的典型性、形象性，这是老生常谈的话。但写人的什么？形象而逼真的肖像吗？历尽艰辛的生活道路吗？可歌可泣的英雄行为吗？是的，这些都要写。但这仍然不够，应该更进一步明确地意识到，在他或她的生活道路的艰辛历程中、英雄行为中，准确而生动地写出他或她在此时此景或彼时彼境下的感情色彩、感情波澜，以情动人。作品与读者之间是以人物的感情进行交流的，人物的感情色彩出不来，读者就觉得乏味了。某一段叙述或描写（乃至风景、环境描写）一旦离开作品人物的感情的纽带，读者立即就想跳过去。在人物感情的描绘中，我觉得首先是准确。准确排斥虚假。所谓把握人物性格，在很大程度上是把握人物的感情波动的浪潮。意识到这一点，我在尔后的习作中努力争取写准确（不足或过分都不算准确）人物的感情。

这种不断地找到自己的“突破口”的办法，是我近几年间在业余创作实践中自己摸索的，我以为是切合自己的实际的。要找到自己的“突破口”，并不是一件容易的事，需要冷静，甚至需要对自己的近于严酷的态度。完全凭自信而觉得不必遇伯乐，不行；完全自卑而觉得“先天基因”不备，也不行。要自信而又不自信，自信——经过学习和磨炼，敢于肯定自己已经具备了一定的文学素养；不自信——更重要的是看到自己还有许多薄弱环节需要突破。这样，我们就能始终踏实地去学习、去摸索、去积累自己失败的和成功的经验，不以误有“天才”而自喜，不以自己无“天才”而却步。扎扎实实地进行文学基本功的练习，走完处女作发表之前这一段较为漫长，较为痛苦的创作道路。

处女作发表以后又怎么样呢？仍然继续着新的痛苦。处女作发表之后而连续发了十几篇乃至几十篇作品，反应平平，评论的冷漠（不是因“风”而致的偏见），急于提高和突破的痛苦绝不轻于处女作发表之前。即令有一篇“震世”之作发表了，尔后又出现一批平庸之作，又会陷入不能突破（这种突破已不同上文所说的突破口）的痛苦深渊。我的体会是，在创作这项事业中，欢乐是短暂的，痛苦是永恒的。痛苦中有追求，有不满足现状，有新的渴盼，因此永远不会完结。痛苦没有了，希望也就没有了。

无论我们能否在文学事业中有所建树，或建树的大小如何，既然从事这个迷人而又复杂的令人痛苦的事业，首先必须打破某些玄而又玄的关于“天才”的吓人的宣传，排除一切轻易取得成果的侥幸心理，而把自己的脚跟站在艰苦奋斗、努力登攀的基地上。柳青有一句名言传世：文学是愚人的事业。

以上说了这些很肤浅的话，愿共勉。祝进步。

致以敬礼

陈忠实 1983 年 11 月 2 日

文学的信念与理想

我的文学信念形成的时间很漫长，是从不自觉到自觉的过程，也有去伪存真的问题。最初的很长一段时间里，单就个人的因素来看，写作确实就是一种兴趣和爱好。它的萌发是一种兴趣，包括已经能发表很多作品的时候，在很大程度上还是一种个人的创作兴趣，一旦沾染上了文学，发表了些作品，同时也就产生了名利之心。再后来，把文学创作当作一种生活目标来追求的时候，毫无讳言，具体到个人出路的非常实际的问题时，我还是从自身考虑得多。尽管在陕西省已成为有影响的一个作家了，社会要求你的写作是要为革命，自然要附着一些当时流行的社会政治口号，把你的创作归列到那上面去。但具体到我写作的真实心理，仍然是兴趣。我最初的兴趣是在中学读书时引发的，不自觉地连续练习写作。到高中毕业时，处在国家“困难时期”的非常重要的关头，是我人生最重要的转折点，也是我人生最困难、最苦恼的一段时期。后来我回忆当时，不能进大学学习，对一个青年来说，无论从个人出路、发展，还是从报效祖国、服务人民，即从公与私的角度来看，所有的路一下子都被堵死了，在一切都不可能的时候，我很自然地把自己的精神集中到文学爱好上来。这也是我当时唯一能选择的道路。这样，反而排除了一些轻易能够进入社会，包括谋一个好的工作这样侥幸的心理，反而归于一种死心塌地的沉静。进入这种自修状态，我的目标很明确，自修四年发表第一篇作品，就是我的大学学历完成的标志。那是我从最基本的文学修养开始练习，摸索写作的道路。在这一时期，最重要的是文字修炼，虽然也是在任何冠冕堂皇的场合都要讲是为革命写作，其实是以文学创作来寻找自己的人生出路。尽管如此，选择文学的动力还是对文学的兴趣。回忆那一段时间，我总以为，一种虽然时间不长却极度的恐慌和痛苦过去以后，我才进入学习的最好的沉静状态，开始了文学创作的准备。最初是广泛阅读，包括背诵、记日记、写读书笔记、生活笔记，这些笔记不仅锻炼了文字功力，而且锻炼了我观察生活的敏锐性。我很清醒，如果文字功力不足，想把发生、发展的事情表达出来，实现自己的人生理想，想当作家是不可能的。

到能发表一些作品，并在社会上产生比较多的影响的时候，文学创作仅仅作为个人生存的目的，反而淡化了，退居次位了，不是主要矛盾了。社会承认你是一个作家，你就要对自己创作的进一步发展提出更高的目标。这大约应该是到了20世纪的80年代中期。我清醒地意识到，社会承认你作为一个人的创造价值，但社会同时也强迫你必须认识到它承认的是什么样的作家。换句话说，你要做一个能与社会的发展趋势相一致的作家，否则，你即使成了作家也难以获得一个作家的安慰和自信。这个意识在写《白鹿原》之前的20世纪80年代中期已经非常强烈了。在这个时期，我的创作已经在社会上有一些影响，短篇小说在全国获过奖，也出了几本中短篇作品集。后来出书的兴奋感渐渐地淡化了，我强烈地意识到一种压力，作为一个作家，在陕西和在中国当代文学中，自己给自己打一下分，掂量一下自己的分量，就明白自己达到了什么程度，包括生命年轮，五十岁成为我很大的心理压力。这时候，文学信念开始形成，新的创作欲望膨胀起来，想在文学这个事业上形成属于自己的，应该不为人淡忘的东西，也就是努力为自己在文学领域里占一席之地的想法变得强烈了。我同时也产生着另一面的心理危机，如果当代读者把我的全部作品淡忘了，这个作家存在的意义恐怕只剩下“活着”了。

原来我只有一句豪言壮语：应该在中国的图书馆里挤进一本书，哪怕是一篇文章也好。因为图书馆不是任何人、任何书都能挤进去的。一方面，这个时候的创作欲望，不再是在重要刊物上发表作品并获奖，也不是为了获得评论家给予的赞赏，这些都很难再激起我的创作欲；另一方面，与此相辅相成，对文学创作的理解也产生新的欲望。创作心态正是在这一时期发生了重大转变。20世纪80年代中期，文学创作和理论都非常活跃，所有新鲜理论不论是中国的，还是外国的，对我产生了很大的影响，尤其是关于创作的人物心理结构学说、文化心理结构学说。过去很长一段时间里，到接触这个理论以前，接受并尊崇的是塑造人物典型理论，它一直是我所遵循和实践着的理论，我也很尊重这个理论。你怎么能写活人物、写透人物、塑造出典型来？文化心理结构学说给我一个重要的启示，就是要进入你要塑造的人物的心理结构并解析，而解析的钥匙是文化。这以后，我比较自觉地思考中国人的文化心理，从几千年的民族历史上对这个民族产生最重要的影响的儒家文化，看当代中国人心理结构的内在形态和外在特征，以某种新奇而又神秘的感觉从这个角度探视我所要塑造和表现的人物。最明确的作品是《四妹子》《蓝袍先生》，这是我的创作实验的两部作品。

特别是《蓝袍先生》发表后的反应，诱发了我强烈的创作欲望，鼓舞我进一步在更大的层面上深层次解析民族的文化心理结构，《白鹿原》就是在这样的创作思路下开始构想的。它展现的不仅是两个个别的、具体的、家庭的文化心理结构，而且是整个民族的精神和心理结构。从这一点上看，《白鹿原》里的各类人物，他们彼此间的诸多纠葛和命运的冲撞，其实仅是个载体。抓住对人物文化心理结构的解析，一条新的创作思路便在我的眼前展开。我曾说过，我当时的思路和精神状态是最活跃的，充满了新鲜感，好像进入一种新的精神天地、思想天地、艺术天地，整个形成了思想和艺术世界极大的兴奋感和探秘感。到了这时，我才有信心完成《白鹿原》这部作品。由于有这些东西的引导，我感觉到了一个全新的境界，创作欲望和思想激情自然就达到了一个自己从未有过的高涨状态。由于是个人生命体验性的东西，对人的鼓舞和心理自信的强化就显得非常内在，不是谁都可以轻易摧毁的。

作家探索的勇气和艺术创造的新鲜感所形成的文学信念是无法比拟的，我感觉好像要实现一个重要的创造理想，但是也有达不到目的的担心存在。一个作家关键的东西是自我把握，自我把脉太重要了，不能简单地、不加分析地听任社会上一些人对你的“褒”和“贬”。如果久久得意于对自己的一时表扬，目光也会短浅起来，无法把才智挥发到极致。重要的是使自己不断跨越已有的成就，对自己不断提出更高的新目标和新要求。

关于“文学依然神圣”这个话题，主要是有感于现实而发的。20 世纪 90 年代中期，我们的商品经济进入最初的活跃阶段，社会生活形态、人际关系受到猛烈的冲击和颠覆。颠覆未必是坏事，我们原有的观念太陈旧了，这个颠覆的过程把那些陈腐的东西颠覆掉，但也未必产生的都是全新的、正确的、科学的生活观念。颠覆本身具有二重性，尤其是这个过程中对原来比较神圣的一些东西和情感，也都被轻蔑了。所谓的“造导弹的不如卖茶叶蛋的”，从事文学事业的作家也像造导弹的专家一样被贬值了，社会真正看重的是卖茶叶蛋的实际收入，而轻视造导弹或搞创作的创造性的社会价值，人们普遍关注的不是劳动的意义，而是物质性的结果。这个结果甚至简单到单指个人收入。被中国人一贯认为神圣的文学，包括受敬重的作家头衔，在这个时候也不那么神圣了，这种精神劳动在普通人眼里未必能胜过卖茶叶蛋的，这是那个时段里最为形象的比喻。重要的是我们作家群体里包括文化界，也有一种无奈的自我调侃乃至对市侩观念的认可，对创作的发展造成了影响。“文学依然神圣”的口号是我在炎黄优秀编辑颁奖会上讲的，它虽然被社会传播了，但仍然有人怀疑——难道文学真的依然神圣吗？根据现时代的生活特征，文学果真还能神圣下去吗？作家、科学家都已经被边缘化了，挣钱人神圣了，是否确实把自己变成当代的堂吉诃德了？生活实际上运转得也很快，我感觉从2002年的今天回头看五六年以前的生活，这中间的变化不小，应该说人们现在对文学的看法比以前要冷静和正常，这是重新经过选择、思考和鉴别的结果。

让人忧虑的是创作上的浮躁、快速化、平面化和理论上的平庸或者说庸俗化。这不是某一个作家、评论家或某一个地区的现象，而是带有普遍性的，整个文坛都在议论这个话题，各类报刊都在从不同的角度讨论这一问题。创作现在到了最快速化的时代了，一年生产的长篇小说（不说中短篇）近千部，是过去“十七年”的总和的几倍，远远超过“大跃进”时代了。这个快速创作量、出版量固然呈现出了繁荣的局面，但读者对文学界本身的不满意并没有因此而有所缓和。人们依然关注的是提高作品质量的问题，那种一般化地写，泛泛地以及媒体不着边际地“炒作”，严重地倒了广大读者文学阅读的胃口。这样一个局面，当然与浮躁的生活环境所产生的急功近利的浮躁心态有关，但从一个作家创作的角度来讲，最致命的东西还不是这个，作家的能力、解析当代社会和历史生活的思想穿透力，关键还在这方面。现在大量历史题材的小说、皇帝小说（也没看很多，从电视上看），大多局限在权力的诉说之中，甚至有一种对封建权力的崇拜和对阴谋权力的某种兴趣，这种东西展开的故事往往很热闹，斗争很激烈，观众兴趣很大。但是，作为一个作家，我只问他的思想和立场是什么？作家透视历史宫闱的力量有没有？从历史发展的角度来看，封建制度确有它辉煌的一面，但其作为人类历史发展过程的一段，毕竟是一个非常落后的社会制度，回头看看历史，我觉得作家首先要有穿透封建权力的思想和对独裁制度批判的力量，但是现在看不到，全部是把历史当作对有所作为的皇帝的歌颂，甚至在歌颂有所作为的那一面的同时，把其对老百姓非常残忍的一面或隐而不提，或全部抹杀了。作家的思想穿透力远远没有达到“五四”时代新文化先行者对于历史认识的力度。对现实生活的表现和揭示，也还停留在对当代共产党人的清官与贪官的浅层次辨析上，很难进入一种对人的心灵的关照，难以进入在这个时代中对人民心灵的欢畅和痛苦的那种本质上的关照，而这恰恰是文学作品应该全力关注的东西。平面化和浅层化对此既然难以发现，就只好绕着走，似乎没有高招儿解决这一问题。但我相信许多作家都在做着各种努力。做努力是一方面，时间又是一方面，因为这是无法回避的。作家创作要提升档次，文字表现能力，包括一些新的表现手法、艺术形式等，对许多作家来说都不成问题，那还剩下什么制约着作家不能登上一个新的创作台阶？就是思想和境界。如果思想无法穿透生活深度，不能超出普通人很多，那么，作品怎会有思想的力度和深度的东西，自然不会引起读者的兴趣了。

作为一个作家的文学理想，当然是要创造出思想内涵，包括文学形式上的一种全新的形态，一个作家如果没有属于自己思想和艺术形态上的一种全新的、有异于所有人的作品形态的作品，那么，这个作家是立不住的。各国的文坛都是这样残酷。作家希望创造出属于自己独有的艺术世界、艺术形态，但作品发表出来的结果却是属于人民的、民族的。一个作家的文学理想不能不涉及为民族精神的更新和发展提供点儿什么。每一个作品对作家来讲都是不一样的，作品的形成过程、体验的方式和结果都不一样，体验决定着作家的精神状态，也制约着艺术形态。体验是独特的、个性化的，表现它的艺术形式也是独特的、唯一的，这才有可能形成作家独特的创作风格，而最为关键的是作家本身不能削弱，也不能淡忘自己对新的艺术形态的探索和追求，不能满足于已经取得的由相当成熟的艺术实践经验支撑的创作成就，这才有可能不重复自己，也不重复他人。再就是要不断磨砺自己的思想，面对你所感兴趣的生活，不论是现实的，还是历史的，必须有能力穿透到一个新的层面上才会有新的发现。应该说艺术和思想是互相交融的，一个新的艺术形态不会孤立地从天而降，它是与那种新的思想在穿透历史的过程中同步发现、同步酝酿、同步创造而成的。这需要不断更新相关的观念，尤其是像我这个年龄的作家，由于过去接受非文学的东西太多，不排除非文学的意识，就很难接近本真的文学，排除快、解禁快，排除得越彻底，接近本真文学的意识越纯，才能进行真正意义上的艺术创作。至于作品，不管其大小，哪怕是一个短篇，只要这些东西具备了，对一个民族建树自己的文化都是有益的。

作家应该留下你所描写的民族精神风貌给后人。不管是历史的，还是现实的人生，一经作家用自己的生命所感受的体验后，表现出来的就应是这个民族在特定历史时段整个精神层面的一种比较准确的、具有普遍性的东西。我们从阅读国外作家的优秀作品中，常能对某个国家的某个时段里人的精神状态，包括人的快乐和痛苦，感受到有一种虽异样却颇深刻的体悟。作为一个作家也应该肩负起这样的责任，在这个国家和民族发展的历史上留下你的真实描绘，把这个时代人的精神形态和心理秩序艺术地告诉给后人，让他们从这些已经成为过去的现象里把握那个时代人的精神脉搏，并引发出有益的启示。在西方文化大量涌现的今天，作家们理应提供一个又一个优秀的文学文本，不是消极地保护民族文化，而是以创造优秀作品来丰富、更新、发展民族文化。有了真正优秀的作品，才能长民族文化的自信心，并在国际文化、文学的交流中获得我们应有的平等地位。目前，并不具备这种文化平等交流、交换的条件，这不能简单地以经济发展做后盾，也不能用政治上的平等来取代，没有一定数量的优秀作品，交流、交换很自然地就形成了强弱之势，怎么能平等呢！这需要一代一代作家来完成。当然，作为一种社会责任，社会应该尊重和爱护作家，但作家的文学理想必须把为民族创造优秀作品作为坚定不移的奋斗目标。如果我们没有这样的理想、意志和雄心，必然完成不了文化上平等的交流，甚至连一点儿回流的力量都没有。想一想看，就我们的出版而言，我们翻译出版了多少欧美国家以及日本、拉美的作品，包括古典的和现代的作家作品，而国外翻译出版中国的作品却是微乎其微，根本构不成一个比例。面对这种情况，说我们不具备与世界文学进行对等交流的条件，显然是一个不争的事实。文学和电影的状况一样，是西方向中国倾入之势，起码在目前尚无法改变，只能靠一定的政策来制约。把争取在多少年后达到一种平等的交流作为文学理想的一个重要的内容，我看是应该的。

没有优秀的文学文本，要改变外来文化的倾覆之势是不可能的，这种看法应该让作家普遍地深刻认识到。真意识到这一点了，他就有“天将降大任于是人”之感，他也许就能静下心来，不再浮躁，也就不会满足于一些小小的荣誉。小有成就就欢呼雀跃，说到底还是对文学创作这种劳动的意义的理解有问题。这个问题本来不难解决，你只要往图书馆书架下一站，你只要抽出几本经典的作品来，认真读一下就会明白真正的文学是什么，就会意识到自己取得的某些成绩，虽然对个人而言是值得庆贺的事情，但你马上就会明白不应该耽搁太久，离高峰还很远，只能把这当作攀向另一个高峰的台阶，争取获得实现另一次突破的途径和力量，而不应沉醉太久而耽误了行程。常看到有人在很低的台阶上取得了很小的成绩时，就以为攀上了最高峰，尤其对那些具有潜在能力的作家来说，因为对文学的理解不足和艺术视野的狭窄，往往把他的天才和智慧浪费了。

我的创作原则没有变，“未有体验不谋篇”。尽管这一个时期没有写小说，但是写了很多的散文，对于文学的思考自觉不自觉地从来没有间断过。创作新欲望的产生，从我感觉上讲，也是对创作过渡到另一种理解的自然过程，我的习作是从短篇开始的，现在重新开始短篇小说写作，仍然很新鲜。就我而言，20世纪70年代末到80年代中期的写作，我感觉还是不断接近文学本身的过程，直到完成《白鹿原》，这个过程当为一个阶段的完成，也就是说完全接近文学的本身。现在我对短篇写作探索兴趣很大，短篇题材天地非常广阔，作家怎么写都探索不尽，尽管前人（中国人和外国人）创作了无以计数的短篇，仍然留给我们很大的创作余地，谁也不挤（影响）谁。现在才发现，我仍然是对关中现实生活的敏感程度远远超出对历史题材的兴趣和敏感度，《白鹿原》应该说是一个例外。我过去一直关注的都是现实题材，却突然写了一个《白鹿原》这样的历史题材，现在又重新面对我最容易触发心灵和神经敏感的现实生活，包括阅读报纸和感受运动着的生活。最近的五六个短篇都是这种题材的作品。我已经形成了这样的写作习惯，即使写短篇小说，也必须是一个短篇与一个短篇绝不应雷同，不能形成一个似曾相识的稳态模式。在我的创作感觉里，因为每一次体验到的内容不一样，就不可能用一种艺术形态表现它，甚至语言的色彩。每一个短篇都要找到一个新的适宜于表述这体验的艺术形式，它们各有姿态，包括语言姿态。这样的创作发展到以后会是怎么个样子，我也不好把握。我的创作是靠感受，感受和体验不是按计划发生的，所以以后的状态真的不知道。

我的文学生涯

我生长在一个世代农耕的家庭，听说我的一位老爷（父亲的爷爷）曾经是私塾先生，而父亲已经是一个纯粹的农民，是村子里头为数不多的几个能打算盘，也能提起毛笔写字的农民。我在中华人民共和国成立后的第二年入学，直到1962年高中毕业回乡，之后做过乡村学校的民办教师、乡（公社）和区的干部，整整十六年。我对中国农村和中国农民有些了解，是这段生活给予我的。直到1978年秋天，我调入西安郊区文化馆。我再三地审视自己、判断自己，还是决定离开基层行政部门转入文化单位，去读书、去反省，以便皈依文学。1982年冬天，我调到省作协专业创作组。在取得对时间的完全支配权之后，我几乎同时决定，干脆回归老家，彻底清静下来，去读书，去回嚼二十年里在乡村基层工作的生活积蓄，去写属于自己的小说。我的经历大致如此。

我在小学阶段没有接触过文学作品，尚不知世有“作家”和“小说”。上初中时我阅读的头一本小说是《三里湾》，这也是我平生阅读的第一本小说。赵树理对我来说是陌生的，而三里湾的农民和农村生活对我来说却是再熟识不过的。这本书把我有关农村的生活记忆复活了，也是我第一次验证了自己关于乡村、关于农民的印象和体验，如同看到自己和熟识的乡邻旧生活的照片。这种复活和验证在幼稚的心灵引起的惊讶、欣喜和浮动是带有本性的。我随之把赵树理已经出版的小说全部借来阅读了。这时候的赵树理在我心目中已经是中国最伟大的作家；我人生历程中所发生的第一次崇拜就在这时候，他是赵树理。也就在阅读赵树理小说的浓厚兴趣里，我写下了平生的第一篇小说《桃园风波》，是在初中二年级的一次自选题作文课上写下的。我这一生的全部有幸和不幸，就是从阅读《三里湾》和这篇小说的写作开始的。

随着阅读范围的扩大，我的兴趣就不仅仅局限于验证自己的生活印象了。一本本优秀的文学作品，在我眼前展开了一幅幅见所未见、闻所未闻的画卷……所有这些震撼人心的书籍，使我的眼睛摆脱开家乡灞河川道那条狭窄的天地，了解到在这小小的黄土高原的夹缝之外，还有一个更广阔的世界。我的精神里似乎注入了一种强烈的激素，跃跃欲成一番事业了。父亲自幼对我的教诲，比如说人要忠诚老实啦，人要本分啦，勤俭啦，就不再具有权威的力量。我尊重人的这些美德的规范，却更崇尚一种义无反顾的进取精神，一种为事业、为理想而奋斗的坚忍不拔和无所畏惧的品质。父亲对我的要求很实际，要我念点儿书，识得字儿，算个数儿，不叫人哄了就行了。他劝我做个农民，回乡种庄稼，他觉得由我来继续以农为本的农业是最合适的。开始我听信他的话，后来就觉得可笑了，让我挖一辈子土粪而只求得一碗饱饭，我的一生的年华就算虚度了。我不能过像阿尔青（保尔的哥哥）那样只求温饱而无理想追求的猪一样的生活。大约在高中二年级的时候，我想搞文学创作的理想就基本形成了。

而我面对的现实是：高考落第。我们村子里第一个高中毕业生回乡当农民，很使一些供给孩子读书的人心里绽了劲儿。我的压力又添了许多，成为一个念书无用的活标本。回到乡间，除了当农民种庄稼，似乎别无选择。在这种别无选择的状况下，我选择了一条文学创作的路，这实际上无异于冒险。我阅读过中外一些作家成长道路的文章，给我的总体感觉是，在文学上有重要建树的人当中，幸运儿比不幸的人要少得多。要想比常人多有建树，多有成就，首先要比常人付出多倍的劳动，要忍受常人难以忍受的艰辛甚至是痛苦的折磨。有了这种从旁人身上得到的生活经验，我比较切实地确定了自己的道路，消除了过去太多的轻易获得成功的侥幸心理，这就是静下心来，努力自修，或者说自我奋斗。我给自己定下了一条规程，自学四年，练习基本功，争取四年后发表第一篇作品，就算在“我的大学”领到毕业证了。结果呢？我经过两年的奋斗就发表作品了。当然，我忍受过许多在我的孩子这一代人难以理解的艰难和痛苦，包括饥饿以及比鼓励要更多的嘲讽，甚至意料不到的折磨与打击。为了避免太多的讽刺和嘲笑对我平白无故带来的心理上的伤害，我使自己的学习处于秘密状态，与一般不搞文学的人绝口不谈文学创作的事，每被问及，只是淡然回避，或转移话题。即使我的父亲也不例外。

我很自信，又很自卑，几乎没有勇气拜访求教那些艺术家。像柳青这位我十分尊敬的作家，在他生前，我也一直没有勇气去拜访，尽管我是他的崇拜者。我在爱上文学的同时，就知道了人类存在着天才的极大差别。这个天才搅和得我十分矛盾而又痛苦，每一次接到退稿信的第一反应，就是越来越清楚地确信自己属于非天才类型。尤其想到刘绍棠戴着红领巾时就蜚声文坛难以理解的事实，我甚至悲哀起来了。我用鲁迅先生“天才即勤奋”的哲理与自己头脑中那个威胁极大的天才的魔影相抗衡，而终于坚持不辍。如果鲁迅先生说的不是欺骗，我愿意付出世界上最勤奋的人所能付出的全部苦心和苦力，以弥补先天的不足。

我发表的第一篇习作是散文《夜过流沙沟》，1965 年初刊载于《西安晚报》副刊上。第一篇作品的发表，首先使我从自卑的痛苦折磨中站立起来，自信第一次击败了自卑。我仍然相信我不会成为大手笔，但作为追求，我第一次可以向社会发表我的哪怕是十分微不足道的声音了。我确信契诃夫的话：“大狗小狗都要叫，就按上帝给它的嗓子叫好了。”我不敢确信自己会是一个大“狗”，但起码是一个“狗”了！反正我开始叫了！1965 年我连续发表了五六篇散文，虽然明白离一个作家的距离仍然十分遥远，可是信心无疑地更加坚定了。

1978 年，中国文学艺术的冻土地带开始解冻了。经过了七灾八难，我总算在进入中年之际，有幸遇到了令人舒畅的文学艺术的春天。初做作家梦的时候，把作家的创作活动想象得很神圣、神秘，也想象得很浪漫，及至我也过起以创作为专业的生活以后，却体味到一种始料不及的情绪：寂寞。长年累月忍受这种寂寞，有时甚至想，当初怎么就死心塌地地选择了这种职业？而现在又别无选择的余地了。忍受寂寞吧！只能忍受，不忍受将会前功尽弃，一事无成。忍受就是与自身的懒怠做斗争，一次一次狠下心把诱惑人的美事排开。当然，寂寞并不是永久不散的阴霾，它会不断地被撕破或冲散，完成一部新作之后的欢欣，会使备受寂寞的心得到最恰当的慰藉，似乎再多的寂寞也不算得什么了。尤其是在生活中受到冲击，有了颇以为新鲜的理解，感受到一种生活的哲理的时候，强烈的不可压抑的要求表现的欲念，就会把以前曾经忍受过的痛苦和寂寞全部忘记，心中洋溢着一种热情：坐下来，赶紧写……

小屋里就我一个人。稿纸摊开了，我正在写作中的那部小说里的人物，幽灵似的飘忽而至，拥进房间。我可以看见他们熟悉的面孔，发现她今天换了一件新衣，发式也变了，可以闻到他身上那股刺鼻的旱烟味儿。我和他们亲密无间，情同手足。他们向我诉叙自己的不幸和有幸，欢乐和悲哀，得意和挫折，笑啊、哭啊、唱啊。我的不足十平方米的小屋，是一个想象中的世界。这个世界具有现实世界里我所见过的一切，然而又与现实世界完全绝缘。我进入这个世界里，就把现实世界的一切忘记了，一切都不复存在，四季不分，宠辱皆忘了。我和我的世界里的人物在一起，追踪他们的脚步，倾听他们的诉说，分享他们的欢乐，甚至为他们的痛心而伤心落泪。这是使人忘却自己的一个奇妙的世界。这个世界只能容纳我和他们，而容不得现实世界里的任何人插足。一旦某一位熟人或生人走进来，他们全都惊慌地逃匿起来，影星儿不见了。直到来人离去，他们复又围来，甚至抱怨我和他聊得太久了，我也急得什么似的……

我在进入四十四岁这一年时很清晰地听到了生命的警钟。

我突然强烈地意识到五十岁这年龄大关的恐惧，如果我只能写写发发那些中短篇，到死时肯定连一本可以当枕头的书也没有，五十岁以后的日子不敢想象将怎么过。恰在此时由《蓝袍先生》的写作而引发的关于这个民族命运的大命题的思考日趋激烈，同时也产生了一种强烈的创作理想，必须充分地利用和珍惜五十岁前这五六年的黄金般的生命区段，把这个大命题的思考完成，而且必须在艺术上大跨度地超越自己。当我在草拟本上写下《白鹿原》的第一行字的时候，整个心里感觉已经进入我的父辈、爷辈、老老老老爷辈生活过的这座古塬的沉重的历史烟云之中了。这是 1988 年 4 月 1 日。在我即将跨上五十岁的这一年的冬天，也就是 1991 年的深冬，《白鹿原》上三代人的生的欢乐和死的悲凉都进入最后的归宿。我这四年里穿行过古塬半个多世纪的历史烟云，终于要回到现实的我了。

第四辑

那些温热的情谊

热闹的人生与社会交会的场面，过去了就如烟散了；

生活演变中的浮沉起落，也终究要归于灰冷。

作为朋友，能留下来永远在内心闪烁着温暖光焰的，

除了真诚，什么都难以为继。

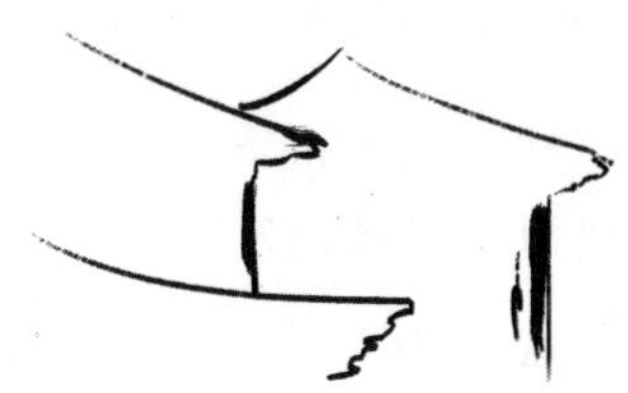

最初的晚餐

想到这件难忘的事，忽然联想到《最后的晚餐》这幅名画的名字，不过对我来说，那一次难忘的晚餐不是最后的，而是最初的一次，这就是我平生第一次陪外国人共进的晚餐。

那时候我三十出头，在公社学大寨。有一天接到省文艺创作研究室（即省作协）的电话，通知我去参加接待一个日本文化访华团。接到电话的最初一瞬就愣住了，我的第一反应是我穿什么衣服呀？我便毫不犹豫地推辞，说我在乡村学大寨的工作多么多么忙。回答说接待人名单是省革委会定的，这是“政治任务”，必须完成。这就意味着不许推辞，更不许含糊。我能进入那个接待作陪的名单，是因为我在《陕西文艺》（即《延河》）上刚刚发表过两个短篇小说，都是注释演绎“阶级斗争”这个“纲”的，而且是被认为演绎注释得不错的。接待作陪的人员组成考虑到方方面面，大学革委会主任、革命演员、革命工程师等，我也算革命的工农兵业余作者。陕西最具影响力的几位作家、“几棵大树”

都被整垮了，我怎么也清楚自己是猴子称王地被列入……

最紧迫的事便是衣服问题。我身上穿的和包袱里包的外衣和衬衣，几乎找不到一件不打补丁的，连袜子也不例外。我那时工资 39 元，连我在内养活着一个五口之家，添一件新衣服大约两年才能做到。为接待外宾而添一件新衣造成家庭经济的失衡，太划不来了。我很快拿定主意，借。

借衣服的对象第一个便瞄中了李旭升。他和我同龄，个头高低、身材粗细也都差不多。他的人样俊气且不论，平时穿戴比较讲究，我几乎没见过他衣帽邋遢的时候。他的衣服质料也总是高一档，应该说他的衣着代表着 20 世纪 70 年代中期我们那个公社地区的最高水平。“四清”运动时，工作组对他在经济问题上的怀疑首先是由他的穿着诱发的，不贪污公款怎么能穿这么阔气的衣服？我借了一件半新的上装和裤子，虽然有点儿褪色，却很平整，大约是哔叽料吧，我已记不清了。衬衣没有借，我的衬衣上的补丁是看不见的。

我带着这一套行头回到驻队的村子。我的三个组员（工作组）经过一番认真的审查，还是觉得太旧了点，而且再三点示我这不是个人问题，是一个“政治影响”问题，影响国家声誉的问题……其中一位老大姐第二天从家里带来了她丈夫的一套黄呢军装，硬要我穿上试试。结果连她自己也失望地摇头了，因为那套属于将军或校官的黄呢军装整个把我装饰得面目全非了，或者是我的老百姓的涣散气性把这套军装搞得不伦不类了。我最后只选用了她丈夫的一双皮鞋，稍微小了点儿，但可以凑合。

第二天中午搭郊区公共汽车进西安，先到作家协会等候指令。《陕西文艺》副主编贺抒玉见了，又是从头到脚的一番审视，和我的那三位工作组员英雄所见一致：太旧。我没有好意思说透，就这旧衣服还是借来的。她也点示我不能马虎穿戴，这不是个人问题，而是“国家影响政治影响”的大事。我从那时候直到现在都为这一点感动，大家都首先考虑国家面子。老贺随即从家里取来李若冰的蓝呢上衣，我换上以后倒很合身。老贺说很好，其他几位编辑都说好，说我整个儿都气派了。

接待作陪的事已经淡忘模糊了，外宾是些什么人也早已忘记，只记得有一位女作家，中年人，大约长我十余岁。我第一眼瞧见她首先看见的是那红嘴唇。她挨我坐着，我总是由不得看她的红嘴唇，那么红啊！我竟然暗暗替她操心，如果她单个走在街上，会不会被红卫兵逮住像剪烫发、砍高跟鞋一样把她的红嘴唇给割了、削了？

那顿晚餐散席之后我累极了，比学大寨拉车挑担还累。

现在，因为工作的关系我常常接待外宾并作陪吃饭，自然不再为一件衣服而惶慌奔走告借了；再说，国家的面子也不需要一个公民靠借来的衣服去撑持了；还有，我也不会为那位日本女作家的红嘴被割削而操心担忧了，因为中国城市女人的红嘴唇已经灿若云霞，红如海洋了。

秦人白烨（补遗）

从意大利回到北京的第一件事便想到吃，吃一顿涮羊肉。不足半月的亚平宁半岛之行，且不说花样单调的西餐如何使人腻味，即使享誉世界的意大利面条，无论宽的、细的、长的、短的，还是实心的、空心的，都让人连回味的勇气也没有。想想一盘橡皮筋儿似的面条里，再浇上一勺子奶酪的那种甜腻腻的滋味，看看怎么入口下肚。涮羊肉便成为一种企盼。其实早在回国的飞机上就谋算定了回京后头一顿饭的目标。

到旅馆办完手续住下，想到立即可以去开涮，心里竟然是如同雀跃的激动。突然又想到一个人太高兴，有位朋友作陪，面对热气蒸腾的涮锅，俩人对饮扎啤又在火锅里乱涮乱戳才开心，便立即打电话给白烨。

恰好白烨没有出远门，人在。于是，在北沙滩一条小街的小饭馆里，我们便面对一只红铜涮锅而心意融融。他还是那么和悦地笑着，说着文化界的一些新鲜事，声音柔和悦耳。他的悦耳的语音在陕西关中人中也应属个别，听起来特别和谐。他的模样也属于关中人中那种“细活人”，细眉细眼，平头整脸，少了粗犷而多了“细活”，倒更像江南那种才子佳人的眉眼。这些我当然都很熟悉，也无多少变化，却都不是他的主要魅力所在。他的魅力在哪儿？我似乎也很难说清楚一二，交识了十余年，依然无法归纳，倒是常常想起李星对他的一句形象概括：“白烨这熊是老少皆宜，男女皆宜！”

我们吃得很畅快，而我似乎确凿有点儿贪馋，喉咙底下好像有一只手在往里拽着。而我们的无边际的闲谝（北京人说侃），真正是东拉西扯域内海外过去时、现在时，现在留下记忆的却只有一件事。似乎是谝起我们过去的旧交时，白烨突然冒出一句话：“你知道我写你那篇文章是在哪儿写下的？”我当然不知道他在西安或在北京或在办公室或在家里甚或在出差的火车上……他断定我猜不中，这是我从他紧紧盯着我的眼神里判断出来的。他紧紧盯着我的眼神有少许神秘、多几分认真，却绝无卖关子的意思，在即将开口道破那个神秘而庄重的写作处所时，先释然一笑，眼角眉梢都是释然的轻松：“我在家门口的路灯下写成的！”

大约是1980年春天，我从区文化馆赶到省作协去开会，或者可能是听《延河》编辑部谈对我某一篇小说稿的处理意见，反正除了这两种可能再不会有其他事。那天中午在前院碰见白烨。是他先叫住我，因为我不认识他，他大约是问了门卫之后冲我走过来的。

那时候我尚未听说过这个名字。他便简单做了自我介绍，说他在中国社会科学出版社文学编辑室做编辑，兼做业余文学评论。他说他原在陕西师范大学教学，刚刚调到北京不足一年。他那一口纯正的关中北部口音，顿然化释了初识时的诸多陌生与隔膜，我和他便在鱼池的水泥围栏上坐下谝起来——他说他要和我说事。

他受《文学评论》杂志之约，要写一篇关于我的小说创作的评论，要我提供已经发表过的小说清单、篇名以及所发表的杂志的刊号，还要交谈这些小说创作前后的有关、相关和不沾边的情况。

这是中国进入划时代的20世纪80年代的头一个春天，文学正在复苏。伤痕文学和反思文学正以其可以理解的特殊社会因素而影响社会影响人心，一篇万把字甚至几千字的短篇小说可以轰动全国，影响普通公民的生活秩序和心理秩序，真可谓文学的“特异功能”，然而我们只要稍微回顾一下此前多年文学被“左”棍子们闹成什么样子，便觉得这种奇异的现象在当时的中国合情合理。文学新作和文学新人都如雨后春笋，各种文学期刊和报纸都在为文学新人和文学杰作张扬。

《文学评论》杂志似乎已经不能适应那种局面，在刊物之外又编了一种不定期的评论专集《当代作家评论》，把一拨一拨在文坛初具影响的中青年作家的创作予以概括性评述，推向社会。我有幸被列入某一辑中，由白烨来写这篇评论文章。他便是奔这件事来找我的，而且再三郑重强调：“这是我这回回西安最重要的事。”

后来我就再没有见到他。大约到年底，他寄来两本《当代作家评论》。我读了他写的关于我的七八篇短篇小说的综合评论，近乎一万字。我的感觉是贴合初发阶段的那几篇小说的实际，多是方方面面的分析，没有大而不当的溢美，也没有生拉硬扯与什么流派、什么主义攀附，纯粹是就作品实际的分析，很中肯，予长处的肯定时也明朗着弱点和希望。

这便是我们的第一面认识和头一回交手。再次见面是相隔四年以后的 1983 年 5 月，我到《当代》编辑部住下修改中篇小说《初夏》，我们才得此机缘第二次握手。那天中午我们在朝内大街一个饭馆吃了一顿烧麦，喝着散啤酒，说着家乡事以及个人的粗略经历，情感渐渐交融了。之后又是几年，我一直住在乡下，他偶尔回到西安，匆匆来去，很难遇合到一起。

大约是 1989 年三伏，我为安顿孩子的读书在西安住着，晚上热得睡不下，大家都习惯聚在编辑部四合院里乘凉闲谝。朦朦月光下，白烨幽灵似的悄没声儿走进人窝来，大家认出后就惊呼起来。他从黄陵老家探亲回来，到作协熟人处找床来了。

那一夜，大家谝得很开心，谝什么都一概记不得了，反正就是文学上的一些活动、文坛信息和动向、某位作家某部新作的成败得失，而很少涉及人事纠葛之类。他似乎对于人际间，尤其是文艺人士间的亲疏好恶不感兴趣，常扯到一些文人纠纷时便讷言拗口起来。直到去年我三次去北京，才多了几次接触，然而他都没有提及十三年前的那篇文章在什么地方写的。我可真的想不到，他当时竟然如此困窘……

白烨是陕西黄陵县人，黄帝的陵墓在那儿，那儿便得此县名。他的家在山地、在平川，我至今也不甚了了，距黄帝陵有多远也搞不清，只知道他和我一样是一个纯粹的农民家庭，父母都是以抚弄庄稼获得生存的农民。

白烨很聪明，记忆力超人，念书总是受老师的器重。聪明的脑瓜又兼着一个好性情，在家在校在村子走亲戚，到哪儿都招人喜欢。确凿，他不属于那种在一切场合都张扬自已、突出自己的人，也不是另一种阴冷诡谲的人；他热情、开朗、坦诚，在重要和不重要的场合随意找个空位就座，只是坦诚地说出自己的意见，而不期望压倒所有意见，不见霸道而多了些文质彬彬，不想成为话题中心，反而容易让人回味他的观点。

他的人缘好，主要因了他的性格好。讨大人喜欢，也得同伴们喜欢，还讨一个洋娃娃女子的喜欢。这女子是当时上山下乡插队锻炼到黄陵的北京知青，由一般喜欢到二般、三般深深钟情，再到爱死爱活、非白烨不嫁的如痴如傻的程度……她后来成为他的妻子。

白烨后来到陕西师范大学念书，毕业后留校任教。她后来招工到了西安的铁路系统，随后调到北京附近。白烨随后也调进北京，在中国社会科学出版社做编辑。他们的生活里很快排除了婚恋中必须以政治流行语做表达方式的假大空，她和他留存下来的就只剩下真诚。她骄傲自信自己比伯乐还眼尖手快，认准了白烨，也抓住了白烨，无怨无悔；白烨总是陶醉于她过去的温情和现在的贤惠，而且温情不减。

初到北京，白烨除妻子一家人，再没有亲朋好友。住就凑合在岳父母家里，那是一个胡同里的小杂院内的小屋子，住着一大家人。拥挤到什么程度无法细述，反正给他连支一张小茶几铺稿纸的地方也没有，于是就把书桌摆到街巷里。书桌其实只是一个四方形的机凳，座椅便只能是一只小马扎，这套行头简单轻便，易于搬出来，也易于搬回去。照明设备是高悬在电杆上的昏黄的路灯。关键是得耐心等待时机，等到巷道胡同里那些纳凉的大爷大娘侃够了闲话，抱着茶壶瓷缸走回各自的小院，奔跑耍闹的孩子疯够了、闹够了，像鸟雀一样回归窝巢，骑车往来的过路人由稠到稀再到零三稀四，白烨才能搬出机凳马扎在电杆下摆置开来，摆开舞文弄墨作文作论的架势。其时，夜已深沉，五月的温馨的风抚摸他的脸颊和肌肤，而他已经进入一种艺术的思辨之中。

五月北京深夜的电杆路灯下，坐着一位未来的文学评论家白烨，在做文章。

白烨是黄帝陵墓下的古老臣民的后裔，是北京的女婿。

按陕西关中乡俗，娶了这个村的媳妇，便是整个村子的女婿。白烨是整个北京的女婿。

一篇万言的评论文章在电杆下起草、修改，直到抄写整齐，我不知道他在电杆下持续了多少个夜晚，而且肯定要受到譬如刮风下雨，譬如突发事件的干扰，也真是难为他了。直到现在，作家和社会都在呼吁给知识分子以较好的工作和生存条件，譬如白烨不能永远在电杆路灯下写文章。我的一位朋友的二十多万字的长篇小说，草稿和修改稿都是在两三平方米的厕所里干完的，同样是住室容不得他安一张书桌。然而我又反过来想，关键还是肚里得有货。蚕儿没有簇可上时便把茧子结到墙上，母鸡下蛋找不到窝时可以随便下到地上，作家肚里有文章找不到桌子便扑马路、进厕所，是肚里有货要倒出来。肚里没货的蚕、鸡和作家，即使安置到五星级宾馆，即使坐进金銮殿，照样拉不出丝、下不出蛋、写不出文章来。

无论如何，电杆路灯下奋笔疾书的白烨，算得古老而又现代的北京熙熙攘攘、花花绿绿中的一道风景。

这是年轻白烨的一段小小的鲜为人知的插曲，而更具一种学人奋斗精神风貌的事，便是在这更困窘的一年里，他除去上班完成自己的工作任务，利用一切休息和空暇时间奔图书馆。他所工作的单位从调入的头一天起就给他形成一种威压，中国社会科学院这样的大学府，无疑是各路学问大家聚集之地，他立即意识到自己需要进行基础工程建设。其实何止高等学府，在任何单位、任何场合，都是容不得浅薄者半瓶子醋的。问题在于个人自学的迟早和程度，我们并不少见那种到处夸夸其谈的半瓶子醋式的人。有了这种自觉便获得了最原始的攀缘的策动力。白烨读过多少书已经很难算计了，最具意义的是，他把马、恩、列、斯的全部著作研读完毕，而且做了十几万字的笔记。他的记性之好令人惊异，也令人妒羡，一些专搞马列理论研究的人常常为一个论点或一句“语录”而找不到出处，或者搞不清记不全原文，便问询白烨。白烨便一口报出在某一卷的某一篇文章里，如翻查一下卡片，连页码也准确无误地报将出来。他可以说是一部马列著作的“活字典”。

十余年里，我常常在报纸刊物上看到他的名字，虽然不能见面，读到他的文章，便有一层了知，知道他又读了一本什么好书，研究过某个作家的作品或某一种文学现象。看到他的论述和观点，我也常常受到启示。就整个印象而言，他似乎没有极端的言语，没有在赞赏某种流派的同时，就以不同流派或主义的作品为牺牲对象，甚至连生存一刻的宽限也不给。我常常想到他对各种文学现象文学样式的冷静和宽容，便想到这可能不只是他的性情好或人格修养好，恐怕主要出于他对艺术创造的深刻理解，而这种理解又得之于艺术眼界的宽泛开阔。一个艺术视野狭窄到只能看见自己的笔尖所画的那几条墨痕的人，自然很难容纳别一支钢笔所画的墨痕。艺术视野的开阔首先得之于阅读的广泛，对于近代、当代中国文学和世界文学的了解，才可能使人悟觉，自己的笔所画的墨痕值得一赏，前人和今人也同样画出了诸多有赏析价值的墨痕。白烨对许多文学现象的评价和前景观瞻，多数都被急骤变幻发展的文坛现实所证实。这可不是算卦问卜。

虽然相识多年，直到去年九月我才第一次到白烨家里去。我一般不大愿意去朋友家里，扰乱了一家人的生活秩序。这一次却是我主动要去的，儿子刚刚到陌生的北京上学，总怕出点儿什么事而鞭长莫及，让儿子认下他的家门，万一有什么急事也好有个大人给出出主意、帮帮忙。

按照他在电话里的指点，倒是顺利地找到那条胡同和那个院子的大门，进大门以后反倒六神无主了。那么一个深宅大院，那么多曲里拐弯的岔口岔道，每走一个岔口就得问人：找白烨该当向左，还是向右，好笑竟是一路向右拐，好笑如搁在“文革”该打成右派了！直到走到他家门口还在问路，倒是他在屋里听见我的声音便蹦了出来。我却释然慨叹：“下次来、下下次来照样还得问路！”

两小间平房。房子很低矮，扬起手就可以摸到檐瓦，然而墙是水泥和砖头砌成的，成色还有几成新，算不得古老。整个屋子里，三面墙壁都摆置着书架，中间仅留一条小甬道，俩人并肩走过去就摩肩接踵。只在靠着门口的两扇小窗下摆着一张小书桌。我马上猜想到这张恰尺等寸的小书桌，肯定是事先量过剩余的地方让木工师傅制作的。

这就是文人学士们所习惯戏称的“斗室”。他就在这张小桌上抒写一篇又一篇论文。我忽然又想起肚里有货无货的蚕和母鸡来，有货便可以就着这张小桌如行云流水般倾泻于笔端，无货则干瞪眼，住什么房子、摆怎么阔的桌椅都帮不上屁忙。白烨却是一副上中农自满自足的笑脸：“不错了、不错了，能有一张桌子、一个窝铺真不错了！”而且补充说，单位正在盖住宅新楼，可望分到一套。由此又忆及刚到北京时挤住岳丈家的困窘：“现在真是不错、不错了！”

不单是他工作在政治经济文化中心北京，他的阅读之广泛、视野之开阔、信息之灵敏也是大家公认的，所以见面时总想听他说点儿新鲜话题。我常玩笑问他，文坛又插出什么新旗帜了？或者说，哪个主义领着风骚？他便侃侃而谈。这回坐下喝茶，我便问起刚刚公布的 1993 年诺贝尔文学奖得主托妮·莫里森。除了报纸上简单到可谓勤俭节约楷模的片言只语的介绍，我对托妮·莫里森一无所知，似乎以往对她的著作评价介绍得本来就相当少，更不要说阅读她的作品了，白烨便介绍莫里森的生平著作略要，顺手从书架上抽出一本薄薄的小册子，是托妮·莫里森的长篇小说《秀拉》中译本。这是一部十三万字的长篇小说，就是白烨供职的社会科学出版社出的书。

这天中午我们在他家吃的素包，喝的小米稀饭，这是我事先预约好了的。北京沙滩小巷道里的小米粥五毛钱一小碗，贵且不说，对西北主产的小米卖上好价钱，心里竟有一种阿Q式的自豪。关键在于那些小铺店的脏乱，一瞅就令人心悸，所以便跃跃然要求一碗小米粥喝。白烨夫人许是在黄土高原插队时学下了手艺，烧熬的小米稀饭是再好不过了，稀稠合宜、软硬适度，一种纯属于粮食自身的香味特别可口，素包也好吃极了……白烨便大笑：穷命薄命，吃家常饭比吃国宴还来劲！

从小居出来，我就有一种酒足饭饱的慵懒，在异国被洋餐搞倒弄败了的胃口一下子复原了。我们到旅馆坐下喝茶，他因酒力而脸泛红光，侃侃而谈，腰里的BP机不时鸣响。他便不厌其烦地去回电话。他精力充沛，善与人交善与人处，思维敏捷，也很精明，许多文学朋友的麻烦事都乐于和他商量，他往往能做出最清醒的判断，能找到最恰当、最妥帖的处理办法……

相交既久，便见善心。文章写到这里，我依然觉得是有感有觉而难下结论概括白烨，似乎还是评论家李星的概括形象准确：白烨这熊是老少皆宜，男女皆宜……

陪一个人上原

电话里响着一个陌生的声音，开门见山："我是北京人艺的林兆华。"我在意料不及的瞬间本能地"噢"了一声，随口回应："你是大导演呀，我知道。"接着再没有寒暄和客套，他就说起要把《白鹿原》改编成话剧的设想。

我只是确定了小说《白鹿原》被大导演林兆华相中改为话剧的事，自然是一种新鲜而又欣然的愉悦，都不太用心听他说有关改编的纯粹的具体事务了；倒是欣赏起他说话的声音，温厚绵软而又简洁，没有盛气，更没有夸夸，自始至终没有一句新名词。我之所以敏感他的说话方式，似乎是某种先入为主的印象，我虽然是几年也难得看到一场话剧演出的与戏剧隔得老远的门外汉，却早已闻知林兆华的大名，尤其知晓他是一位艺术观念颇为新潮的导演。我依积久的经验自然地作为参照和推想，不料却令我诧异，竟不见一句新潮词汇，而且声音如此温厚、如此平实，可以信赖的踏实感就在短短的第一次通话里形成了。

随后就有了第一次见面。那是几年前的早春时节，我把几件事挪攒到一起赶到北京。西安已经是柳絮绽黄、迎春花开的气象，北京还裹在丝毫不见松懈的寒冷里。我找到北京人艺门口，看见一个小小的“北京人民艺术剧院”的牌子，注目许久，顿生慨叹，真正的名牌依然保持着原有的标徽，当是一种自信。我第一眼瞅见林兆华导演同时握住手的时候，电话里的印象迅即延伸为一个更令人意料不及的具象，一个号称“中国话剧第一导”的又以现代派闻名的人，不见披肩长发，没有垂胸的胡须或别致的短髭，却是灰塌塌的不经任何修饰的本色寸发，还有不显线条，也不见棱角的对襟纽扣的布褂。我在那一刻暗自发笑，文艺界的朋友调侃我的脸是关中老汉的典型代表，我也在记者关于电影《白鹿原》采访的提问里自我调侃，我最适宜演老年的长工鹿三。我突然发现握着手的林兆华，如果走进关中乡村的任何一个村子，那里的农民会以为是一位老亲友来了。他的对襟布褂和看不见裤缝的裤子，更触发得我一时眼热，我自小一直穿这种家母织布、家母染色、家母缝制的褂子和裤子，穿到高中毕业都换不出一件新式样，照毕业相片时借同学的一件制服上装改换了一回装束。我虽向来不打领带极少着西装，却也再没有穿这种老式对襟衫褂的兴趣，包括花样翻新的“唐装”。我在握着这位新结识的大导演的手时，又生出一层慨叹，一个以探索现代新潮话剧导演风格闻名的人，却用过时的中国乡村最传统的民间服饰打扮包装自己，割裂了、矛盾了，还是某种天然的融汇和统一，抑或纯粹属于生活习性？然而确凿无疑的一点，以服装的式样和须发的长短来判断一个艺术家精神气象的明暗，看来难免会出意外的。

我已经记不清他来过西安几趟了。印象深的有两次。他要上白鹿原上去观察感受那里的天象地脉气韵，我完全能理解。我做向导，从灞桥区辖的原的西坡上去，直到蓝田县辖的原的东头下了北坡，沿着灞河川道途经我的隔河相望的家门，再回到西安城里。我按他的意趣指向，进一个村子又找到另一个村子，寻找20世纪50年代以前的民居住宅，还有家族的祠堂，还有接近类似小说主人公白嘉轩经济实力的宅基房屋的规模和样式。令他也令我遗憾的是，20世纪50到60年代成片成堆的土坯墙、小灰瓦的大房和厦屋已经很少了，几乎是一色的装饰着瓷片的水泥平房或二层小楼房。祠堂连一座也没有找到，所答几乎众口一词，早都拆了。林兆华仍不死心，我更是觉得过意不去。无论如何，我还是为这个原上的乡亲庆幸，他们终于有了一砖到顶机瓦或楼板覆盖的结实而又美观的新房子，基本实现了独门独户，几乎见不到三家五家乃至八家拥挤一院的穷酸相了，无论种田植果树，抑或出苦力打工，尽管比不上城里人生活水平提升幅度大，总是比改革开放前几十年好得远了。至于旧房老屋之无存，让林导难以感受贫穷乡村的氛围，自是不成遗憾的遗憾。我们终于找到一家古旧的房屋，可以看出曾经是颇有点儿经济实力、比较讲究的建筑，迎面的门板是宽幅的木扇，门板上有简单的格子雕刻。经打问得知，建造这房子的业主，是一位手艺超群的刻字匠，曾给民国时期的几多要员刻过墓碑铭记，收入自然优于乡民，房子就讲究了。林兆华当即就拍板："这个门和窗子我要了。"房主人说了这个旧房马上就要拆掉，林导嘱咐把门窗妥为保管。进得屋里，有木板镶成的木楼，早已被烟熏成黑色。一架宽板木梯搭在后墙边，两根梯柱原为一根粗大的木头，用锯居中锯为两半，镶着一块一块宽约尺余的踏板，比那些木条梯子豪华气派多了。我家曾经有一架木板梯子，与这架梯子几乎出于同一个木匠之手。林兆华又是一句："这梯子我也要了，给我保护好。"出门到了乡村街道里，他便告诉我这些东西将作何用场，在于展示旧时乡村的一种逼真的景象。我却想到，这个人现在脑子里整个转着一部戏，随即都有最敏锐的招儿在触景中冒出来。

不能忘记的是下到原上的一条沟底的兴奋场景。这个沟里原有的居民几乎都是窑洞，整个村庄搬迁到原上的平地里去了。无法搬动的土窑洞留下一片败落和荒凄，倒塌的窑院围墙，杂草野树丛生的院落，一孔孔或大或小的被烟熏黑的窑洞。林兆华一看见就惊叫起来："这就是小娥和黑娃住的窑洞呀！"他一个接一个察看卸掉门窗的空洞的窑，始终兴奋不已。我便提示他，这就是关中一些坡崖沟坎地区的窑洞，比较高，比较宽大，更显得深。我作为比较的对象是陕北的窑洞，一般比较低矮、比较窄小，也比较浅，却比较精致。我开玩笑说，千万不要把小娥和黑娃的窑洞，在布景上搞成毛泽东在陕北住过的那种窑洞的样式。

去年夏天，正是西安酷热难熬的伏季，林兆华领着剧组二十多号男女演员来到西安。我把他们安排在原坡下河边的半坡饭店，图得演员上原到乡村体验生活方便。灞桥区文化局给予精细周到安排。观众喜爱的濮存昕等演员上到原上，几乎每个人在到达原上时都发出同一声感叹，噢！这就是原。原是西北特有的一种地理地貌，不过就是一个小平原而已。阅读小说所发生的对“原”的神秘和不可理喻，瞬间就成为一种真实的感觉和体验，如同我初见南方的小桥流水和水上人家的感觉相类比。这些北京来的演员大多在电视、电影里出现过，被偏远的原上的乡民指点出来，受到最诚朴的欢迎。他们走村串户，看当地的男人走路的姿势，说话的口吻和身体动作语言，看女人如何烧火做饭，管教儿女，看得津津有味。我陪他们看了两家颇气派的老宅旧院，一家仍有人住，一家已荒废，都是青砖包墙、方砖铺地的四合大院，尽管陈旧破败，依然可见当年的品格。这两家的主人都是乡村中医，我自小就听说过他们的名字，川原上下不幸生病的人都上门求救。他们的子孙大多已在西安或外省安家立业，留在乡村的人也已另择新居地。林兆华在这两个院子里踏勘。我猜想，他大约在琢磨让白嘉轩还是鹿子霖主掌这样的庭院？濮存昕也始终笑眯眯地，看那过道里生动的砖雕，是否还是他——白嘉轩——当年刻意的镶嵌？他将如何进入这个庭院并演绎他的人生？

相聚过来的男女乡民，在街道上或立或蹲。濮存昕也学着村民站一会儿，又蹲一会儿，东拉西扯着闲话。我陪着林导和濮存昕，在树荫下、在房檐下和南枝村的老少闲聊。这个村分白姓和魏姓两大宗族，有人悄悄向我探问，你书里写的白家是不是俺村的白姓，鹿家是不是俺村的魏姓。我说不是。他反而不信，又问，为啥你写的白家和鹿家的事跟俺村 ×× 和 ×× 的事情那么相像？我说我是瞎编的，偶合了。我随后和林导、濮存昕到一户农家吃午饭，煎饼卷、黄瓜丝和洋芋丝，是地道的农家灶锅烹饪的食品，林、濮都吃得很新鲜，似乎还说这样可口的饭菜拿到北京去卖，生意会很火。

林导提出要看纯粹的民间演出的秦腔。不费多少力气就召唤来一批男女唱家。这些人农忙时务庄稼，农闲时组合在一起，到乡间的庙会集市去演唱，也为新婚庆典和丧事葬礼演唱，有报酬，却不高。其中一些男女唱家已唱出影响，在方圆几十里乡村甚为闻名。我担心这些业余唱家达不到林导要求，还联系来西安几位年轻的专业演员。演唱一毕，林导就拍板了，就是这个、就是那个，还有某某……全是业余唱家。我大略领会他的意图，在话剧几个主要情节转折处，插唱一段或三五句秦腔唱段，要乡野里这种原生形态的唱法和腔调，太完美的专业演员的唱腔不适宜话剧的乡土气氛。同时请来了华阴县的“老腔”演唱班子，也是纯一色的农民，他们保存着流传在华山脚下一种几乎失传的古老唱腔，乐器也区别于秦腔，更为苍凉悲壮。我看着林导目不转睛的神情，想到他已经入迷了。果然他兴奋地拍了板。这个老腔早已在张艺谋的电影里作为衬底的旋律，正恰切不过地流动着关中这块土地沉重、苍凉、浑厚的底蕴。林兆华敏锐地感知到了，这从他的专注沉迷的神色里显示出来。

我后来到北京人艺，参加了话剧《白鹿原》的新闻发布会。我看到了林兆华的自信。他的自信溢于言语和神色。这应该是我参加这次活动的最富实际意义的收获。还有宋丹丹的发言，她说林导告知她出演田小娥一角的第二天，就去健身房减肥健身了。她婉谢了电视剧邀约。我也深受感动，艺术创造的意义和价值，不是经济实惠所能完全改变一切艺术家的。

我在把话剧改编应诺给林兆华导演的时候，基于纯粹的我对写作的一种理解，我写小说的一个基本目的，就是要争取与最广泛的读者完成交流和呼应。我从短篇写到中篇再写到长篇，这个交流和呼应的层面逐渐扩大，尤其到《白鹿原》的出版和发表，读者的热情和热烈的呼应，远远超出了我写作完成之时的期待。我以为这是对我的最好回报、最高奖励，即在作家通过作品所表述的关于历史或现实的体验和思索，得到读者的认可，才可能引发那种呼应，这就奠定了一部作品存活的价值，也就肯定了作家的思考和劳动的意义。话剧将是完成《白鹿原》与观众交流的另一种形式。小说阅读是一种交流形式，话剧舞台的立体式的活生生的表演是迥然不同的交流形式，有文字阅读无法替代的鲜活性，以及直接的情感冲击。这与我创作的初衷完全一致，我自己甚至也觉得新奇而又新鲜：看到活跃于舞台上的白嘉轩们当是怎样一种感觉？濮存昕创造的白嘉轩和宋丹丹创造的田小娥当会和观众完成怎样的交流和呼应？

我几乎没有提出任何条件性的要求。我唯一关注的是能体现我创作小说的基本精神就行了。我知道话剧很难在有限的时间里演绎所有情节，取舍是很难的事。我相信林导和编剧，让他们做艺术处理吧。我在初见林兆华的交谈里，感受到他对《白鹿原》

的深层理解，已经产生最踏实的信赖，连“体现原作精神”的话都省略不说了。

我记下与林兆华导演几次接触中的印象，在于体察和理解一位艺术大家，如何完成他艺术世界里的一次新的创造理想。我在写完《白鹿原》最后一行句子就宣布过，我已经下了那个原了。林兆华导演却上了原。我期待看到他创造的白鹿原上的新景观。

有剑铭为友

我无论如何都想不起来，是哪一年在什么场合和剑铭见第一面的。我想打电话问问剑铭，拿起话筒却又放下了，既然不具备井冈山会师那样决定中国革命历史命运的意义，弄不弄清这个时间和地点也就无所谓了。倒是年轻时的几次接触，随着岁月的河流越流越远，反而愈加清晰，愈觉珍贵，也备觉幸运，即淡淡的漫长的两个人的生命历程中，能留下至今让我偶尔忆及依然动情的事，真是人生幸事。

大约是1972年秋天或冬天，我收到剑铭一封信，信中说他刚刚参加过一个重要会议，陕西作家协会被下放到农村的作家和编辑又回来了，被砸烂的陕西作家协会要恢复工作了，只是不准再用“文革”前的旧称，改为“陕西省文艺创作研究室”。无论这个新的名字听来怎样别扭，说来怎样拗口，想来怎样不伦不类、词不达意，已经无关紧要，起码标志着文学创作又被捡起来了。剑铭还告诉我，陕西的文学刊物《延河》也即将复刊，同样出于与旧的“文艺黑线”决断的思路，改名为《陕西文艺》。这个会议就是“省文艺创作研究室”和《陕西文艺》共同召开的，与会者是西安地区的一些工农兵业余作者。会议的主题之外，还有一个更具体的事，让与会者向新的编辑部推荐各自认识的业余作者。目的很明了，新的刊物需要作品，作品必得作者创作，声名赫赫的老作家有的虽然从流放地回来了，改造思想的距离仍然遥远，能否重新发表作品似乎还难说。工农兵业余作者，一下子成了香饽饽受到器重了。剑铭在信中告诉我，他推荐了我，而且推荐了我刊登在西安郊区文化馆创办的内部刊物《郊区文艺》上的散文《水库情深》。

我首先感动的是剑铭这封信里的真挚。我也很为自己心中崇尚着的一个文学刊物《延河》的复刊而鼓舞，尽管更换了一个新的刊名。我在“文革”前一年的1965年初发表散文处女作，到“文革”开火时的1966年夏天，大约发表了六七篇散文作品，全部刊登在《西安晚报》文艺副刊上。除了初中二年级时语文老师把我的一篇作文亲自抄写投寄给《延河》，此后许多年的业余操练和投稿过程中，从来也没有敢给《延河》投寄一稿。在我的感觉里，说文雅点儿，《延河》是全国大作家们展示风采的舞台；说粗俗点儿，那门槛太高了。怀着这种敬畏的心理，我把习作的散文都送到报纸副刊了。尽管西安地区的业余作者朋友略知我一二，而《延河》和作家协会的全然陌生是合情合理的。正是剑铭这一次推荐，荐人和荐稿，使我跨进了作家协会和《延河》的高门槛。接到剑铭信后没过几天，就接到《陕西文艺》编辑部路萌的电话，谈了他对剑铭送给他的《水库情深》的意见。随后又收到路萌经过红笔修改的稿子。这篇经剑铭推荐的散文《水库情深》，发表在《陕西文艺》创刊号上。今天想来，感慨之极，真应了某点宿命。许多年前一位游迹村野的算卦先生硬揪住我相面，说了许多恭维之词，也免不了提醒的话，通通忘记了，原因在于我向来不信这些神神道道、虚虚幻幻、装神弄鬼、混馍吃的做派，倒是记得他有一句“紧当处有贵人相助”的话。单是在创作生涯里，再缩小到《延河》这条道上，相助的贵人有两个，一个是我刚刚对文学产生兴趣并在作文本上写小说的时候，语文老师车占鳌把我写的第二篇小说亲手抄写到稿纸上，投寄给《延河》。整整过了十五年，剑铭把《水库情深》又推荐给《陕西文艺》，而且发表了。我的车老师和我的文学兄弟剑铭，就是我在创作道路上相助的贵人，这一说恰如其分。

那时候，在西安，工人业余作者（那时候没人敢自称或他称作家这个大号）徐剑铭的名字是响亮的，知名度是最高的。西安仅有的三四家省市两级报纸和文学刊物，上稿见报最频繁的莫过于他了。首先是他的诗歌，再就是当年十分流行的一种演出和阅读皆宜的称作“对口词”的韵体文学样式，还有散文和小说。打开报纸和刊物，就会看到徐剑铭的名字和他的新作。我至今依然记得在报纸上阅读散文诗《莲湖路》时酣畅淋漓的美感，作者激情澎湃，诗意泉涌，才华横着、竖着漫溢。我所熟悉的业余作者朋友都觉得诧异，这样的诗和这样的文字，怎么会由一个缩脑耸肩貌似绺匠（小偷）的人倾泻出来？也难怪，剑铭行为举止散漫，在任何庄严的场合，都是习惯性缩着脑袋、耸着肩膀、不急不慌、懒懒洋洋的样子；说话不急不躁，一口地道的西安市民的家常话，极少乃至不见一句文学修辞：在任何正经或闲淡的场合，都是一种低调姿态。然而就是这样一个人，那诗、那散文里掀起的气象万千、排山倒海似的涌潮，让我在阅读时心怀激荡不已。我串用一句古话，是真才子自风流，显然不指外装潢，而在内宇宙。

剑铭在西安一家名牌工厂当工人，我在西安东郊一个公社（乡政府）当干部，距离不过三十里，然而难得一见。上班各自忙事且不说了，那时电话很不发达，经济更捉襟见肘，所以很难有一聚吃顿饭、喝回茶的机会，倒是一年里遇着哪个文艺管理部门召集业余作者开会或辅导，便是文朋诗友的盛会。大约是1977年，剑铭骑着自行车到我供职的公社来了。我打开门，吓了一跳，他仍然是那种不动声色，更不张扬的样子，身后站着李佩芝。李佩芝也算熟人，也是在业余作者开会时见过，几乎很少说话，更谈不上交往。我把他和她迎进宿办合一的房子，坐下聊天。我那一年正陷入某种难言的尴尬状态。我在前一年为刚刚复刊的《人民文学》写过一篇小说，题旨迎合着当时的极“左”政治，到粉碎“四人帮”后就跌入尴尬的泥淖了。社会上传说纷纭，甚至把这篇小说的写作和“四人帮”的某个人联系在一起。尴尬虽然一时难以摆脱，我的心里倒也整端不乱，相信因一篇小说、一句话治罪的荒诞时代肯定应该结束了，中国的大局大势是令人鼓舞的，小小的个人的尴尬终究会过去的。

我按自己的职责抓着蔬菜生产和养猪，以及正在施工的一条灌渠工程。剑铭说他听到某些闲话，显然是传言，但他很不放心，又不摸虚实，便叫上李佩芝来看望我。我此时此刻的感动，远不是他给《陕西文艺》推荐稿子那种层面上的意蕴了。我感到了一种温暖。我充分感受到陷入尴尬之境时得到的温暖是何等珍贵。其实任何安慰或开脱的话都不必说，单是此时此地的这个行为就足以使我感到温暖了。我那一刻的感觉只有一点，在这个纷纷攘攘的世界上，有徐、李两位文学朋友还关心着我的兴亡，在感到温暖的同时，心里也涨起力量了。已经错过了机关吃饭时间，公社所在地连一家食堂也没有，只有一家供销合作社，我执意买下两斤点心，那一刻竟是打烂账的豪勇，决不能让两位送温暖的贵人饿肚子踩自行车运动几十里回城。今天的人也许以为矫情，需知那时候我月薪 39 元养着一家五口，平日里是捏着钢镚儿过日子的，身上不名一文是正常状态。大约是这年冬天或次年（1978 年）早春，剑铭又约了西安几位文学朋友到我原下的家里。我当时刚刚接手家乡灞河河堤工程的副总指挥，难得有一个星期的休假，家庭经济也仍然维持在 39 元月薪的水平，一下子从城里来了这么多贵宾，就紧张就发窘了。倾其所有储备，只能是一碟生萝卜丝作为凉菜，一盘萝卜条和白菜烩熬的热菜，主食则是干面。朋友们都知道我的家境，来时就带着白酒，喝着、谝着，倒也尽情尽性。那时候的社会主题和民间话语，都是笑骂“四人帮”，我们很自然地以各自的观察和猜测设想未来中国的可能性变化，时有争议。这些朋友在西安城里的某个角落都有一个社会角色，工人、公园杂工、街道办干部等，许多年来因为一个文学的共同兴趣联结在一起，此时最关注的当然是文艺政策放宽放松的尺码。放宽放松是共同的肯定的看法，而在尺码上却很难把握。这次聚会发生过一个细节，剑铭把一张稿酬汇款单据给我的农民夫人验示了，以此证明稿费要恢复了。无须解释的言下之意，稿酬一旦恢复，你的日子就会好过了，这个家庭的困窘和拮据就会改善了。我隐约记得那张稿酬单上的汇款额不过十几块钱，那时却是一个令人目眩到不敢相信的数字。我也在心里盘算着，相当于当时增加三级工资的这笔"外快"，一旦注入家庭经济，我起码可以不让来访的朋友自带白酒了。

大约到 20 世纪 80 年代初，中国当代文学以摧枯拉朽之势冲决极"左"的文艺桎梏，真是让新老作家经历了一场历史性的大释放和大畅美！想到仅仅三四年前在原下老家聚会的时代，似乎跨越了从猿到人的漫长历程。我那时住在灞桥古镇上，反倒没有了吟哦灞桥如雪、如柳絮的怡情，更无法体验、验证古人折柳相送的悲凄，我被扑面而来的大解放的生活潮流掀动着，把我的生活感受诉诸文字。我已经有一篇短篇小说获得全国奖。我的第一本小说集刚刚印刷出来。我感觉自己已经进入生命的最佳轨道，即自幼倾情于文学，虽经受种种挫折而仍不能改移的这个兴趣。忽一日，剑铭来到我的住所，自然相见甚欢。闲聊中，剑铭说，咱们那一帮文学哥们中，老哥你这几年成绩最显著了。借着这个话头儿，我也说出自己对他的一点儿建议来，减少或者不参与某些厂矿的文化活动和属于好人好事的报告文学写作，以便集中精力去写属于文学意义上的作品。我的这个意见其实不是我一个人的看法，和原来那些如他称为哥们的文学朋友遇到一起时，哥们似乎都有点儿惋惜，按剑铭的才气和智慧，对于文学的敏锐和不俗的文学功底，对城市深刻的体验和个人经历的丰富，早就应该出大的创作成果了，早就应该是文学复兴中最先跃上文坛的新星了。哥们常常带着遗憾议论，所能找到的原因便是我上述的那点儿事。出于对文学创作的理解，我渐渐形成一种个人戒律，不给别人开药方，不对无论生人或熟人的写作说“你应该怎样，又不应该怎样”的话。我此前也与剑铭多次相遇，都不敢说，今天终于说出来，最基本的一点，也是想到按他的天分和现有的文学装备，理应出大成果，便有遗憾和损失的心理。剑铭笑笑说，这一点自己早意识到了，只是心肠太软，架不住朋友的热情邀请，也不忍心让过去的那些工人朋友失望。

后来听一位年轻的业余作者说：“如果不是为扶持我们，徐老师的名气肯定比现在大多了！”我这才忽然明白：从文学解冻之初，剑铭就开始主持一个工人文学刊物，后来又到《西安晚报》当副刊编辑。依他的热忱与执着，这种“为人作嫁衣”的事业肯定耽误了他许多耕作“自留地”的时间和精力。我在为他惋惜的同时也就多了一分肃然。

2002 年某日，接到剑铭电话，说报社给他在浐河边上购得一套住宅，想约几位老朋友在新居一聚，庆祝乔迁之喜。我竟然很感动，最直接的感动就是我们在地理上的距离变得如此之近。我那时重新回到原下祖居的村子，不过是为了逃离太过逼近的生活的龌龊。这个年龄了，经历了冷暖冰火几十年的生活了，唯一不可含糊的生活信条是，人给社会建树美好的能力总是相对的，而不能制造龌龊却是绝对的。我便在原下的灞河边上重新阅读和写作。剑铭住到原西的浐河边上安居乐业了，应该是距我最近的一位作家了。

猴年伊始，我到原上去给老舅拜年，回来路经剑铭浐河边上的住宅，喝一杯清茶，仍是一种素有的平淡、素有的踏实。剑铭的住房还算宽敞，装饰得也不错，书房里挂着几年前由我写的“无梦书屋”的毛笔字，我看了颇觉别扭，吹牛说毛笔字已有进步，我要重写一幅，心里却潮起“历尽劫波兄弟在”的诗句来。剑铭告诉我，他已经写过一千万字的作品了。我并不惊诧，他的敏锐的才思、勤奋的习惯呈现为快手，我是早就知晓的。他说自己要出三本选集，诗歌、小说、散文各出一本，应是较大规模的一次专著出版，我也不惊讶，甚至以为早应该有这样规模的出版了。他拿出来一本《黄罗斌传》的长篇人物传记，才是令我震惊不已的事。黄罗斌为陕西蒲城县人，陕甘红色政权的创造者之一，20 世纪 60 年代遭遇冤案，一生充满传奇，超乎常人想象。无论解放前，还是解放后，黄罗斌的全部生活历程，都与剑铭的生活经验相去甚远，然而剑铭写成了，并付诸出版了，包括传主眷属在内的各方都评价甚高。更令我惊奇到不可思议的是，这部三十余万字的作品，写作时间仅仅一个月。剑铭不动声色、轻声慢语给我说：“我一天写一万字。”我听说过用电脑一天可以码出万字的事，年轻时的我也曾经有过在兴头上一天用钢笔写出万把字的事。然而剑铭在整整一个月的时间里，每天用钢笔以一万字的速度写完一部三十余万字的长篇人物传记，而且一遍成稿，得到出版社编辑和传主眷属的高度评价，且不说我如何惊讶、感动和钦佩，起码日后不会因为谁的出手之快吃惊了。

我约略知道，多年以来，剑铭写了大量的各行各业杰出人物的短篇纪实文学，主编了某些系统优秀人物的报告文学集子，既亲自出马采访写作，又兼以帮助修改整本书的稿件，不厌其烦、不拿架势，深得各家主管领导和作者的尊敬与爱戴。我较为确凿地知道一件事，是他主编陕西国防工业系统的一部报告文学集。我曾为这本书作序。在国防工业系统有那么多鲜为人知的无名英雄，我在阅读中不止一次热泪难抑，那本书里就有剑铭写作的九篇激情洋溢的文章。我之所以特别提到这部英雄碑史式的报告文学集，只有一点想作以强调，即在剑铭把诗人的激情倾注在那一个个无名英雄献身事业的文字上时，他还被一桩冤案囚锁着。一个被冤案侮辱侵扰的作家，依然故我地对国防事业的英雄倾心纵情，展示的就不仅是一个人民作家的情怀，也应是对冤案制造者的一种凛然表白，一种无意的嘲讽。

剑铭告诉我，他手头还在写作一部长篇纪实文学，是三秦子弟立马中条（山）抗击日寇的气壮山河的群雕式作品。这样，在已经到来的猴年，剑铭将有两部长篇纪实作品和三部选集出版，当为盛事。一个作家，一年里有着如此丰硕的果实得以收获，还有什么事能比其更令人感到心灵与精神的慰藉和自信呢！剑铭属相为猴，今年满六十了，这是怎样令自己，也令朋友欢欣鼓舞的一个年轮哦！

2002年时，我曾在一封致剑铭的短信里写过这样一点儿感慨：相识相交几十年了，他在城里，我在城郊，多则一年里有几次碰面聚首的机缘，少则一年也许难得相遇，既不是热爱到扎堆结伙，也不是互相提携、你捧我吹。几十年过来，剑铭大约有两篇写到我的逸事的千字短文；我也只有前述的那封对他的一篇纪实作品读后感式点评的书信。然而我心里有个剑铭，或者说剑铭实实在在地存储在心里，遇着机会见面，握一把手就觉得很坦然了。剑铭小我两岁，今年也年过花甲。我写这篇文章的时候，心里始终萦绕着一个小小的核儿，就是温情，就是友谊。热闹的人生与社会交会的场面，过去了就如烟散了；生活演变中的浮沉起落，也终究要归于灰冷。作为朋友，能留下来永远在内心闪烁着温暖光焰的，除了真诚，什么都难以为继。

我便备觉荣幸，有剑铭为友。

说给云儒三句话

云儒过七十岁生日，各界人士拥集，场面庞大而又热烈。对一个大半生都从事原本属于冷寂的文学评论工作的人来说，足以见得社会影响的广泛，远远超越了文学界。云儒约我说话，正中我表现欲念，连任何客套都不曾发生，我便踊跃而出，瞬即形成三句话，说给云儒。

第一句话，云儒是我的老师。这话不是客套，更不是恭维，而是真实的事实。

20 世纪 60 年代初，西安市艺术馆为文学爱好者搞文学讲座，我是虔诚的一个听众。周六下午走到纺织城东边的水沟村，花两角钱在农民的家庭客店歇脚，天不明起身赶到西安聆听各种选题的讲座。约略记得是那年春末夏初的一个周日，我在讲堂里看到了走上讲台的肖云儒，竟然由惊诧而瞬间浮泛出悲哀沮丧的情绪来，概出于他那一张脸孔。不单是那张脸的俊气，关键在那张脸所标志的太过年轻的年龄，看去好像比我还要小几岁，我的沮丧以至悲哀便发生了，这样年轻的人登上讲台作讲座，而自我感觉比他还长过几岁的我坐在台下接受他的文学启蒙，还梦想搞文学创作，未免太晚了……

我还是耐心听讲。他的讲题是“散文散谈”。就是在这次讲座上，我亲耳聆听到他对散文这种文体的概括——“形散而神不散”。这句堪称精湛的概括，在我一遍成记。我那时正学习散文写作，这句话便悬在心中。几十年后的今天，云儒关于散文的“形散而神不散”的概括，不仅随处被人引用，业已成为学界公认的关于散文写作最精到也最传神的概括，似可称为肖氏语录。而这样精准的概括，是他在二十出头的年纪里说出的，足见其学养之不俗，以及横溢的才气。

我视他为老师，源出于此。尽管见面握手时直呼其名，老师的印记一直悬在心中。

新时期文艺复兴潮头伊始，陕西应运而出一茬青年作家，作品引起整个文坛的关注。几乎与此同时，陕西的中青年评论家组成一个纯民间性质的“笔耕”评论组，紧盯着刚刚跃上新时期文坛的这一茬陕西青年作家的创作变化和发展，对他们的作品进行品评，对他们的创作起到了促进作用。云儒是“笔耕”评论组年龄偏轻却是最敏锐的评论家，他的笔锋触及每一个作家的作品，赢得了作家们的钦服。我也是受益者之一，不仅在他肯定意见所给予的鼓励，更在于对作品弱点的严肃的批评。记得我的《信任》获 1979 年全国短篇小说奖时，得到的几乎是一口腔的称赞，猛一下听到他毫不遮掩的批评，而且是甚为致命的否定性批评。

他不管你获过什么全国奖。对我的批评是在一个小型创作座谈会上正对着我说的。我虽然没有申辩，却基本不予接受。直到几年又几年之后，自我感觉实现了一次又一次创作突破之后，我才一次又一次更深刻地理解了他的批评。确切说来，是一个生活真实与艺术真实的老话题，也是创作的一个大命题。我在 20 世纪 70 年代末，对于创作的理解和感知，尚不能理解他的批评；反之，他对文学创作的理解和审美，超出了我当时所能接受的。当我后来的创作有所突破，大约才一步一步接近了他的那个文学理念和审美准则，钦佩便产生了，敬重也就是很自然的事了。

听到也看到一些看人看脸却不看作品成色，甚至掂红包轻重的评论的传闻，常会想起仁兄云儒直对着我面毫不口软的批评，愈觉难能可贵。隐藏在心中三十年的这第二句话，在仁兄庆贺七十华诞的场合说出，在我算得是一个最恰当的机遇。第三句话，是我刚刚意识到的，即云儒已经进入人生的又一个新的境界——达观。

生日庆典仪式的同时，云儒的散文随笔集《雩山》首发。我先读《雩山》自序，直感便是云儒已进入达观这种人生的高境界。我觉得尤为难得，人活七十现在并不难，难得的是进入生命体验里的达观境界。

我约略可以看到云儒抵达达观境界的一条途径，从文学评论形成广泛影响之后，即到新的世纪伊始，他的言论已经不再局限于文学作品，而是涉及社会、政治、经济、文化、历史和现实，完全成为一个视野宽泛且有独立见解的学者。说来有趣，每当有机缘听他发言，或在报刊上看到他的文章，还有电视上听他侃侃而谈某个话题，都是一种新颖的理念，敏锐的思维，甚至刚刚流行的新鲜语汇，在他说来如道家常。在我这个受众的感觉里，既有对新理念的启蒙，也有新鲜语汇的普及……这种情景里，我突然会意识到，我还是近五十年前坐在文学讲座讲堂里的听众，是学生；他依然是登上讲台讲演的先生、老师。差别仅仅在于——云儒已是进入达观境界的人了。

一九八〇年夏天的一顿午餐

一

一顿午餐，留下两个人半生的记忆。这两个人，一个是作家刘恒，一个是我。

2006 年 11 月中旬在北京召开的中国作家协会第七次全国代表大会期间，在堪称豪华的北京饭店的过厅里，我和刘恒碰见了、相遇了，几年不见，他胖了，头发却稀疏了。心想着按他的年纪，头发不该这么稀，眼见的却稀了。对视的一瞬，都伸出手来握到一起。没有热烈的问候，也没有搂肩捶胸的亲昵举动，他似乎和我一样不善此举。刚握住手，他便说起那顿午餐，在我家乡的灞桥古镇上吃的那一碗羊肉泡馍。正说间，围过来几位作家朋友，刘恒着意强调是站在街道边上吃的。我说是的，一间门面的小饭馆容纳不下汹涌而来的食客，就站在饭馆门外的街道上吃饭，站着还是蹲着我记不清了……

这是1980年夏天的事。

这年的春节刚刚过罢，我所供职的西安郊区随区划变更为雁塔、未央和灞桥三个区。我的具体单位郊区文化馆也分为三个。我选择了离家较近的灞桥区文化馆，为着关照依赖生产队生活的老婆、孩子比较方便，还有自留地须得我播种和收割。刚刚设立的灞桥区缺少办公房舍，把文化馆暂且安排到距离区政府机关近十里远的灞桥古镇上。这儿有一家电影院，用木材和红瓦建构的放映大棚，据说是1958年“大跃进”年代兴建的文化娱乐设施，地上铺的青砖已经被川流不息的脚步踩得坑坑洼洼了，既可见久远的历程，更可见当地乡民观赏电影的盛况。放映棚后边，有一排又低又矮的土坯垒墙的平房，是电影放映人员工作和住宿兼用的房子，现在腾出一半来，给我等文化馆干部入住，同时也就挂出一块灞桥区文化馆的白底黑字的招牌。我得到一间小屋，一张办公桌、两把椅子和一块床板，都是公家配备的公物，一只做饭烧水的小火炉是自购的私家财物，烧煤是按统购物资每月的定量，到三里外的柳巷煤店去购买。我那时已官晋一级，兼着区文化局副局长，舍弃了区政府给文化局分配的稍好的办公室，选择了和文化馆干部搅和在一起。我喜欢古人折柳送别的这个千古老镇，一缕温情来自桥南头的高中母校，三年读书留下的美好记忆全都浮泛出来了；另一缕情思或者说情调，来自职业爱好，多年来舞文弄墨尽管还没弄出多大的响声，尽管生活习性、生活方式和当地农民差不了多少。而文人的那些酸不酸、甜不甜的情调却顽固地潜在着，诸如早春到刚刚解冻的灞河长堤上漫步，看杨柳枝条上日渐萌生的黄色嫩芽；夏日傍晚把脚伸进水里看长河落日的灿烂归于模糊；深秋时节灞河滩里眼看着变得枯黄的杂草野花；每逢集日拥挤着推车挑担、拉牛牵羊的男女乡民，大自然在这个古镇千百年来周而复始地演绎着绿了、枯了、暖了又冷了的景致。刚跨入 20 世纪 80 年代的古镇周边的乡民在这里聚集，呈现出从极“左”律令下刚刚获得喘息的农民脸上的轻松和脚下的急迫。我常常在牛马市场、木材市场和小吃摊前沉迷……我觉得傍着灞河，依着一堤柳绿的古镇灞桥，更切合我的生活习性和生存心理。

刘恒突然来了。是我在这个古镇落脚扎铺大约半年后。

1980 年正值酷暑三伏最难熬的季节，一个高过我半头的小伙子走进电影院后院的平房，找我，自我介绍是《北京文学》的编辑。我在让座和递茶的时候，心里已不单是感动，更有沉沉的负疚了。古镇灞桥通西安的 13 路公交汽车，那时候是一小时一趟，我每逢到西安赶会或办事，在车上前胸后背都被挤得长吸粗吁；汽车在坑坑洼洼的沙石路上左避右躲，常常抵不上小伙子骑自行车的速度。这是唯一的公共交通设施，别无选择，出租车那时还没有进入中国人的生活。刘恒肯定是冒着燥热乘坐西安到城郊的这班公共汽车来的，而且是从北京来的。我的那间宿办合用的屋子，配备两把椅子，超过两个来客我便坐在床沿上，把椅子让给客人，沙发在那时也是一个奢侈的名词。刘恒便坐在另一把椅子上，喝我递给他的粗茶。他说他来约稿。他似乎说自己刚进《北京文学》做编辑不久。他说是老傅让他来找我的。说到老傅，我顿然觉得和近在咫尺的这位小伙子拉得更近了，距离和陌生感顿然大部分化释了。

二

老傅是傅用霖，年龄和我不相上下，还不上四十，大家都习惯称老傅，而很少直呼其名，多是一种敬重和信赖，他的谦和诚恳对熟人和生人都发生着这样潜在的心理影响。我和他相识在1976年那个在中国历史上不会淡漠的春天。已经复刊出版的《人民文学》杂志约了八名业余作者给刊物写稿，我和老傅就有缘相识了。他不住编辑部安排的旅馆，我和他也就只见过两回面，分手后也没有书信来往。1978年秋天我从公社（乡镇）调到西安郊区文化馆，专注于阅读，既在提升扩展艺术视野，更在反省和涮涤极“左”的思想和极“左”的艺术概念，有整整三个月的时间，完全是自我把握的行为。到1979年春天，我感到一种表述的欲望强烈起来，便开始写小说，自然是短篇。正在这时，我收到老傅的约稿信。这是一封在我的创作历程中都不会泯灭的约稿信，在于它是第一封。

此前在西安的一次文学聚会上，《陕西日报》长我一辈的老编辑吕震岳当面约稿，我给了他一篇《信任》。这篇六千字的小说随之被《人民文学》转载（那时没有选刊，该杂志辟有转载专栏）。到1980年年初被评为第二届全国短篇小说奖。老吕是口头约稿。我正儿八经地接到本省和外埠的第一封约稿信件，是老傅写给我的，是在中国文学刚刚复兴的新时期的背景下，也是在我刚刚拧开钢笔铺开稿纸的时候。我得到鼓舞，也获得自信，不是我投稿待审，而是有人向我约稿了，而且是《北京文学》杂志的编辑。对从中学就喜欢写作、喜欢投稿的我来说，这封约稿信是一个标志性的转折。我便给老傅寄去了短篇小说《徐家园三老汉》，很快便刊登了。这是新时期开始我写作并发表的第三个短篇小说。直到刘恒受他之嘱到灞桥来的时候，我和他再没见过面，却是一种老朋友的感觉了，通信甚至深过交手。

三

我和刘恒说了什么话，刘恒对我说了什么话，确已无从记忆。印象里是他话不多，也不似我后来接触过的北京人的口才天性。到中午饭时，我就领他去吃牛羊肉泡馍。这肯定是作为主人的我提议并得到他响应的。在电影院我住所的马路对面，有镇上的供销社开办的一家国营食堂，有几样炒菜，我尝过，委实不敢恭维。再就是 8 分钱的素面条和 1 毛 5 分钱的肉面条。我想有特点的地方风味饭食，在西安当数羊肉泡馍了。经济政策刚刚松动，我在镇上发现了头一副卖豆腐脑的挑担，也过了久违的豆腐脑口瘾；紧跟着就是这家牛羊肉泡馍馆开张，弥补或者说填充了古镇饮食许久许久的空缺。这家仅只一间门面的泡馍馆开张的炮声刚落，在古镇以及周围乡村引起的议论旷日持久，波及一切阶层所有职业的男女，肯定与疑惑的争论互不妥协。这是 1980 年特有的社会性话题，牵涉到两种制度和两条道路的争议。无论这种争议怎样持续，牛羊肉泡馍馆的生意却火爆异常，从早晨开门便拨旺昨夜封闭的火炉，直到天黑良久，食客不仅盈门，而且是排队编号。呼喊着号码让客人领饭的粗音大响，从早到晚响个不停，尤其是午饭时间，一间门面四五张桌子根本无法容纳涌涌而来的食客，门外的人行道和上一阶土台的马路边上，站着或蹲着的人，都抱着一只大号粗瓷白碗，吃着同一个师傅从同一只铁瓢里用羊肉汤烩煮出来的掰碎了的馍块。

我领着刘恒走出文化馆所在的电影院的敞门，向西一拐就走到熙熙攘攘吃着、喊着的一堆人跟前。我早已看惯也习惯了这壮观又奇特的聚吃景象，刘恒肯定是头一回驾临并目睹，似不可想象，也无所适从吧。我早已多回在这里站着吃或蹲着吃过，便按着看似杂乱无序里的程序做起，先交钱，再拿七成熟的烧饼，并领取一个标明顺序数码的牌号，自然要申明“普通”或“优质”，有几毛钱的差价，有两块肉的质量差别。我招待远道而来的贵宾刘恒，自然是肉多汤肥的“优质”。那时候中国人还没有肥胖的恐惧，还没有减肥、尿糖、抽脂、刮油等富贵症，还过着拿着肉票想挑肥膘肉还得托熟人走后门的光景。我便和刘恒蹲在街道边的人行道上，开始掰馍，我告诉他操作要领，馍块尽量小点儿，汤汁才能浸得透，味道才好。对于外来的朋友，我都会告知这些基本的掰馍要领。然而这需得耐心，尤其是初操此法者，手指别扭，捏也罢、掰也罢，往往很不熟练。刘恒大约耐着性子掰完了馍，由我交给掌勺的师傅。

我和刘恒就站在街道边上等待。我估计他此前没经历过这种吃饭的阵势，此后大概也难得再温习一回，因为这景象后来在古镇灞桥也很快消失了，不是吃午餐的人减少了，而是如雨后春笋般接连开张的私营饭馆分解了食客，单是泡馍馆就有四五家可供食客比对和选择；反倒是那些刚刚扔下镰刀戴上小白帽的乡村少男少女，站在饭馆门口用七成秦腔、三成京腔招徕笼络过往的食客。

四

几年之后，我有幸得到专业作家的资格，可以自主支配时间，也可以不再坐班上班，自我把握和斟酌一番，便决定撤出古镇灞桥，回归到灞河上游白鹿原下祖居的老屋，吃老婆擀的面条、喝她熬烧的苞谷糁子，想吃一碗羊肉泡馍需得等到进城开会办事的机会。

住在乡下，应酬事少了，阅读的时间自然多了，在赠寄的一本杂志上，我发现了刘恒，有一种特别兴奋的感觉。随之又读到了《狗日的粮食》，我有一种抑压不住的心理冲动，一个成熟的禀赋独立的作家跃到中国文坛前沿了。每与本地文学朋友聊起文学动态，便说到《狗日的粮食》，也怀一份庆幸和得意，说到在灞桥街头站着或蹲着招待刘恒的那一碗泡馍，朋友听了不无惊诧和朗笑，开玩笑说，你把一个大作家委屈了。我也隐隐感到，便盼着有一天能在西安最知名的百年名店“老孙家泡馍馆”招待一回，挽回小镇站着吃的遗憾。这时候不仅公家有了列项的招待款，我个人的稿酬收入也水涨船高了，况且“老孙家”也得了刘华清题写的“天下第一碗”的真笔墨宝，店堂已是冬暖夏凉和细瓷雕花碗的现代化装备了，我在这儿招待过组团的兄弟省作家和单个来陕的作家朋友，却遗憾着刘恒。刘恒似乎不大走动，似乎除了一部一部引起不同凡响的作品，再没有其他逸事或作品之外的响动。我能获得的信息，都是他的作品所引发的话题。这样，刘恒在中国文坛的姿态，便在我心里形成了，让我无形中形成了敬重，不受年龄的限制。敬重不在年龄。

从 1980 年夏天初识于我的灞桥，街道边的一顿午餐，成为我们二十多年深刻的记忆。这期间，我和刘恒大约有两三次相遇，每当见面握手，便说到街头的那顿午餐，一碗牛肉或羊肉泡馍。以我推想，随着经济快速发展，也随着作家腰包的不断填充，大餐、小餐、中餐、西餐乃至豪华宴会，他和我都经历过了。在他，起码我没听见对某一顿大餐的感受；在我，即使吃过什么稀罕饭菜，稀罕过后也就不稀罕了。灞桥街头的这一顿牛羊肉泡馍，之所以让两个人经久不忘，我想在于这情景发生的年代——1980 年夏天，中国新的发展契机初露端倪时的一个标志性的年份，每一家私营饭馆在古镇灞桥张扬出来时的特有景观；另一因由在于这碗牛羊肉泡馍，标记着那个年月的我的消费水平，自参加工作十八年第一次涨薪，拿到 45 元月薪了，大约发表了十多篇小说，累计有 1 000 多元的外快稿酬了，可以请本地和外埠的朋友吃一餐泡馍了；还有一点在于，蹲或站在街道上吃泡馍的这两个人，后来都成了有点儿名气的作家，一个在北京，一个还在关中。这似乎才是造成记忆不泯的关键，作家微妙的生活感受；此前此后我陪过老朋友、新相识，包括乡村亲邻等都吃过，过后通通忘记了；唯有作家不会忘记，我记着，刘恒也记着。

这回在北京饭店和刘恒握手，他开口便说起这顿牛羊肉泡馍午餐。笑罢，我突然想到，这顿街边的午餐已成为一种情结，也成为一种警示，在我千万别弄出显摆“贵族”的嗲来，当下这种发“贵族”的嗲气小成气候，那样一来，刘恒可能不再说 1980 年夏天古镇灞桥的午餐，也不屑于和我握手了。

西安人武元

在我生活的圈子里，接触最多、交往最多的自然是陕西人，尤其是西安人，这是我的出生地、念书的学校以及工作环境所决定了的，所谓“涝池的鳖——游不远”。而在西安的熟人朋友中，如果抛开权力、财富和个人成就，仅就个人魅力而言，武元是一个最具特点的西安人，或者说，是一个独具魅力的西安男人。

魅力首先来自最直感的说话。

武元说一口纯正而又典雅的西安话，我在西安还没有听到过谁把西安话说得比武元更好。发音准确、口齿清晰、抑扬顿挫、流畅通达、富于节奏感，这是任何人说地方话，包括普通话的口语表述的基本要素，也是说西安话的许多人都能做到的，并不为奇。武元的西安话说得饱满、底气十足，使我感到了说这种地方话的人心理自信；武元的西安话字正腔圆、韵味无穷，慷慨时如飞瀑倾注，动情时又如行云流水，使我一次又一次感受到母语西安话说起来竟然如此独具韵味，也自信起来了。我每当看到那些以西安话来演出小品的演员时忍不住就想给他们提个建议，可以去找武元学一学西安话，以纠正他们发音中的许多令西安人听来特别不舒服的怪腔怪调，甚至让人感到的只是西安话的丑陋（与剧情中的丑陋无关）。如果只是为了展示西安话丑陋的一面，那么还有什么必要用这种方言去演出呢！

武元的西安话又说得智慧，包括机智、调皮、幽默、调侃，又完全是西安本土韵味的机智、调皮、幽默、调侃，往往是分寸恰当、刚到好处而不失于油滑和强装。这是很难学到的。语言智慧是心灵智慧的直接表述或展示，既有天性因素，又有后天的学识、视野、博闻等因素的综合凝聚。因为文化人现在特别看重幽默，甚至有人断言中国人没有幽默；甚至为了显示自己超出不会幽默的中国人而会幽默，便搜肠刮肚甚至挖出大便来恶心人。幽默不是油滑。幽默也带有地域和民族的特色。幽默是深层智慧的自然流露，唯其自然，才具魅力。武元所说的西安话的魅力全得益于兹。

我和武元是校友。在我进入古镇灞桥柳荫掩映的西安市第 34 中学读高中的前一年，武元因家里的劫难而辍学了。我在进入这所中学之后便感觉到了武元和他的父亲的魅力的影响，武元在初中就发表什么作品了，武元如何如何聪明，大有“神童”之称，云云；武元的父亲武志新讲课如何神采飞扬，而且是 20 世纪 30 年代既能演新戏，又会编剧本的剧作家，云云。作为文学爱好者的我，武家父子的文学才能对我具有够多神秘的色彩。然而，武先生被划为右派劳动改造去了，武元也因此辍学了，没有了武家父子的这所母校，如诗如画的烟柳似乎也空洞了。

十余年过去了，在西安兴庆宫公园一隅的一间小平房内，几位西安的业余作者聚会于此，我才第一回见到了武元。其时，他是兴庆宫公园的养鱼工人，和妻儿就住在这间小平房内。我第一次和他握手，听他说话，不单是觉得他把西安话说得如此优美，而且觉得他长得很俊，也应该是我见过的西安文化、文学朋友中长得很俊的一位。长得很俊，西安话又说得很好，这个武元确实是令人感到一种独特的纯粹是个体生命的魅力。

那天晚上我们几位文友游了兴庆湖。这是我第一次乘坐小木船游这个人工修建的湖，而且是在晚上人散园空的时候，月亮挂在天上，有跳跃的鱼儿在湖里翻动水声，有两次竟然跃跌到小船里来。这是我们几位文学朋友利用“渔民”武元的特权而得到的一次超级享受。

多年以来，我们都生活在西安完整的老城墙圈子里，彼此接触却为数不多，甚至极少个人相聚，倒是不经意间在某个会议上就碰见了。文人的聚会一般都轻松一点儿，自然也散漫一点儿，正襟危坐的情况总是极少的，往往免不了上面发言或报告，而下面我行我素、交头接耳、沉湎于两人的小交流，大家都习以为常。在这种时候，武元发言了，不过几句话出口，那些窃窃着的小交流的嗡嗡的声音便会渐渐消失。这当然不是行政命令的结果，当是他的独立的见解和敢于直抒见解的勇气，丝毫不管自己的见解冲撞了某个朋友，相悖于某位权威，背驰于某个领导。独立独到的纯艺术见解，加之忠于艺术只看艺术的脸色而绝不顾及非艺术脸色的痴情与勇气，往往便在这种场合形成一个清新纯净、卓尔不群的声音。这声音便有了它原本的魅力，况且他的西安话又说得那么纯正、那么机智，还有那么一点儿典雅之韵。我常常沉醉在武元的这种声音里，感受西安方言土话的“古调独弹”的魅力。

又匆匆过去了许多年，正儿八经的两人约会才有了第一次。我们在一间借来的小屋子里坐下，我发现他依然很俊，两个小眼角的眼皮虽然有点儿耷拉，把一双俊气的眼睛变形为准三角，然而准三角的眼睛依然俊气，主要是那眼神依然灼灼透亮。稍有点儿厚的嘴唇显得有点儿鼓突，显示着某种傲气和天然的自信。当然，最动人的一瞬还是他开怀时的一笑，准三角的眼睛扯成两条动人的弧线，厚且鼓的嘴唇张开时同样动人，而且那爽朗的笑声使人觉得他胸脯里可能装着一个大铜锣……我们才有了第一次详谈。

武元 1956 年上初三时发表处女作，那是一篇寓言。武元在中学办文学墙报，名曰《柳絮》，显然是取古镇灞桥被千古吟诵的柳色的意味。武元父亲 1957 年被打成右派，1958 年春节期间被押去劳动改造。那天武元到文友王韶之家去拜年，传来这个急讯时，他赶回家去，没有见到父亲，随后便和母亲以及弟妹们搬离灞桥。母亲靠糊火柴匣养育子女，武元便开始了打工生活，拉架子车搞运输，为新修的公路砸铺路的石头，自然都是体力活。想想从此愈来愈紧张，愈来愈无序的以阶级斗争为纲的社会生活，作为一个右派儿子的武元会经历什么、遭遇什么，谁都会想到的。然而武元就在那样的炼狱里挺过来了，在夹缝中对秦腔戏剧的研究功夫深厚，而且保存了那么一口字正腔圆、独具韵味的西安话口语能力。

有幸和不幸，从来都是相对的。相对于父亲的遭遇和结局，武元以为自己还是有幸的。毕竟在他中年时期结束了“文革”，结束了灾难连绵、动乱不已的社会生活，他可以从事自己痴迷的戏剧研究工作了。也许正是经历了更多的灾难和艰辛，他珍惜今天；也许是灾难驱使他更多地混杂在各色底层劳动者中间，他汲取了普通人的智慧，也吸收了他们的正直善良的美德，至今依旧爽然朗然地行自己的路。据说，武元从他居住的街巷走过去，街两行开铺面、摆地摊的男人、女人便会“老武、武元、武哥”连声吆喝呼叫起来。

武元要出版他的专著了，嘱我作序。这是年近六十的武元的第一本作品集。一个“神童”从少年走进花甲，经历了我们国家和人民最迷惘、最艰难的全部痛苦，在社会的最底层生活着体验着，坚守着文学，坚守着一个正直的文化人的道德和良心。即使在繁荣的新时期的文坛，武元从来不事张扬，不要鼓吹，更不做自吹自炒，这不单是个人修养的事，而是出于他对文学的更本质的理解，任何非文学因素的鼓噪不可能给文学创造活动增添任何实质性内容。他几十年坚持有话则说，无话闭嘴；有独立见解才说，废话假话绝不敷衍成文。这样一本集子的出版，弥足珍贵。

我便思绪万千。我一下子忆及他与我共同读书的母校，那柳荫如波似烟、柳絮如雪的灞河之滨的西安市第34中学。他辍学之前的高中阶段主办过文学墙报《柳絮》，我也在往后的高中阶段和文学爱好者组织过文学社，在同一学校的墙壁上张贴《新芽》文学报。我们用同样的形式做过相同年龄里的相同的梦，即在几十年后我突然意识为“魔鬼”的文学这个梦啊！

人生易老，文学的梦不老不灭，我们便觉得活着很好。

灵　人

关中民间把那些智慧超常的人称作灵人。灵者，聪明也。灵人，聪明人，或才人才子。

王定成是个灵人。灵人王定成供职陕西省财政厅，任基建投资处处长，省上的重大基本建设工程的投资款，全都从他的手里码出来，一般都是以百万、千万乃至数亿来说话的，这才称得上真正的“大款”。当着这样大的一个家的人，没有一个好用的脑袋肯定是难以胜任的。他的工作无须我评价，早有省长程安东对他处理的批示在：“工作有成绩，还有些改革和创新……”

令人惊奇的是，这个灵人不仅有一个善于理财、精明如运算机器的脑袋，那脑袋里还有一根或两根十分灵敏的艺术神经，这就很不容易了。我们常听说许多艺术家不会算账的笑话，典型的应该是文学大师钱锺书先生，大学考试数学为零分。王定成会写小说、散文、诗歌，年轻时曾迷恋文学，不断有作品发表，一篇名为《当归》的短篇小说在20世纪80年代初的《陕西日报》引起读者热烈反响。如果他从那时候一路写将过来，也许会是陕西作家群的重要一员。

灵人王定成还拉得一把好二胡，不是一般的爱好，而是功夫老到、深谙弦韵，颇得丝竹之深层体验，《二泉映月》从他的指下叩出的旋律，如行云、如流水、如山风，更如泣如诉，可与阿炳乱真。这个灵人近年来又染指摄影，常有佳作发表出来，对山河、对溪水、对一枝野花野草，似乎有一种天然的敏感，总是能发现独特的角度，捕捉绝妙的瞬间，传达出精彩的韵味。

然而王定成真正用心的事是书法。王定成上学时，我们的学校已经基本废弃了毛笔，入学的孩子先是铅笔，后用钢笔，他却正是从启蒙时就掂起了毛笔，摆开了砚台，铺开了仿纸，正规正矩地练起了毛笔字。当然，这种作业可以称得上是真正意义上的“家庭作业”，不是老师指派的，而是家父规定的。这个家规说来源远流长，说破了会令人大吃一惊，那可是从“书圣”王羲之流传下来的，王定成是王羲之的四十三代孙，嫡系。

王定成从那时起，毛笔砚台和宣纸就没有离开过。在他广泛的业余爱好中，唯有写字是贯穿始终的，算来少说也有四十多年了。四十余年坚持不辍，磨秃了多少支大号、小号毛笔，蘸干了几缸笔汁，这字的功夫能不老到么！据说书法界也多花拳绣腿之作蒙骗行世，没得真功夫便玩奇招儿、邪门儿，以至手上不行，干脆用脚。定成自然不会在乎这些，而是遵循王氏家训遗风，临帖摹碑，博采众长，尽皆名家大师的传世篇章。

起点定调既高，自然不会流俗。直到融会贯通，终于形成自我，独成一家，独秀一枝。我在王定成的书法艺术里，读出雄浑，又读出俊逸；读出苍劲，又读出婉转；感受到凝重和苍凉，也感受了柔情和纯洁；然而更使我感受强烈的是，竟能听到一缕丝竹之声。当我面对一幅幅风姿百态的书法艺术，便有或沉雄或刚劲或如泣如诉的音乐同时萦绕于耳际。这自然得益于他对文学和音乐的素养，更倾注着他深刻而不是浮躁的生命体验。文如其人，字亦如其人。任何艺术形态的创造愈是到高处，就愈显示着艺术家的生命体验和人格精神，这才是决定艺术个性的最要害的东西。

我曾经有一种疑惑，不知那些终生投入到数字运算工作的人会不会乏味枯燥，因为我对数字从未发生兴趣和激情。王定成是一个对数字充满激情的人，终生都在理财，从地方理到省厅，而且理得精当，他兼着文学、音乐、摄影和书法的诸多兴趣，生活该当怎样的丰富多彩，真是令人羡慕，自愧弗如，灵人就是灵人。

痴情如你

剧作家王军武，小我四岁，算是同代人，祖居长安，又算是乡党（辛亥革命后我的家乡辖属的咸宁县归并长安，直到 20 世纪 50 年代中期合作化完成后重划为灞桥区）。相识二十余年来，互有走动，却不频繁，一年半载也未必能见上一面。必要的约见，多是我向他借用秦腔录像带子，前些年我住乡下，电视信号受原坡遮挡，难以享受电视的快乐和烦恼，便用录放机放录像，以便熬过写作之后的寒冷冬夜和溽暑难耐的夏夜。武打片看腻了，便想欣赏秦腔，便想到乡党王军武，借来一厚摞带子，有本戏，亦有折子戏荟萃，更有秦腔新老名角的拿手唱段。在我独居蒋村的十年里，尤其是写作《白鹿原》书的后几年，欣赏秦腔便成为写作之后的最为舒心的艺术享受。唯其因为录像带取之于军武，从那时到现在，我都保持着一段美好的记忆。

初识军武，大约是 20 世纪 70 年代的“文革”之中，西安地区的文学爱好者常常聚会，有时是市艺术馆组织的创作辅导活动，更多的是作者们自己的邀约，我确实记不得和军武在什么时间、什么场合见的头一面，却确实记得第一次见面之后便被传说的他的一次壮举而感动。1968 年冬天，二十二岁的乡村青年王军武，筹凑了 65 元人民币，单身一人骑着自行车从长安县出发，到山西省文水县去探访英雄刘胡兰的生平事迹。从那时候到现在，我仍然真诚地感动于这个壮举，原因是太不容易了，我首先能切身感到的是，那时候吃饭需要粮票。一月多的行程中，除了筹款，怎么筹借几十斤粮票，抑或是自己背着干粮，像“梁生宝买稻种”那样精打细算，蹭到饭馆去要一碗面汤？那时候从陕西长安到山西文水的交通，远不及今天有高等级公路相通，许多地方连像样的沙石公路都没有，而王军武所能装备的肯定不会有专为长途跋涉的特殊性能的自行车，充其量只配有农村人在那时代里既能载物，亦可驮人的最实用的加重“飞鸽”或“永久”，走到前不着村、后不着店的荒僻山径上，断了链条或撒了气怎么办？况且，1968 年的中国，从南方到北方，从城市到乡村，武斗的枪声因为夺权斗争而愈趋激烈。一个孤立无助的乡村青年，一个文学爱好者，却踏过了如我一般常人所难以跨越的障碍，到文水县去追寻一个为了理想而牺牲的英雄女儿短暂的人生履痕，为了一个文学的梦。

一年后，王军武的秦腔大戏《刘胡兰》创作完成了，1970 年的春节，由长安一个村庄的业余剧团排练演出。这应该是王军武的戏剧创作的第一声，不是小曲小调，而是洪钟大吕；不是小捏搓，而是大披挂。无论这个戏取得了几分成功，真正的意义却在于，王军武第一次验证了自己、奠定了自己，向这个世界发出了第一声吼叫，用的是秦腔秦韵，一个长安乡村农家院落里走出来的子弟的智慧和天赋。

以第一本大戏《刘胡兰》的创作为开端，到现在整整三十年了，他的工作几经变动，可以列出这样一个流程：乡村老师—公社广播员—西大中文系学生—编辑—戏剧创作辅导员—振兴秦腔办公室主任。这是王军武的生命流程，始终围绕着一个轴心——剧本创作——而运转。无论他做什么工作，都在正业之余倾注着对戏剧的痴情矢志，绝无动摇，亦未移情，这是那些为着自己喜欢的事业而“消得人憔悴”的中国人的普遍行为。这样，他就有了三十余部大小戏本的结晶，有历史剧，有现代戏，《荆轲刺秦王》《鸿门宴》《雪域忠魂》等，都一一上演，这是很不容易的事。戏剧比不得小说，尤其在当今，电视的普及把包括京戏这样的国剧都逼压到生存困境之中，地方戏和一切舞台剧就更困难了。然而，正是在这样的逆境之中，王军武依然不改初衷，钟情于秦腔新戏的创作，而且每一部新戏都被剧团和导演看中，得以演出，其中最根本的原因是剧本写得好，有戏。剧本无“戏”，似乎令人难以置信，却是严酷的又是不争的事实，如同《皇帝的新装》一样的小说。戏本必须有“戏”，然而又难得有“戏”；真正有了“戏”的戏本才是好戏本，才能首先被搬上舞台，才能拉住观众，才能吸引当代观众和后世的观众，戏本就获得了存活的永久性的生命力。这是包括小说、诗歌和戏本在内的一切艺术形式的作品的概莫能逃脱的铁的法则。

然而在戏本获得真正的“戏”的意义上，自然有多种因素，诸如构思之精巧奇诡，情节之波澜回旋，人物命运的起落跌宕，生动的话语和优美的唱词，都是必备的。更显得重要的是作家感受历史和现实生活的视角，才是一个戏本之“戏”的最关键之处。譬如荆轲刺秦王，譬如鸿门宴，这些几乎妇孺皆知的历史故事，要写出新的有意思的“戏”来，真是太难了，因为这样的历史故事早被普通人把一般意义上的“戏”的趣味在口头上咀嚼得如同蔗渣。王军武以全新的视角透视了这些历史事件，获得了空前的成功，这是军武创作的生命活力的展示。行家论军武的创作有如下的概括：受周秦汉唐雄风影响和黄河文化的哺育，秉承古老的秦腔剧种独具的黄钟大吕，乐府正声的品质，慷慨激昂、悲壮豪放又婉转缠绵的表述风格，纵览其创作的作品浑朴大方，铿锵有力，富有戏剧性和哲理思辨。

军武除了自己的创作，更有一个特殊的社会职务，叫作“振兴秦腔办公室”主任。秦腔需要振兴，这在20世纪80年代中期以前几乎是不可思议的事。秦腔不单独霸西北从省会到县城的几乎全部舞台，而且从乡村的自乐班到村社业余剧团，几乎是西北人最高的精神享受。这种霸气很快便在20世纪80年代中期以后消弭。现代娱乐花样及其手段的爆炸，把包括秦腔在内的传统剧种和娱乐形式逼迫到几乎土崩瓦解，生活节奏和现代青年的欣赏兴趣的变化，都是传统的秦腔所面临的新挑战。如何使这个诞生于秦地且红火了几百年的优秀的民族之花重新焕发活力，正是军武所担负的历史性重任。我在和军武的接触中可以感受到，他对秦腔一往情深，又满怀信念，显然不是这个职位决定了的（无权无钱的职位），而是对秦腔的那种亲情。这是任何人成就任何事的关键，无论于秦腔的振兴，无论于秦腔剧本的创作——我早在他单骑到山西的壮举中感知到了。

自信是金

书院门的古文化一条街，是西安古城里一个别具风姿的亮点。书画墨客、诗家骚人钟情于此自不必说，那些对中国古文化，包括民俗建筑兴趣高高的域外男女，看了兵马俑，登了乾陵，膜拜了法门寺，游转了古城墙，然后告别伟大的神和伟大的死人而遁入民间，到古文化一条街的书院门去逛达。这里的每一条巷道、每一扇门窗及至铺路的青石板，都弥漫着久远年代中国人的民间烟火，无论国人，无论洋人，其实大家都是靠民间烟火维系生命、启迪智慧、滋养创造能力的。

自信是金子的王勇超就在这条街上占有一坨风水宝地。卓尔不群的“洗砚园”又是这条街的一个亮点。

多年以前，我游览这条刚刚复建的古文化一条街时，一幢幢风姿各异的房子令人流连忘返，一副副意蕴千秋、笔墨骇俗的对联令人陶醉，尤其是一家一店的名称匾牌更令人不由自主地琢磨主人的情性和意趣。走到三岔巷道时，看见“洗砚园”三个字的匾牌，便不能移步，驻足良久，真是觉得这个名字取得不俗。看看署名，竟是毛锜手笔墨迹。毛锜是当代陕西一位博古通今的人家，如果论起知识装备构成来，他应该是属于学者型的作家，是王蒙多年前倡导的“作家应该学者化”的一个令我钦佩的作家。毛锜的字是文人字，不是那些把汉字写到似龙类蛇的专业书法家的字，这恰恰是我更感兴趣的那些古代和现代文学大家们手稿上的字，即把汉字当字写的那些文人的字。我那时候尚不认识这幢气派的四层建筑物的主人王勇超，只是感佩他找毛锜取名“洗砚园”并题写斋名，真是有眼识得金香玉，找对了门子。

多年以后，我和“洗砚园”的主人王勇超有过一次交谈。他是长安郭杜人，五岁时竟然对母亲端给他的一碗面条惊诧地问：“这是什么饭？这么好吃！什么时候能天天吃面条呢？”这个五岁孩子的问题听来令人心酸，甚至令今天的同龄孩子以为是天方夜谭。其实稍有点儿年岁的陕西人，尤其是以面食为首选食物的关中人，起码近一个世纪以来的生存理想就是五岁的王勇超的理想，即什么时候能盼到天天吃白面面条、白面馍馍的天堂般的生活呢？我们曾经在一段很长的时间里嘲笑过赫鲁晓夫对共产主义的注释是“土豆烧牛肉”的名言。其实我们自己的百姓只有死了牛，方可以分得一绺牛肉，土豆在山区是作为主粮代替麦子和大米来折算供给定量的；我们的百姓根本不敢企望什么牛肉，只是企盼天天能吃白面馍馍或白面面条就完全遂愿了；我们吃着土豆杂粮甚至饿着肚子嘲笑诅咒赫鲁晓夫亵渎了共产主义的崇高和美好，我们的嘲笑也就显出了虚伪的空洞。邓小平以果决和求实结束了虚伪造成的中国人生命和精神世界的那个可怕的空洞，白面馍馍和白面面条早已是关中人的基本食物了。五岁王勇超的生存理想由邓小平一句话就实现了。然而，争取吃白面面条、吃白面馍馍的欲望更强烈了。他从长安大地的赤兰桥村走进了西安，在古香古色的古文化一条街上撑起来一幢浸洇着墨香的“洗砚园”。这碗“白面面条”可是做得够长的了，这个“白面馍馍”蒸得可是够大的了。无须备述他从一个生产队长到一个三家公司老板的创业过程，相信会有传记作家或王勇超自己来完成这部传记的，我只是对这个从长安大地闯进西安的青年农民表示祝贺。许是我自己也是从古长安大地走进西安的乡村人，也是到城里寻找物质和精神的“白面面条”和“白面馍馍”的一个不想安贫乐道者，因此我对一切从乡村走进城市的人都会生出心理本能的共鸣。

中国的城市本身就是没有得到充分发育的城市，尤其是中华人民共和国成立以前的城市，不过是比乡村人口更集中一些的庄或村罢了。然而城市对乡村的居高临下的习惯性意识足以使任何心高气傲的庄稼人变成“稼娃”。这种更多地表现为市民乃至市侩意识的东西一直延续下来，随着社会主义初级阶段较长时期的存在形态，随着城市文明较之乡村更快的发展，还会延续下去。一个乡村人要实现他的人生理想和抱负就更为艰辛，比如在乡村读书的孩子，比如从乡村创业成功进入城市占有一坨地盘的企业家，通常都只能是更艰辛于城里人。然而令人欣慰的是，许多富于智慧，也富于自信的乡村青年，走进了地方和中央的高等院校，随后便进入政府、社会科学、自然科学和实业界各个领域，成为国家和民族复兴的栋梁之材。中国属于发展中国家，在整个地球上，中国实际也就是一个最大的村庄。进入欧美那些发达国家，一个个中国人的步态和行为其实总使人联想到进入大观园的刘姥姥。然而关起国门来，城里人立即就显出对乡里人的优越感来，官更像官，大款更像财主，城里人绝不混同乡里人。人和人的本质性差异，其实并不在他落生在锦纬里或土炕上，而是在于他的智慧和品质。毛泽东的祖宗是乡村人，他的智慧自不必赘述；美国开国总统华盛顿原是一位农场主，投犁从戎参加独立战争并成为三军司令，论其祖先还是一个乡村人，只是两百多年前的事。

乡村青年王勇超以其智慧和诚实干成了一番事业，立即进入大学去自修，先修理工科，再修中文。他进理工大学的目的是针对自己日渐壮大的建筑公司发展的需要，必须自身提升成为内行；他修中文却是一种兴趣使然。技术和文化含量的提升，人就发生心理和气质的变化了，我们更不可能用一般的城里人或乡村人的陈腐意识去说长论短了，这才是现代中国人更应看重的治本的东西。

毛锜先生取“洗砚园”之名，有历史典故在：民间出身的画家王冕有“我家洗砚池头树”的佳句；《格古要论》中有“凡砚须日涤之”的规矩讲究。可见毛锜先生肚里装了多少老古董、新学问，取下这样一个雅而绝俗的斋名。作家徐剑铭感于此名而敏于诗情，推及深层发问：“凡砚须日涤之，那么人呢？人不也应日日洗涤自己的灵魂，以纯洁的灵魂描画自己多彩的人生么？”我再据此反诘，不洗不洁的灵魂又怎能描绘出洁美的人生图景！

王勇超在与我交谈中说过一句话：我相信我是一块金子。这样的话着实令我为之一振。我几十年里自然遇见过不少自信的人，骄傲以至狂妄的人，然而自诩为真金的人尚未碰见。我又想了，其实自信和骄傲以至狂妄是有本质区别的，这是人的气质中泾渭分明的形态，无须再论骄傲和狂妄的内涵和特征。勇超自信是金却显示的是自信。

他向我表白，他靠诚实起家、靠诚实创业，主要是靠诚实处人处世，以诚实接活干活，赢得拥挤的建筑市场的一条生路；以诚实既取得主家的信任，也得到了他的帮手乃至工人的信赖。在当今已经复杂化了的社会生活中，许多人类共筑的道德准则和生活准则开始被颠覆，包括诚实做人做事这样的人生信条。勇超自信是金主要指向这一点。

然而，单靠诚实也未必能成大气候，得有智慧。有智慧的人，再兼备诚实的品德，智慧便可能超出常规而得到极限性发挥。同样有智慧而缺失了诚实修养的人，一个可能是害人，乃至祸国殃民，如古今中外的佞臣奸雄，也都是很有智慧的人；另一个可能就是害己，不诚实的品行导致智慧的浪费，事难成大或一事无成。

自信是金。可贵的是这个自信，可贵的是对“金”的品格的坚守，是对时下某些人类美德颠覆的再颠覆。然而从另一面——人的品质锻铸——自信的素质才是人立身的中柱，是金。

自信才是金。

口　声

春节将至时，有朋自渭北来，带给我一袋地道的久负盛名的“椽头馍”。这种馍馍形状如同农家房檐下露出的椽子的圆头，故得名，其实更像放大加厚的象棋棋子，其味香甜绵长。现在，“椽头馍”已经从农家的锅灶笼屉上获得解放，机械化批量生产，热销于县城和省会城市。有这样一袋本真的“椽头馍”，今年的春节也增添些乡村气息了，弥补了乡思。

闲聊间，朋友老梁告诉我，他在市井间听到街谈巷议的一个热门话题，他们那个县的县委书记开会途经秦岭山区，发生车祸，重伤住进医院，昏迷持续三四天之久。当他复苏、身体逐渐恢复以后，守护他的妻子交给他一张清单，登记着在他昏迷和危险期的时日里，送礼送钱去的单位、人员姓名和钱款的数字以及礼物的品种。当这位县委书记能够重新站在讲台上讲话的时候，他以一种节制的口吻宣布了一条告示，大意是：在车祸受伤住院期间，感谢大家的关心，但关心的方式方法发生了问题，带点儿食品看病人尚属人之常情常礼，送钱就莫名其妙了。我享受公费医疗，本县财政即使困难，保证我的医疗费还是不成问题的。所以送钱不仅没有理由，也使关心之情变味了。会后请送钱的同志到 ×× 部门去领走自己的钱款，可以不公开你们的姓名……

愕然。哗然。参会的人嗡嗡然议论起来。

这种议论很快流泄到县委和县政府的各个职能部门，流泄到县属的企业、学校和商业交易场合，流泄到市井街巷和家居的楼房屋院。我的朋友老梁给我说这个传闻时，仍然抑制不住情绪的激动，连连感慨，书记的这个举动轰动了县城了，能做到这一点是不错的……

我的朋友老梁年轻时在海军东海舰队服役，一段很令人羡慕也令他本人自豪的人生篇章，至今偶尔谈到他的水兵生活，甚至驻扎地上海，仍然眉飞色舞、高腔欢调儿，因为北方青年能被招为海军水兵的机会太少太少了。他复员回到渭北老家，供职在县供销合作社，工资虽低，却是固定的月月照发的，在大家普遍贫穷的那些年月，他很自足自乐。改革开放之后几年，供销社独占乡村商业市场的霸王角色很快被消解，老梁便承包了其中一个部门，自己独立经营起棉布以及与棉毛相关的纺织品来了。生意虽总也做不太大，每年的进文却可以养家，供给孩子上大学，仍然自得其乐。他从未当过官，工作却是尽职尽责的，工作之外喜欢读书，却没有写诗著书、当作家的志向，然而确实喜欢文化活动，这便是他和我结交的缘由。他喜欢唱秦腔戏，声色不错，却从来没有当专业演员以此造诣戏坛的雄心，然而确实爱唱，随时随地就可以放开嗓门吼将起来，在我办公室里就吼过一板乱弹，还真是接近专业水平。我写如上这些关于老梁的身世和爱好，只是想向读者表明，老梁是真实的民间话语者，是市井平民芸芸众生之中的一位，他告诉我的关于县委书记的故事来自民间市井的街谈巷议，不是电视、报纸等新闻媒体的宣传。老梁的话是可以信赖的——关于一个县的中共领导干部在百姓里的口声。

口声，陕西关中方言，与规范的书面语言里的口碑的意思大致相同。如，那人一辈子落下个好口声。或，王家媳妇这一向遭了口声了，指的是遭遇舆论谴责了。这个县的县委书记因为清退送礼的钱款，市井和乡间正沸沸扬扬着一片好口声。我竟然也被老梁的激情煽动起来了。

老梁说的这位县委书记姓王，名字已经记不起来，我和他共进过一顿午餐，真正的一面一餐之交，且已经过两年，印象很模糊了。大约是 1997 年冬天，我在渭北的蒲城县小住几日，某日午间县委书记派人来约我共进午餐，我受宠的同时，也有点儿惶惶，给本来很忙的领导添麻烦心里总是有所障碍。见面之后才得知书记姓王，很年轻，稍作交谈竟扯到故乡，可以勉强为乡党；也才得知他请来一位牛津大学的博士，也姓王，时任西北大学校长，原籍渭北蒲城人，专意请回这位从渭北高原走出去的卓有建树的学子回到故乡，给全县各级领导干部专题讲解现代管理知识，这是王校长的专长。那天的午餐交谈很愉快，结识新任西北大学的留洋博士王校长，我自有钦敬，因为这确实是很不容易的；再则是县委王书记请懂管理科学的专家给本县各级行政管理干部来上课，也应是一种很富远见的举措。

就是赶巧凑到一起的这顿午餐，留下了很难说深刻甚至说不上熟悉的印象，然而毕竟认识了。老梁说到他的传闻时，激起我的心理反应却很强烈。

这种较为强烈的感动里，我突然想到县志上记载的一位县令，在任几年之后调离本县时，整个县城都骚动了，沿着县令离去的必经之街道夹道送行，鞭炮连绵，酒香弥漫；沿途所经过的大村小庄，男女老少拦路挽留，跪拜不起的乡民堵塞了道路。这是十余年前我在西安郊县查阅县志时留下的印象，应该说这个县令在任几年的口声好得不能再好了。同样在这摞县志里，记载着民国初年发生在该县的一场前所未闻的突发事件：整个县辖的乡村里的农民于某天早晨从四面八方涌进县城，扛着杈、耙、扫帚、犁杖和镢头、木锨，要去交给县长，罢种罢耕，以抗议巧立名目的人头税和田亩税，酿成了关中近代史上影响广泛的“交农运动”。这个民国政府的第一任县长随之被撤职，离开的时间据说选择在夜晚，其口声之坏无须评说。记载在同一个版本的县志里的两位县令，受命于不同的年代，执政于同一块县辖的地域，其口声大相径庭，正好演绎注释了“民可载舟，亦可覆舟”的古训。

老梁说给我的王书记新近发生的故事，诱发我联想多多的一个重要因素，便是新闻媒体刚刚曝光的江西省副省长受贿被捉的消息。我曾在听到看到这个新闻时难以理解，已经做了副省长的胡某要那么多钱干什么？钱财聚到那么大堆的数量，对于个人、对于家庭还有什么实际意义可言？因为即使以超豪华的消费水平，也难以在有生之年把那么多钱花掉，且不说胡某的政治誓言和人生追求这些东西。如果我没有记忆混乱，胡某是媒体公开曝光的官职很高的领导干部，属少数中之个别。然而每年年终中央和地方省市反贪部门公布的成绩概括中，那被惩的人数是令人震惊的。一个个吸附在各级政权里的蛀虫被钳击出来，使人感到痛快的同时也不无忧虑。再说到民间和市井，层出不穷的传闻和极具智慧的讥讽腐败的民谣和笑话，消解和淡化着各级政权的神圣和庄严。无论是证据确凿的公开惩治的消息，还是不敢全信的更多的民间传闻，倾注到人耳朵的这些东西太多了的直接后果，令我忧虑、令我烦恼、令我开心不起来，真希望能有清风灌进耳来，有清净的绿地映入眼睛，以荡涤污血和浊水。与我仅一面一餐之交的县委王书记的举动传到我这里时，正合了我的这种心理需要。如若在今后可期待的某一个年份，民间和市井里更多流传的不是那些讽喻性的笑话和顺口溜，而是如渭北的王书记的好口声，我敢肯定从地方到中央反贪机关的成绩将会逐年萎缩，当是国家和人民的头等幸事。

朋友老梁讲述的王书记的故事，引起我共鸣的又一个诱因，是我所在的单位正开展“三讲”。“三讲”的内容和目的无须赘述。我在阅读江泽民的著作时，有一句话引起我的震惊，即“堂堂正正做人”。

震惊来自对这六个字的直感。在我的记忆里，自稍知人事的童稚时代起，父亲便要求我堂堂正正做人。在念书求知的各个学段，不仅父亲，尤其是老师，无一不是把“堂堂正正做人”作为最基本的修身准则尺量我们。“三讲”的对象是县处级以上的领导干部，百分之百的共产党员，给他们现在提出的“堂堂正正做人”这样的要求，其实只是作为人的道德修养的 ABC，是基础；是无论工人、农民、小贩、商人和普通干部等各种职业的人，无论贫富，无论智商高低，无论性别，无论长幼，无论宗教信仰的各色之人，立身行世的最基础之准则；是任何一个父亲、母亲和哪怕是最平庸的教师，都会对自己的子女和自己教授的学生一以贯之、毫不含糊地当作基础品格实施培养的。然而这个话是由江总书记说的，有点儿痛切的味道，对象却是县处级以上的中高级党员领导干部，肯定不是无的放矢。那么我就可以放胆推论，在县处级以上党员领导干部的庞大队伍里，起码有一些人在做人的 ABC 的基本之点上出了问题，不那么堂堂正正。既然自身都堂堂正正不起来，那么怎样去实施自己的职能所要求的工作，怎样去实施党所赋予他的在他负责的地域或领域的使命和任务？结论是无须点明的。如果连堂堂正正都做不到，那么他的政治信仰、主义、理想全都会飘忽游移，甚至只是一张招牌、一块遮羞布而已。

然而江总书记不会是随随便便讲这个话的。进而想想，“堂堂正正做人”，对任何人来说，都不会是一次性完成的；在人的生命历程的任何一个阶段，都存在“堂堂正正”能否继续的矛盾和选择。在广泛如“文革”、局部如自己所处的具体环境里，在邪恶之势逼压以至残害人的时候，能否保持从信仰到灵魂到身躯的堂堂正正？在已经呈现前所未有的进步繁荣，也同时出现前所未见的纷繁复杂的社会生活面前，权力的诱惑和物欲的诱惑都在对“堂堂正正做人”这个基础进行无休无止的冲击，能招架得住吗?

昨天顶住了1万元的诱惑，今天却屈从于10万元的诱惑；昨天堂堂正正是个人，今天就“堂堂”不起来，也无法“正正”了；顶住了金钱物质的诱惑，却在传情的眉眼旋飞的彩裙里陶醉了、沉迷了，“堂堂正正”了半生的躯体从此怎么也硬撑不直了；昨天做着副手兢兢业业“堂堂正正”，今天提升为第一把交椅，权力和声威突然之间能够作用到所辖领域的一切角落的时候，在真诚与比真诚更富迷惑色彩的巴结逢迎之间发生迷乱，甚而落入鲜花、笑颜、涎水、金币和大腿铺设的陷阱，何论“堂堂正正”；接受卖官的贿赂，必然再去行贿买官，以满足无限膨胀的权欲和如影随形的物欲，官位高升的同时，灵魂却龌龊了，人格也矮化萎缩了，自然没有“堂堂正正”这个做人的基础工程了。

朋友老梁讲述的渭北王书记的故事，让我感受到天地正气的痛快，获得阡陌与市井间的好口声，不仅是合理的，也是党心民心所期待的。我愈加自信这样一个人生信条——“苍山无言，江河有声”。

别路遥

我们不得不接受这样的事实，无论这个事实多么残酷以至至今仍不能被理智所接纳，这就是：一颗璀璨的星从中国的天宇间陨落了！

一颗智慧的头颅终止了异常活跃、异常深刻，也异常痛苦的思维。

这就是路遥。

他曾经是我们引以为自豪的文学大省里的一员主将，又是我们这个号称陕西作家群体中的小兄弟；他的猝然离队使得这个整齐的队列出现一个大位置的空缺，也使这个生机勃勃的群体呈现寂寞。当我们——比他小的小弟和比他年长的大哥，以及更多的关注他成长的文学前辈们——看着他突然离队并为他送行，诸多痛楚因素中最难以承受的是物伤其类的本能的悲哀。

路遥从中国西北的一个自然环境最恶劣，也最贫穷的县的山村走出来，为中国当代文学的繁荣创造了绚烂的篇章。这不单是路遥个人的凯歌。它至少给我们以这样的启迪，我们这个民族所潜存着义无反顾的进取精神和旺盛而又强大的艺术创作力量。路遥已经形成的开阔宏大的视野，深沉睿智的穿射历史和现实的思想，成就大事业者的强大的气魄，为实现理想的坚忍不拔和艰苦卓绝的耐力，充分显示出这个古老而又优秀的民族最优秀的品质。

路遥密切地关注着生活演进的艰难进程，密切地关注着整个民族摆脱沉疴、复兴复壮的历史性变迁，以及由此而产生的巨大痛苦和巨大欢乐。路遥并不在意个人的有幸与不幸，得了或失了，甚至包括伴随他的整个童年时期的饥饿在内的艰辛历程。这是作为一个深刻作家的路遥与平庸文人的最本质区别。正是在这一点上，路遥成为具有独立思维和艺术品格的路遥。

路遥的精神世界是由普通劳动者构建的“平凡的世界”，他在当代作家中最能深刻地理解这个平凡的世界里的人们对中国意味着什么。他本身就是这个平凡世界里并不特别经意而产生的一个，却成了这个世界人们精神上的执言者，他的智慧集合了这个世界的全部精华，又剔除了母胎带给他的所有腥秽，从而使他的精神一次又一次裂变和升华。他的情感却是与之无法剥离的血肉情感。这样，我们才能破译长篇小说《平凡的世界》里那深刻的现代理性和动人心魄的真血真情。路遥在创作那些普通人生存形态的平凡世界里，不仅不能容忍任何对这个世界的过去和现在、历史和现实的解释的随意性，甚至连一句一词的描绘中的矫情和娇气也决不容忍。他有深切的感知和清醒的理智，以为那些随意的解释和矫情娇气的描绘，不过是作家自身心理不健康、不健全的表现，并不属于那个平凡世界里的人们。路遥因此获得了这个世界里数以亿计的普通人的尊敬和崇拜，他沟通了这个世界的人们和地球人类的情感。这是作为独立思维的作家路遥的最难仿效的本领。

我们无以排解的悲痛发自最深切的惋惜。四十三岁，一个刚刚走向成熟的作家的死亡意味着什么？本来，我们完全可以自信地期待，属于路遥的真正辉煌的历程才刚刚开始。我们深沉的惋惜正是出自对一个文学大省、一个国家和民族的文学事业的无法弥补的损失。一切已不能挽回于万一，所以期待即使是自信的、有把握的，也都在 1992 年 11 月 17 日那个早晨被彻底粉碎了。然而，我们就路遥截至 1992 年 11 月 17 日早晨 8 时 20 分的整个生命历程来估价，完全可以说，他不仅是我们这个群体，而在更广泛的中国当代中青年作家中，也是相当出色相当杰出的一个。就生命的历程而言，路遥是短暂的；就生命的质量而言，路遥是辉煌的。能在如此短暂的生命历程中创造如此辉煌、如此有声有色的生命的高质量，路遥是无愧于他的整个人生的，无愧于哺育他的土地和人民的。

以路遥的名义，我们寄望于每一个年轻或年长的弟兄，努力创造，为中国文学的全面繁荣而奋争。只是在奋争的同时，千万不可太马虎了自己——这肯定也是路遥的遗训。

第五辑

步履不停

阴沉的天空尽管没有星月，

还是能够看到天和地的分界，

那是群山顶上的树梢，

在天空画出的起伏着的优美曲线，凝然不动。

关山小记

汽车刚钻进山，车里的朋友就兴奋起来，争相发出连续不断的赞美的话语，夹裹着由衷的惊诧的叫声，近似鼓噪，不过从口吻声调判断，还属真实。想想这些长年出入高楼、行走在水泥沥青马路上的人，眼里看的是瓷片玻璃、鼻孔吸入的是种种废气，时下又正当溽热难耐的三伏，突然钻进这不见人烟的群山之中，仅生理、心理的本能性舒悦就足以开怀了，况且全都是挟有绝技、绝招儿的文墨人，更敏感，也更习惯表述。

这山也真是美。在仅容得汽车穿过的窄道里，两边或陡直挺立或悬空扑突的青色岩石，轻易就可以把钢铁制品挤弯压扁。溪水就在车轮下飞迸着水花，喧闹出弥天铺地的浪声。车在群山里盘绕，一会儿上了，一会儿下了，眼前的空间一会儿宽了，一会儿窄了，瞬息变幻着的景致，却再也激发不起朋友们的大呼小叹了。也许是目不暇接了，也许是喊得累了。车子再翻过一道缓坡横梁，眼前展开一片宽阔漫长的谷地，峭壁陡峰早已不见了踪影，溪水隐没到草丛里去了，满眼都是浏览不尽的绿草，在西斜的阳光下迭变着色彩，人被狭谷窄道挤压过的心胸顿然舒展开来，又是一片惊诧的咏叹。

这是关山。我这回是专意瞅着关山来的。

我对关山的向往，是两年前电视播放的一则风光片诱发的。记得是在一场顶级足球比赛的场间休息时随意转换频道，不经意间看到一片奇异的高山草地，一下子就被吸引被诱惑住了。起初竟然以为是异国风光，而且与在图片和荧屏上见过的阿尔卑斯山的风景叠印在一起；后来听着优美抒情的解说词儿，才知道这是中国的关山草原。更令我始料不及的，这关山就隐藏在秦岭山地里边，属于陕西陇县辖地，离西安不过三个多小时的车程。我在那一刻就有了“养在深闺人未识”的惊喜，向往也在那一刻注定了。现在终于逮着机会，直奔关山来了。

一眼望不透的高矮起伏着的群山。这里的山已经不见秦岭的陡峭挺拔、威严凛峻，却是一派舒缓柔曼的气象，从山根到山顶，坡势拉得悠长，一种自在自如的娴静和浅淡。由近处望到远处，山头都被绿树笼罩着，近在眼前的是一派惹眼的葱绿，越往远处，颜色渐渐加深到墨绿，再到目力所及处和雾气灰云混融了，完全看不出绿色了。这里的树林颇为怪异：从每一座山头覆盖下来，到半山腰便齐崭崭收住，形成一道密不透风的绿色壁垒，看去颇为壮观，往往使初见者误猜为人工有意所为，其实是自自然然形成的地理地貌性奇观。山腰往下直到河谷，漫坡漫川都是绿毡铺着一样的野草，草里点缀着黄的、红的、紫的、白的小花。这山里的世界就显得十分简洁，绿的树和绿的草，树占山腰以上，草铺山腰以下。这种简洁的美是一种大气象的美，是舍弃了繁复，舍弃了芜杂，也舍弃了匠心的美，非浏览过千番景致，也见惯了各种色彩的大手笔不可造得。这当然是大自然的神笔造出的神韵，却也启示舞笔弄墨泼彩的文人画家，不可把一种自营的色彩色调说绝了。

从河谷里随意走过去，走过一个山间谷地，再到一个山间谷地，每一道沟、每一面坡都各有风姿，绝不重复类近。然而稍微留心，或浅短或长远，或伸直或斜延，那一面面坡一道道梁，其走势、其形态都显示舒缓优雅、自在自如、气韵酣畅、神闲气定，一弯一转、一扭一回旋，都丝毫不显急促，更不见猥琐，如一张张锦帛、一条条绿绸随着轻微的山风随意飘落。我不止一回提问自己，这是秦岭吗？以陡险雄峻闻名的秦岭，到这里却呈现出一派舒缓柔曼的姿态和情调，当可看作伟岸凛峻的大丈夫的躯体里，原本怀有诗意绵绵，也情意绵绵的软心柔肠。

关山和秦岭一样悠久，却是山系里的壮年汉子，多少万年以来，这天赐的美景只是默默地自我欣赏。在20世纪后半段的几十年里，这里是繁殖培育骑兵所用战马的军事禁地，旁人不得进入。再说那时候的中国人，无论城乡，都是数着粮票掐斤扣两过着日子，不仅没有游山逛景的资本，而且作为一种意识都不为当时极“左”的时风所容忍。现在时风开化了，一部分人可以在衣暖饭饱之后派生游逛的“余事”了。骑兵已经从中国军队的兵种里悄然消退了，关山军马场相继歇业关闭了，军马却在山沟野洼乡民的屋院里繁衍。现在，这里最能引发游人好奇的项目是骑马，近处和远处的男女山民牵着自养的良种军马，争先恐后地把马鞭往来此散心的城里人的手里塞，甚至拽着游客的胳膊往马背上掀，竞争到了空前激烈的状态。马们是无所谓的，驮着这些城市来的先生女士、老汉老太、小伙姑娘，听着他们在自己耳后发出的惊惊吓吓、嘻嘻哈哈的声音，祖传的血液里的冲锋陷阵、蹄踏敌阵的血性和激情荡然无存，只是懒洋洋地溜达。我的朋友们都上了马。我无端地谢绝真诚的乃至不可理喻的邀约，只有一个托词，我属马，自己不好压迫自己。

我便独自一人在夕阳即逝的草地上随意走着。我迎面碰到草地小路上一位骑自行车的小伙儿。小伙儿眉眼很俊，黑眼睛灵活而聪慧。我和他有一段简短的交谈，得知散落在一道一道沟谷里的山里人家，除了种苞谷、土豆自供吃食，主要是饲养放牧羊和马。羊供游人们烧烤，现场宰杀，架火烤全羊或羊肉串儿，从维吾尔族、蒙古族那里学来的烧烤技术。马除了供游人骑玩，更多的是卖给客户，听来有点儿残酷。小伙儿告诉我，上海年年来人收购，有多少要多少。听说买回去抽血直到抽干，抽马血做啥用咱就不知道了……听得我毛骨悚然，身上直起鸡皮疙瘩，顿然意识到属马不骑马的自我约律没有一丝意思了。

小伙子跨上自行车远去了。暮色里可以看见前边山口有一堆瓦顶房子，不过五六户人家。我往住地走过去。绵软的草地已经有湿气潮起来。包括我在内的城里人到这里来散心、来赏景、来换一口清新干净的空气，体验一回骑马的新奇感觉，明日回去又陷入城市的文明和喧嚣之中。山民们大约对这里的树、这里的草、这里的空气，早已习以为常，只有尽快把长成的羊和马卖出去，欢悦和窃喜才会产生。美丽的类近阿尔卑斯山风貌的关山的景致，对他们只有谋得生存的真实含义。

夜色完全落幕。阴沉的天空尽管没有星月，还是能够看到天和地的分界，那是群山顶上的树梢，在天空画出的起伏着的优美曲线，凝然不动。我回到住地场院，听到聚在灯光下的一堆游客在议论，有人说咱们有这样好的山地和草原，外地人却把陕西一概印象为风沙弥漫的黄土高坡，全是那首破歌惹的祸……“大风”把陕西全刮光了。

我想这肯定是个乡土自尊比我还强的陕西人。

黄帝陵，不可言说

正在澜沧江边行走。层层叠叠、郁郁苍苍的山峰。黏稠的灰云覆盖着尖锐的和平缓的群山。浑浊的江水在峡谷里一路冲溅出千姿百态、瞬息万变的水花。缓坡上和河谷坝子里，散落着围墙涂成白色的四方形楼房，这是我见过的最为雄壮高大的藏族民居了。房屋周围的田野上，变成黑色的晾晒青稞的木架斜立在刚刚吐穗的青梨地里。耳边活跃着藏族男女无处不在的舞蹈的踢踏声，萦绕着、交混着纳西族优雅悠扬的古乐。

在这种陌生的大自然里的沉醉是极其自然的，也是无以名状的。沉醉里，突然接到诗人耿翔的电话，约我写一篇关于黄帝的短文。我不由得沉吟一声，那个青砖围垒、黄土堆积的陵冢，从青山、峡谷、青稞穗和舞蹈乐曲里浮现出来，哦！老祖宗。

记不清拜谒过多少回黄帝陵了。头一次在我年轻时，默默地围着那个枯草和积雪覆盖着的黄土冢走了一圈，竟然获得了一种绝少能有的平静、沉稳的心境。那个时候在我生存的全部空间里，喧嚣着“文革”势到末途的挣扎，却也更显疯狂的声音。连厕所和炕头都刷着虚妄标语的生存空间里，只有在整个民族的老祖宗的土冢前，我获得了作为一个大活人的正常的心境。

我和家人亲戚拜谒过黄帝陵，烧一炷香，再围着那个已经修葺完整的土冢走过一圈，依然获得的是宁静和沉稳的心境。

我陪着外省和海外华裔作家朋友每一次拜谒黄帝陵的时候，都要围着那个已不陌生的黄土冢走过一圈，获得宁静和沉稳。几十年过去，我对老祖宗的拜谒就固定为围绕土冢走过一圈这种形式，至今也没有写过一篇关于黄帝的文字。

在我的全部感觉里，几十年来多次拜谒的过程和拜谒之后，都没有产生企图表述的欲望。我现在才弄明白自己何以会如此，在于这位老祖宗是无法言说的，或者说在我是难以找到表述的语汇的。

我观瞻过秦、汉、唐、明、清五大王朝几十位皇帝的陵墓，也是至今没有写过一篇短文。然而，没有写仅仅是我不想再说那些陈年旧事。尽管我确凿在他们或倚山或掘地或打开或依旧死封的巨大建筑面前，想到他们堪称不朽的功业和不可掩抹的巨大罪孽时感慨多多。

然而，无论千古第一帝，无论汉皇唐王、明陵清陵里的帝王，都是可以言说的。没有一个使我产生如在黄帝陵前那种不可言说的感觉，自然也没有任何一个帝王能使我产生那种沉稳和宁静的心境。

我还是想脱开史家的评断而以自家的感受来说这种纯粹属于

个人的感觉上的差异，大约就出在同一个读音的皇与黄的本质性的属性上，皇是一种象征，黄却是另一种象征；皇在我的头顶需仰视、需顺从、需接受“皇叫你死，你不得不死”的律令，黄则与我同在黄土地上可以平视，可以和他比一比谁的皮肤更接近黄土的色泽……

于是，许多千年之后的我，在围着他的小小的黄土冢转过一圈又走过一圈的时候，获得的是宁静和沉稳。

于是，我在一次又一次拜谒这位可以称为老祖宗的陵墓时，总是感到不可言说。

于是，我在注目那个翠柏重荫下的黄土冢时，似乎感知到每一抔黄土、每一片草叶浸洇到胸膛里的神圣的灵光，同时也自觉地接受先祖灵光的洗礼，更有透见灵魂的审视和拷问……不肖也否？

林中那块阳光明媚的草地

早晨醒来便听见“哗哗哗”的雨声。拉开窗帘就看到满天低沉的黑云，从黑云里倾泻而下的雨条闪着些微的亮光。到俄罗斯整整一周了，走到哪里都是蓝天白云下碧透的天空和鲜亮的阳光，今天遇到下雨了。有阳光又有雨，当是感受俄罗斯大地自然天象变幻的一个小小的又是难得的完满。

冒雨去图拉，拜谒托尔斯泰。车行四小时，大雨一路都在不歇气地下着。我总是忍不住拉开车窗，开阔的原野覆盖着望不透的森林，无边无沿的草场，都笼罩在迷迷漾漾的雨雾里。飞进车窗的雨滴打湿了我的头脸，这是托翁故乡的雨。临近图拉城的标志，是路边终于出现了人。一顶顶简便装置的帆布或塑料帐篷，零散地撑持在公路边上，摆列着一排货架，守候着一个一个女人，都在卖着以图拉命名的饼子。据说这种饼是闻名俄罗斯的土特产品，以黑麦制成，别有一番独特绵长的香味且不论，绝不添加任何防腐剂，却可以存贮半年以上，久享盛名。看着在雨篷下守候过路客捎带图拉饼的女人，我顿然联想到家乡关中类同的情景，每到五月初，通往我的白鹿原的原上和原下的两条公路边，便摆满一筐筐、一笼笼刚刚摘下来的樱桃；通往临潼秦兵马俑的路旁，九月的石榴和九月末的火晶柿子招惹着世界各方的男女；还有去女皇武则天陵墓的路边，垒堆如小塔的锅盔，既可以整摞整个售购，也可以切成西瓜牙儿一般大小零卖，还有人索性就把大铁锅支在路边现烙现卖。乾县的锅盔虽不及图拉饼的盛名，却在遍地锅盔的关中独俏一枝，皮脆里绵，满口麦子纯正的香味，武则天在锅盔的香味里滋润了一千多年，该当改为女皇牌锅盔了。看着那些伫立在路边的图拉女人，我想大约和关中路边守候的农夫农妇一样，卖下钱不外乎盖新房，供孩子读书，以及为儿女娶媳妇、办嫁妆。托翁故乡的农民和关中乡民谋求生活的方式和思路如出一辙。

车过图拉城时，雨缓解松懈下来。汽车穿过图拉城，从街面建筑和街道的景致看，都显示着一种久远的陈旧，与中国任何一个中小城市一夜之间的全新面目都显示着距离性差别。雨时下时停，出图拉城就看到远方天际一抹蓝天和阳光。拐过两个交叉弯道，就看到一排很长的林木遮蔽下的围墙和一个阔大的门，这就是托翁自己命名的“林中那块阳光明媚的草地”——庄园故居了。

站在宽大的门口，一眼看见两排整齐高大的白桦树的甬道，通向林木笼罩的深处。我跨进大门并走上白桦树下的甬道，踏着用三合土铺垫的大平小不平的路面，庆幸自己终于有缘走在遍布着托翁脚印的土地上了。托翁一生都走在这庄园里的大路小径、果园耕地和林荫草地上，我踏在已经消失沉寂了托翁脚步响声的印痕里，依然感知着一个伟大灵魂神圣的灵性。白桦树依然枝叶茂盛，白色鲜亮的树皮浮泛着诗意。头顶的枝叶不断洒下水滴。甬道土路的小坑浅洼里积着雨水。左边有一排涂成灰蓝色的木板房，是马厩，庄园里曾经耕田拉车以及溜达的好多匹马，就养在这里，现在依着原样原封不变地保存着，自然都已经圈干槽净了，我似乎还可以闻到马粪、马尿和畜生混合的气味。甬道右边还有一排蓝灰色的木板房，是贮藏草料和马具的库房，可以看到门里散落的干草，还有犁具、围脖和套绳，似乎刚刚罢耕归来卸下，散发着马脖子的骚味儿。还保存着农耕生活记忆的我，顿然浮现出这里添草拌料和骡马踢踏喷鼻的生机勃勃的图景。现在是一片人畜不在的冷寂。

甬道尽头往右拐进去，是一座涂成黄色的两层小楼，这是托尔斯泰的居室和写作间。下层一个大约不超过十平方米的小屋子里，托翁写成了《战争与和平》。我站在这间屋子的一瞬间，弥漫在心头的神秘顿然散失净尽了。一张不大的木板桌子，不仅谈不上精致或讲究，大约当初只刷过一层清漆，可以清楚地看到被磨损的或粗或细或直或歪的木纹；可以猜想长胳膊、长腿的托翁伏案写作时，肯定会摊占大半个桌面。房间里还有一只小茶几和一张单人床，这床也应是我见过的最窄的一张床了，当是写得腰酸臂困时伸懒腰的设施。房间不仅没有装饰装潢，更没有如中国文人惯常装备的字画铭题之类，连一个像样的书架都不置备。

到二楼的一间几乎同样小的房间里，也是漆成淡黄色的一张木桌，椅子的四条腿截断了一节，低到如同我家里的马扎。据说是托翁视力不好，椅子低点儿就可以缩短眼睛和稿纸的距离，避免了低头躬腰。在这间小小的简便到简陋的书房里，托尔斯泰写成了《安娜·卡列尼娜》。我还想看看写作《复活》的房间，讲解员说这部写作长达十年的小说，托尔斯泰先后换过三个写作间，没有解释换房的原因。我走出这座二层小楼时，脑子里就突显着两张淡黄色的木桌。我更加确信作家从事的写作这种劳动，最基本的条件不过就是一张桌子和一把椅子，可以铺开稿纸，可以坐下写字，把澎湃在胸膛的激情和缠绕在脑际的体验倾泻到稿纸上就足够了，与房子的大、小屋内的装备和墙面上贴挂的饰物毫无关系。说句不算抬杠的话，如果脑子里是空乏的，胸腔里是稀薄的，即使有镶着宝石的黄金或白银的桌椅也无济于事。无论如何，我至今还想着那把太低、太矮的椅子，坐上去就得把腿伸到很远，坐久了会很不自在的，何不加高桌子的四条腿，同样可以达到既不弯腰低头而缩短眼睛和稿纸的间距，况且能够让双腿自由自在地曲伸……

在这座托尔斯泰写作和生活的黄色小楼前，有一块不大的空地，该当算作院子吧。在这方小院的三面，都是稠密到几乎不透阳光的树林，林间长满杂草，俨然一种森林的气息。楼前的这方小院，除了供人走的台阶下的土路，也都栽种着花草，却不是精细琢磨的管理，完全是自由生长的泼势。花草园子里有一棵合抱粗的树，不见一片绿叶，粗壮的枝股和细细的枝条，赤裸在空中，在四周一片浓密的绿叶的背景下，这棵树就令人感到一种死亡的凄凉。

我初看到这棵枯死的树时，就贸然想到保存它与周围的景致太不协调，随之了解到这棵树非凡的存在，竟然有一种内心深处的震撼。枯枝上挂着一颗金黄色的铜钟，我初看时就想到小学校里上课下课敲出指令的铜钟。托尔斯泰属于贵族，却操心着贫苦农民的疾苦和委屈，以真诚之心帮助那些寻找救助的人，久而久之，那些四野八乡遭遇困境的乡民便寻到这个庄园来。托尔斯泰在楼前院子的这棵树上挂了这尊铜钟，供寻访的穷人拉响，托尔斯泰就会放下钢笔、推开稿纸，把敲钟的穷人请进楼里，听其诉叙困难和冤屈，然后给予帮扶救助。据说有时竟会在这棵树下发生排队等候敲钟的现象。然而没有哪怕是粗略的统计，曾经有多少穷人贫民踏进这座庄园、走到这棵树下，憋着一肚子酸楚和一缕温暖的希望攥住那根绳子，敲响了这尊铜钟，然后走进了小楼会客厅，对着胡须垂到胸膛的这位作家倾诉，并得到托尔斯泰的救助脱离困境。

这棵曾经给穷人和贫民以生存希望的树已经死了，干枯的枝条呈着黑色，枝干上的树皮有一二处剥落，那只金黄色的铜钟静静地悬空吊着，虽依原样系着一条皮绳，却再也不会有谁扯拉了。救助穷人的托尔斯泰去世已近百年，这棵树大约也徒感寂寞，已经失去了承载穷人希望的自信和骄傲，随托翁去了。

托翁晚年竟然执意要亲手打造一双皮靴，而且果真打造出来了，而且很精美、很结实，也很实用。我自然惊讶这位伟大作家除了把钢笔的效能发挥到无可替及的天分，还有无师自通操作刀剪锥针制作皮靴的一双巧手；我自然也会想到这位既是贵族庄园主，又是赫赫盛名的作家，绝不会吝啬一双靴子的小钱而停下笔来拎起牛皮；恰恰是他几乎彻底腻歪了已往的贵族生活，以亲自操刀捏锥表示向平民阶层的转向和倾斜。一种行动，一种决绝，一种背离。我在听着那位端庄的俄罗斯姑娘说这个逸事时，瞬间想到曾经在什么传媒上看到谁说谁已有了贵族的气象和派势，显然是一种时尚推崇。我似乎感到某些滑稽，昨天还用旧报纸（城里人）和土圪垯（乡下人）擦屁股，一夜睡醒来睁开眼睛宣布成了贵族了……托尔斯泰把他精心制作的这双皮靴送给一位评论家朋友。这位评论家惊讶不已，反复欣赏之后，郑重地把这双皮靴摆到书架上，紧挨着托尔斯泰之前送给他的十二卷文集排列着，然后说：这是你的第十三卷作品。这话显然不单是幽默，是以俄罗斯人素有的幽默语言方式，表述出对一位伟大作家最到位、最深刻的理解。

我真感觉到幸运，在林中的这块草地上领受到了明媚的阳光。雨在我专注于黄色小楼里的一张桌子、一把椅子、一张照片、一页手稿的时候，完全结束了。头顶是一片蓝色的天空和自在悬浮着的又白又亮的云。林子顶梢墨绿的叶子也清亮柔媚起来。阳光从枝叶的空隙投到林子里的硬质土路上，洒在小小的聚蓄着雨水的坑洼里，更显一种明媚。走到一大片苹果园边，天空开阔了，阳光倾泻到苹果树上，给已经现出颓势老色的叶子也平添了柔和与明媚。树枝上挂着苹果，有的树结得繁，有的树稀里吧啦挂着果子。苹果长足了时月停止再长，正在朝成熟过渡，青色里已淡化出一抹白色。从果树的姿势看，似乎疏于管理；从果型判断，当是百余年前的老品种了，在中国西北最偏远的苹果种植区，早在十几二十年前都淘汰了。这些苹果树和大面积的园子，自然完全不存在商业生产的意义，而是作为托翁的遗存保留给现在的人，现在依然崇拜和敬仰这位伟大灵魂的五湖四海的人。我看不到托翁了，却可以抚摸托翁栽植的苹果树，在他除草、剪枝、施肥和攀枝折果的果林间走一走，获得某种感应和感受，不仅是慰藉，而且是一种心理的强力支撑。

沿着一条横向的硬质土路走过去。湿漉漉的路面上有星星点点的阳光。路两边是高耸的树，从浓密的树叶的空隙可以看到碎布块似的蓝天和白云，平视过去则尽是层层叠叠的湿溜溜的树干。我尽可以想象雨后初霁的傍晚，阳光乍泄的林间树丛中，托翁拨开草叶采摘蘑菇的清爽。树林间有倒地的枯木，杆皮上生出绿苔和白茸茸的苔衣，都依其自由倒地的姿态保存着，更添了一种原始和原生态的气息。这里已没有了剪枝疏果、吆马耕田、采蘑制靴的托尔斯泰的身影，没有了闻铃迎接穷人、听其诉苦的托尔斯泰，也没有了在木纹桌前摊开稿纸把独自的体验展示给世界的托尔斯泰了。然而，一个伟大的灵魂无所不在。恰在我到这儿来之前几天，《参考消息》转载一篇文章，说欧美一些作家又重新阅读陀思妥耶夫斯基和托尔斯泰了。我便想，小说的形式和流派如狗追兔子般没命地朝前抢着，跑到最后，终于有人歇下来缓口气，又往来路上回眺了。看来似乎没有完全过时的形式，只有空虚肤浅的内容最容易被淡忘、被淹没。

横着的路出现了三岔口，标示左边通托翁的墓地。路上的光线似乎暗下来，许是树木更密了，也许是太阳光照角度的差异，路面和小水坑里已经看不到亮闪闪的光斑了。在树林的深处，看到了托翁的墓地，完全是意料不及、想象不出的一块墓地。在一块临近浅沟的边沿，有一片顶大不过十平方米人工培植的草坪，中间堆着一道土梁，长不过一米，高不过半米，是一种黑褐色的泥土堆培而成。上面没有遮掩，四周没有栅栏防护，小土梁就那样无遮无掩地堆立在小小的草坪上。我站在草坪前，竟有点儿不知所措。这样简单的墓地，这样低矮的土梁标志，比我家乡任何一个农民的墓堆都要小得多。没有任何碑石雕像，就是一坨草坪、一撮褐黑的泥土，标志着一个伟大灵魂的安息之地。那个小土梁上，有一束鲜花。我在转身离去的一瞬，似乎意识到，托尔斯泰是无须庞大的墓地建筑来彰显自己的，也无须勒石刻字谋求不朽的，那小小的草坪和那一道低矮的土梁，只标示着一个业已不朽的灵魂安息在这里。

离开墓地和通往墓地的林间幽径，有一片开阔的草地，灿烂着红的、白的、紫的、金黄色的野花。季节还算是夏天，雨后的太阳热烈灿烂，仍不失某种羞羞的明媚。我沉浸在野草、野花和阳光里，心头萦绕着托翁为自己的庄园所作的命名，“林中那块阳光明媚的草地”，真是恰切不过的诗意之地，又确凿是现实主义的具象。

感受文盲

从洛杉矶飞往温哥华的班机起飞以后，我和王教授不约而对视。教授说："好像飞机上没有中国人。"我说："这回麻烦了。"这是跨越国界的飞行。按照国际航班的公例，在这个国家进入另一个国家的海关之前，须先填写一张入境卡。我和王教授的麻烦就出在这张卡上。卡上的文字是英文，而我们两人谁也读不出一个英语单词，更不要谈书写了，这张卡片就成为一道名副其实的关卡了。此次旅行之前，其实就担心着这个麻烦，却寄托着一份侥幸，这个航班上说不定会有中国人可以帮帮忙。此前我俩从北京飞往波士顿的途中，就是靠一位赴美留学的青年代替填写那张卡片的。一次侥幸会给人轻易地造成又一次侥幸心理的产生，况且明知在美国和加拿大的中国移民人数逐年骤增。其实在王教授开口之前，我早已把整个座舱都巡视过了，一色的白色人种，点缀着几个黑色和混血的男女，偏不见一个中国人，甚至连一个容易混淆的日本人和韩国人也没有。侥幸毕竟是侥幸，可指望者渺渺。

空姐来了，发给每个乘客一张入境卡。我接过那张卡片就用手势向她申述我没有书写能力。从眼神和手势判断，她明白了我的无能并示意我等一等。

我就等着。教授也等着。我手里捏着那张卡，有点儿百无聊赖的意味。卡片是淡黄色的，看一眼是无可奈何，再看一眼仍是奈何不得，溜一眼前后左右那些以英文为母语的乘客或随意或斯文或认真地填写卡片的种种神态，我突然想起母亲。在我们家里，母亲是唯一的文盲，父亲不在家时，她常把远方姐姐的来信递给我说："给妈再念一遍。"有时候纯粹是一张毫无保存价值的药费单子或什么字条，她不敢轻易扔掉："你看这里是个啥单子，有用没用？"我那时候确曾感到过小小年纪能识文断字的优越，却很少能体味文盲母亲的心情。现在轮到我必须做出把这张鬼卡片送到别人手里去帮助辨识的动作了。我才真切地体味到了作为一个文盲的含义，颇觉用"睁眼瞎子"譬喻文盲真是一个准确而又绝妙的语汇。

那位空姐开始收回入境卡了，她在我俩跟前时笑着点点头就走过去了，两张只字未填的卡片由我俩继续拿着。教授对我做出无奈的眉眼："咋办？"我还给教授一个同样无奈的眉眼："这个麻烦只好交给美国人民了。"教授说："反正不至于把咱们再运回洛杉矶吧？"我说："那就要看这航班上的美国人民友好不友好了。"

过了一阵子，那位空姐专程走到我和王教授的座位前，又是做眉眼，又是打手势，眉眼做得很生动，涂红的嘴唇尤其生动，手势也打得十分灵巧，然而表达的意思无法传递给我们哪怕百分之五十，她也无奈地笑了。教授终于从她指向空中的一个手势领悟出来，她们用广播询问过机舱里的所有乘客，看看谁懂中文，帮助两个不懂英文的中国人填一下入境卡，结果是一个也没有。她对于王教授能理解她的手语、眼语很高兴，不断地颔首点头，随后就示意我们继续拿着那个卡片等待。她又忙自己的事去了，一会儿推着装满饮料的推车来了，一会儿又推着小推车送便餐来了。每一次来时似乎倒成了熟人，做一个友好坦诚的微笑，把一样一样的饮料拿起来供我选择，因为不识英文，就无法判断里面的内容，想随便拿一样，能喝就喝，不能喝扔掉算了。她依然耐心地继续把各色包装的饮品拿给我看，随之又拉开抽屉，我终于看见了可口可乐的熟悉装饰，便自己挑出来。她也高兴地笑了，有点儿得意兼调皮的样子。

我和王教授便不再担心被重新拉回洛杉矶了，尽管这卡片依然空白，也不明白最终的结束方式。我反而有点儿感动，想到前几日从波士顿到洛杉矶的飞行。尽管这是美国国内航班无须填写入境卡，送行的友人还是不放心，把我俩领到登机验票入口处，对一位值班的女孩说，这两个中国人不会英语，希望上下飞机能予以关照。她立即填写了两张通行卡片交给我和王教授。友人解释那卡片的内容，注明了我们需要帮助的问题，只要交给飞机上的空乘就行了。我和王教授就坐下等待验票登机，却也想在飞机上需要帮助的肯定不只是我们，因为这卡片的设置早就为许多人帮过忙、解过麻烦了。验票登机的时间即到，验票人员也提前到来，分列入机口两侧，乘客们开始提携行李排队。那位给我们开通行路条的女子突然走过来，示意我们跟她走。她对验票的人说了几句，就领着我俩第一批踏进了通道，直到走进飞机。她从我手里把那张她填写的路条或卡片拿过去，交给一位当班的空姐，又说了几句，就转身走开了。我和王教授坐到自己的座位上，大约五六分钟之后才见乘客们涌进机舱来，真是懊悔没有对那位路条女子说一句感谢的话。我对王教授说："这位美国女子好像没有使用微笑，却把我们感动了。"王教授说："对于顾客来说，其实只要服务质量就够了。"

飞机抵达温哥华。我和教授走到机舱门口，发现那位空姐正在等着我俩。她领着我俩随着人流穿过长长的走廊，走到出口亦即海关验卡处，让别人先走，直到只剩下我俩时，她把那两张依然空白着的入境卡交给了加拿大国的守关人员，又交代了些什么，转过身来又那么含着调皮意味地笑笑，就匆匆走了。

我现在才直接面对加国的守关大汉了。大汉长得又粗又高，坐在出口的钢铁栅栏上，满不在乎地瞅着我们，随即拨动了电话。一会儿工夫就有一位黑衣、黑裙、黑头发的中年女人走来了，终于看见了一位熟悉的中国人。加国大汉拿着卡片，又掏出钢笔，由那位黑蝴蝶女士用中文发问，又用英语翻译给他，便一项一项填写着，脸上现出多一番劳累的不悦，所以仍然大大咧咧地坐在栅栏上，而宁可让旁边的椅子闲着。当问到我们的职业和在温哥华的接待单位时，王教授报出了我们的作家职业。那大汉倚在墙上的脊背挺直起来，随之从栅栏上跳下，瞬即转换出一脸笑来：“作家？噢！作家！欢迎你们到温哥华。”他伸出一只手前倾着身子，做出一副友好而又滑稽的姿态，憨憨地笑着送我和王教授通过他把守的关卡。

地铁口脚步爆响的声浪

我们下榻的宇宙宾馆，是20世纪80年代苏联为举办夏季奥运会专门修建的一座高层建筑。二十多年的时间虽然称不得古，也说不上老，却仍然让我有一缕世事兴亡、历史沧桑的思绪，苏联已经没有了。记得当年要在莫斯科举办这届奥运会，牵头世界一极的美国带头抵制，欧美不少国家跟着起哄，搞得那届奥运会有点儿索然。中国不是响应美国，而是累积20世纪50年代末以来的意识形态分歧，也不参加“苏修”举办的奥运会。奥运会历史上，恐怕就数这一届闹得最别扭了。时光仅仅过去二十多年，作为当时世界另一极的苏联，早在十多年前解体了，只剩下美国一极横在当今世界上。这座有着特殊历史意味的建筑物依旧竖立在这里，每天都进进出出、来了去了世界各国的游客，傍晚竟将宾馆的大厅拥塞得水泄不通，多样肤色的男女老少，到今天的俄罗斯观光旅游，人窝里夹杂着一眼就可以辨识出来的不少中国人，当年的敌意和分歧似乎连一缕游丝的痕迹也看不到了。

宇宙宾馆在莫斯科老城的外围，距离市中心的红场还有一段不近的路程。我们今天的行程是去红场，大家乐意乘坐地铁，也是想见识一下这个号称世界最深的地铁的规模。莫斯科的地铁起动于斯大林时代的1935年，大约在20世纪30年代末开始运行，由时任莫斯科市委书记赫鲁晓夫主持实施。据说当时有两个建设方案，其一是由一位铁路专家并兼着权威意义的人设计的，明开直挖，比较浅，自然省钱也便于施工；另一个是由一位名不见经传的年轻人设计的方案，深达八十米，施工难度、工程进度和花钱都非同一般了，其理论基础是万一发生战事，可当作防空洞供市民避难。两个方案难于选定，最后直送到斯大林手上，当即拍定了年轻人的方案，世界上随后就有了一条深入地下八十米的铁路。不幸而被那位年轻人言中的事发生了，地铁刚运行不久，德国法西斯便攻打莫斯科，斯大林的指挥部就潜藏在深入地下八十米的地铁里。这是迄今为止世界上最深的一条地铁，建成近七十年了，一直运行到现在，还是属于莫斯科载客量最大，也最便捷的公共交通设施。

我和朋友步行往地铁站走去。街道上川流不息着汽车，没有自行车，行人也不多。清晨碧透的天空，洒下明朗的阳光，城市显得明媚清爽。待转过一个街角，人骤然密集了，气氛也显得异样地紧张了。对面急匆匆走过来一眼望不尽的男人和女人，我的左侧和右首不断冲向前去一拨又一拨男人和女人，高跟鞋敲击地砖的脆响不绝于耳。愈往前走，愈接近地铁站口，人愈密集，如同过江之鲫，鱼贯而过却不远去，从三面往地铁站汇聚。或素雅或艳丽的夏日女装稍纵即逝，或周整的西装或随意的便服与女性的色彩互相折迭、互相掩盖。无论男人、女人、老人、少年，无论高个长腿，无论矮子肥腰，几乎百分之百一致向前，快脚阔步，摆甩手臂，一往无前的快节奏；几乎百分之百的人都挺直着身子，目不斜视，端直平眺，看不到一个东张西望、左顾右盼的眼睛，只有专注于目标的单纯和执着。娇俏如五月芦苇的女孩，跨步轻盈如同芭蕾点地，粗壮到两人合抱也难得围拢其肥腰的妇女，富于快节奏的步履更显示着一种自信。地铁站门口，已经是一片人流，人与人的空间很小很小，却没有拥挤和混乱，更没有碰撞或搅缠。令人惊异的是，这样密集的人流往前涌动，而所有人的脚步并未放慢，人流往前流动的节奏也不见趋缓；整个进站口里外是一片高跟鞋钉敲击地板的震耳的声响，唯独听不到一句说话的声音，更不要说吵闹、呼喊或喧哗了。我被眼前的景象和耳际的响声震惊了。

我相信这是我所见过的最密集的人群所达到的最有秩序的运动行为。我多少也走过几个国家，这是我见过的节奏最快的人群的脚步。及至地铁自动扶梯入口，踏上台板，便看到站得满满当当的乘客向深不见底的地下运动，依然是安静无声。令我尤为感动的是，本来并不宽敞的电动扶梯，川流不息着如此稠密又如此急迫的人群，却在下行的这一通道的右边，自觉留出一条空道，乘客全都靠着左边站着。那些事情急迫或心情也急的人，不满足于电梯运行的速度，从上往下如山羊蹦崖一样跨越着往下去了，有女孩，也有胖妇，有脚步轻捷的小伙，也有脱光头发、肢体已显着老态的老汉，不时从电梯台阶上往下蹿。据说因为这地铁太深，电梯运行的速度也是同类中最快的，单程不过两分多钟。那些踏级而下的急性子，兼着自动运行和自身运动的双重速度，估计一分钟就抵达洞底了，就可能提早赶上一列火车。这儿有这么多人在争分夺秒，赶着自己人生的行程。

我踏上一列到站的地铁，在不算十分拥挤的车厢里扶栏站定的时候，静悄悄的车厢里让人感觉到加剧了的心跳。我和同行的朋友没有急迫的事，也就没有必要用莫斯科人的脚步节奏赶路，更没有从电动扶梯小跑下去的举动，这心跳何以如此加剧？我才意识到地铁入口里外震天响着的鞋跟撞地的声浪。是这声浪拍打人的耳膜、拍打人的神经，被触发、被感染而于不觉间变得激越了。我站在车厢里，隆隆响着的车轮的回声灌进耳朵，却不紊乱，这是机械的律动。在这一时刻，我把一些有关俄罗斯人的传闻推翻了。人说俄罗斯人很懒。懒人怎么会有这样迫不及待的行进节奏和如同征程上的脚底的脆响！这是8月下旬最平常的一天的早晨，数以千万计的莫斯科男女以王军霞竞走的姿态和专一的神情赶赴地铁入口，可以推想莫斯科每一个地铁入口处，每天早晨都踏响起这样令人心跳加剧的声浪，世界上哪有这样的懒汉？

我也听说莫斯科到处都是喝得醉醺醺的酒鬼，喝伏特加已成为一种灾难性的普遍习性。到俄罗斯一周，我确凿于一瞥间看到过一个在路边长椅上躺着扭着的胖男人，猜想大约是一个醉汉。

我没有机会到大街小巷、酒馆公园去踏访醉鬼的行径，不敢贸然否定这个传闻。然而看到地铁站前令人惊心动魄的景象，我想还操有多少醉鬼这份闲心又有什么意思。我们从莫斯科到彼得堡再回到莫斯科，共同惊讶这两个城市年轻女性的低胸开领和低腰乃至无腰裤的着装，尤其是在彼得堡，几乎看不见能掩住肚脐的年轻女性，这儿年轻女性的低腰已经不再成为时髦，而是普及到一律化了。我一瞬间想到鲁迅先生几十年前挖苦中国人论人说事要“离开脐下三寸”的话，然而在彼得堡你是离不开，也躲不及那大面积裸露的小腹的。人家有勇气展示腹脐之美，我们倒无胆量去欣赏了。莫斯科的年轻女性露脐之风虽不如彼得堡普及到一律化，却也比比皆是，躲犹不及。我倒是想，那些胸领开得很低、裤腰也落得很低的女性，清晨的阳光里奔向地铁的脚步一样冲冲而又匆匆，挺挑的身材一样端直而不失婀娜，高跟踩出的叮叮咣咣的声响，洋溢着青春旋律和生命活力，还有一种奔赴明天的自信。我在地铁自动扶梯上，同时看到这样最时髦装束的女孩不能等待电梯运转的速度，颠着蹦着从台阶上加速度奔下去。无须猜测，她们是赶到自己的工作岗位上去，自然可以想到是莫斯科各个位置、各个角落的某个工作位置。她们进入自己的位置，整个莫斯科就活起来了，就继续着生活，继续着生产，继续着创造，这个城市就充满了活力。

我们到站之后，再乘上行的电动扶梯，依然是几乎乘无虚阶的满负荷运转，又在电梯的右侧，自觉留出一条专供事由更紧迫、性子也急的人往上跑的通道。往上跑比往下蹦要费劲吃力多了。然而，仍有人不安于电梯运行的速度，往上踏级急走，在争分夺秒。以这样的节奏，以这样专注的神情进入生活岗位的人，可以猜想他们工作起来的姿态。我便感到这个民族内在的劳动激情和内在的创造力了，可以推想他们的明天和未来了。

图书在版编目（CIP）数据

白鹿原的樱桃红了 / 陈忠实著. -- 北京 : 北京联合出版公司, 2025.4-- ISBN 978-7-5596-7753-2

Ⅰ. I267

中国国家版本馆CIP数据核字第2024SG6749号

白鹿原的樱桃红了

作　　者：陈忠实
出 品 人：赵红仕
出版统筹：慕云五　马海宽　贝为任
策划编辑：王　鑫
责任编辑：龚　将
营销编辑：王林亭　王文乐
封面设计：朱　琳

北京联合出版公司出版
（北京市西城区德外大街83号楼9层　100088）
北京联合天畅文化传播公司发行
文畅阁印刷有限公司印刷　新华书店经销
字数230千字　880毫米×1230毫米　1/32　11.5印张
2025年4月第1版　2025年4月第1次印刷
ISBN 978-7-5596-7753-2
定价：68.00元